21 世纪国际商务教材教辅系列

编写委员会

总 主 编：余世明

副总主编：袁绍岐　张彬祥　何　静

编写成员：（按姓氏笔画）

王雪芬	邓雷彦	邓棣嫦	邓宇松	朱艳君	刘德海
刘生峰	许　燕	杨　青	杨　遐	杨宇晖	杨子电
李　涛	吴悫华	肖剑锋	何　静	余世明	余　媛
宋朝生	张彬祥	张少辉	张小彤	陈　梅	陈夏鹏
林丽清	罗楚民	洗燕华	赵江红	胡丽媚	袁绍岐
袁以美	顾锦芬	黄　丽	黄清文	黄森才	彭伟力
彭月嫦	曾　馥	谢蓉莉	赖瑾瑜	詹益生	谭　莉
潘子助					

21世纪国际商务教材教辅系列

总 主 编 余世明
副总主编 袁绍岐 张彬祥 何 静

CUSTOM
DECLARATION PRACTICE

报关实务

主 编 杨 遐
副主编 黄清文 陈夏鹏

暨南大学出版社
JINAN UNIVERSITY PRESS

中国·广州

图书在版编目（CIP）数据

报关实务/杨遐主编. —广州：暨南大学出版社，2006.8（2011.2 重印）
（21 世纪国际商务教材教辅系列）
ISBN 978 - 7 - 81079 - 697 - 2

Ⅰ. 报…　Ⅱ. 杨…　Ⅲ. 进出口贸易—海关手续—中国—高等学校—教材　Ⅳ. F752.5

中国版本图书馆 CIP 数据核字（2006）第 031789 号

出版发行：暨南大学出版社

地　　址：中国广州暨南大学
电　　话：总编室（8620）85221601
　　　　　营销部（8620）85225284　85228291　85228292（邮购）
传　　真：（8620）85221583（办公室）　85223774（营销部）
邮　　编：510630
网　　址：http：//www. jnupress. com　http：//press. jnu. edu. cn

排　　版：暨南大学出版社照排中心
印　　刷：佛山市浩文彩色印刷有限公司

开　　本：787mm×1092mm　1/16
印　　张：15
字　　数：384 千
版　　次：2006 年 8 月第 1 版
印　　次：2011 年 2 月第 5 次
印　　数：15001—18000 册

定　　价：23.00 元

目　　录

编写说明

入世后我国对外贸易发展迅速，2005 年我国货物进出口贸易连续第四年高速增长，进出口总额达到 1.42 万亿美元，同比增长 23.2%，外贸总额在全球排名稳居第三位。随着我国对外贸易的发展，与外贸相关的服务行业发展迅速，报关服务业便是其一。报关员作为代表进出口货物收发货人、报关企业办理报关手续的专业人员，市场需求量逐步增加，队伍也迅速扩大。据统计，目前全国已通过报关员资格考试、取得报关员资格证书的人员约有 13 万人，在海关注册的报关员约有 7.8 万人。因此，培养更多优秀的熟悉和掌握报关业务的报关人才是社会经济发展的需要，也成为高、中级职业技术院校国际商务教学义不容辞的责任。

当前，全国很多高职高专和中专学校国际商务专业都开设了报关实务课程。报关实务是一门实践性强的课程，在教学中，我们深深体会到联系实际业务、培养学生实践能力的重要性。为此，我们编写了这本《报关实务》。本书的编写具有如下特点：

1. **内容新、简练**

本书结合海关业务的最新发展趋势，从报关单位、报关员角度出发，侧重介绍海关对报关单位和报关员的管理、报关单位和报关员在办理进出口货物报关过程中的各种必理手续及相关法规法则、报关单及有关单证的填制规范、关税及其他税费计算、进出口商品税则归类以及进出口业务基本操作等，内容简练，重点突出。

2. **形式活泼，直观性强**

本书针对中、高职学生的特点，运用图文表格、样单、实例分析等对复杂而烦琐的内容进行概括和说明，使该书形式上生动活泼、清晰明了、易于阅读。书中单证的介绍尽可能采用实际单证，直观性强，有利于解决学生在学习过程中接触实际单证困难的矛盾。

3. **重操作，实践性强**

本书侧重实践性，对各类货物报关程序及其具体业务操作进行详细介绍，并穿插部分简短的实例分析和单证实例，以培养和锻炼学生运用基本知识解决实际问题的能力。

本书以现行的全国报关员资格考试大纲的内容为基础，注重重点内容的讲解，因此，不仅可作为中专、高职高专外贸和报关专业报关实务课程的教材，而且还可作为报关员考证和报关知识培训的自学用书，也可作为有志于从事报关业务的各类人士、报关员、报关企业和外贸公司相关人员的实践参考用书。

本书由杨遐任主编，黄清文、陈夏鹏任副主编。参加编写的人员及分工如下：第一章杨遐，第二章邓雷彦，第三章陈夏鹏、杨遐，第四章邓雷彦，第五章谢蓉莉、杨遐，第六章黄清文，第七章陈夏鹏、杨遐，第八章杨遐，第九章黄清文。全书由杨遐总纂定稿。

本书在编写过程中参考了大量的资料，特别是现行《报关实务》各版本的教材，还引用了一些外贸公司的实际业务材料，在此，谨向有关著作的作者和提供材料的公司表示衷心的感谢！

由于编者水平有限，书中不足和错误之处难免，敬请读者不吝赐教。

编　者
2006 年 7 月

第一章
报关与海关管理

第一节　报关概述

一、报关的含义

（一）报关的概念

报关是指进出口货物的收发货人、进出境物品的所有人、进出境运输工具的负责人或者他们的代理人，向海关办理进出口货物、进出境物品和运输工具的进出境手续的全过程。这一概念包括以下含义：①报关的主体是进出口货物的收发货人、进出境物品的所有人、进出境运输工具的负责人或其代理人；②报关的客体是进出口货物、进出境物品和进出境运输工具；③报关的目的是为报关客体办理进出境手续；④报关的管理机构是海关。

（二）几个相关概念

1. 关境

关境是国际上海关通用的概念，是指适用于同一海关法或实行同一关税制度的领域。关境同国境一样，包括其领域内的领陆、领空和领海，是一个立体的空间，而非一个平面。

《中华人民共和国海关法》（以下简称《海关法》）所指的关境范围是除享有单独关境地位的地区以外的中华人民共和国全部领土，包括领陆、领空和领海。目前，我国的单独关境有香港、澳门和台湾、澎湖、金门、马祖单独关税区，因此我国关境小于国境。

2. 通关

通关是指进出境运输工具的负责人、进出口货物的收发货人及其代理人、进出境物品的所有人向海关申请办理进出境手续，海关对其呈交的单证和申请进出境的货物、运输工具和物品依法进行审核、查验、征缴税费，批准进口或者出口的全过程。

报关与通关既相联系又有区别：①两者的工作对象相同，都是对运输工具、货物、物品的进出境而言。②两者的考察角度不同，报关是从进出口货物的收发货人、进出境物品的所有人、进出境运输工具的负责人或者他们的代理人的角度，仅指办理进出境手续及相关手续；通关则是从海关管理的角度，不仅包括海关管理相对人向海关办理有关手续，还包括海关对进出境运输工具、货物、物品依法进行监督管理，核准其进出境的管理过程。

3. 报检（报验）

货物进出境中有的还需要办理报检（报验）手续。报检（报验）是指按照国家有关法律、行政法规的规定，进出口货物的收发货人或其代理人向国家出入境检验检疫部门办理进出口商品检验、卫生检疫、动植物检疫和其他检验、检疫手续。

报检（报验）与报关的联系表现在：依法需要报检（报验）的进出口货物，在办理报关手续之前，必须先行办理报检（报验）手续，在办理报关手续时需要提交货物检验证书。两者有着明显的区别：①管理机构不同。报关的管理机构是海关，报检（报验）的管理机构是出入境检验检疫局。②活动目的不同。报关是为进出口货物办理进出境手续，报检（报验）是为了确定进出口货物的质量、重量数量、包装、安全、卫生、防疫等是否符合有关法律和货物买卖双方合同的规定。

二、报关的分类

（一）按照报关的对象，可分为进出境货物报关、运输工具报关和物品报关

1. 进出境货物报关

进出境货物主要包括一般进出口货物，保税货物，特定减免税进出口货物，暂准进出口货物，过境、转运和通运货物及其他进出境货物。进出境货物的报关手续较为复杂，需要由具备一定的专业知识技能和资格条件且经海关核准的专业人员即报关员，代表报关单位专门办理。

2. 进出境运输工具报关

进出境运输工具主要包括用以载运人员、货物、物品进出境，在国际间运营的多种境内或境外船舶、车辆、航空器和驮畜。其报关主要是向海关直接交验随附的、符合国际商业运输惯例、能反映运输工具进出境合法性及其所承运货物、物品情况的合法证件、清单和其他运输单证，报关手续较为简单。

3. 进出境物品报关

进出境物品主要包括进出境的行李物品、邮递物品和其他物品。行李物品是指以人员携带、托运等方式进出境的物品；邮递物品是指以邮递方式进出境的物品；其他物品是指享有外交特权和豁免的外国机构或人员的公共用品，以及通过国际速递企业进出境的快件等。进出境物品由于具有非贸易性质，且一般限于自用、合理数量，因此报关手续也较简单。

（二）按照报关的目的，可分为进境报关、出境报关和转关报关

由于海关对运输工具、货物、物品的进、出境有不同的监管要求，运输工具、货物、物品根据进境或出境的目的，分别形成了一套进境报关和出境报关手续。另外，由于运输

或其他方面的需要，有些海关监管货物需要办理从一个设关地点运至另一个设关地点的海关手续，从而出现转关报关的需要。

（三）按照报关活动实施者的不同，可分为自理报关和代理报关

《海关法》规定："进出口货物，除另有规定的外，可以由进出口货物的收发货人自行办理报关纳税手续，也可以由进出口货物收发货人委托海关准予注册的报关企业办理报关纳税手续。"这一规定从法律上明确了进出口货物的报关行为可以分为自理报关和代理报关两类。

1. 自理报关

自理报关是指进出口货物的收发货人自行办理报关手续的行为。进出口单位一般自行聘用报关员，自行办理进出口报关业务。根据我国海关目前的规定，自理报关单位必须具有对外贸易经营权和报关权，并且要拥有一定数量的合格的报关员。

2. 代理报关

代理报关是指进出口货物收发货人委托其他企业代理其报关手续的行为。接受他人委托办理进出口报关手续的企业称为报关企业。

根据报关时使用的形式不同，代理报关行为又可分为直接代理报关和间接代理报关两种。直接代理报关是指报关企业接受进出口货物收发货人的委托，以委托人的名义办理报关手续的法律行为。间接代理报关是指报关企业接受进出口货物收发货人的委托，以自己的名义办理报关手续的法律行为。

三、报关的基本内容

报关包括进出口货物报关、进出境运输工具报关、进出境物品报关三个方面的基本内容。

（一）进出口货物报关的基本内容

（1）报关前准备。进出口货物收发货人做好自行向海关办理货物进出境手续的准备工作，或者签署委托代理协议，委托代理报关企业向海关申报。

（2）申报。报关单位向海关申报进出口货物的品质、数量、包装、价格、交货、商检、许可证等情况。申报人必须认真如实填写进（出）口货物报关单或海关规定的其他报关单证；提供与进出口货物直接相关的商业和货运单证，如发票、装箱单、提单等；实行国家管制的进出口货物，提供进出口许可证等；提供海关可能需要查阅的资料，如贸易合同、原产地证明等。

（3）配合查验。报关单位配合海关查验货物。

（4）缴税。报关单位缴纳应缴的进出口税费。

（5）海关放行。海关放行进出口货物，报关单位安排货物装卸。

（6）其他手续。对保税、特定减免税、暂准进出口货物还需在向海关申报前办理备

案手续或在海关放行后办理核销、结案、结关、担保、销案等手续。

（二）进出境运输工具报关的基本内容

（1）申报。进出境运输工具负责人在运输工具进入或驶离我国关境时应如实向海关申报，包括运输工具进出境的时间、航次；运输工具进出境时所载货物的情况；运输工具服务人员名单及其自用物品、货币、金银等情况；运输工具所载旅客的情况；运输工具所载邮递物品、行李物品的情况；其他需要向海关申报清楚的情况，如由于不可抗力原因，被迫在未设关地点停泊、降落或者抛掷、起卸货物、物品等。

（2）提交证明。提交运输工具从事国际合法性运输必备的相关证明文件，如船舶国籍证书、吨税证书、海关监管簿、签证簿等，必要时还需出具保证书或缴纳保证金。

（3）配合查验。运输工具负责人或代理人有时还需应海关的要求，配合海关查验。

（4）海关放行。经海关审核符合海关监管要求的，海关作出放行决定。运输工具报关完成，可以上下旅客、装卸货物或者驶往内地、离境。

（三）进出境物品报关的基本内容

1. 进出境物品报关管理原则

我国海关对进出境物品的监管全面贯彻"坚持自用原则，照顾合理需要，防止走私漏税，加速物品验放"的方针，因此，进出境物品的报关表现为一个共同点，即"自用、合理数量为限"的原则。对于行李物品，"自用"是指进出境旅客本人自用、馈赠亲友而非盈利。"合理数量"是指海关根据进出境旅客旅行目的和居留时间所规定的正常数量。对于邮递物品，"合理数量"是指海关对进出境邮递物品所规定的征免税限制。

2. "红绿通道"制度

我国对进出境行李物品报关实行"红绿通道"制度。绿色通道又称无申报通道，适用于携运的物品在数量和价值上都不超过免税限额，而且国家没有限制或禁止进出境物品的旅客。红色通道又称申报通道，适用于携运绿色通道规定以外的物品的旅客，旅客需填写"进出境旅客行李物品申报单"或海关规定的其他申报单证，在进出境地的海关进行申报。

第二节　海关简介

报关管理行为的主体是海关。作为国家进出境的监督管理机关，海关根据《海关法》和有关法律、行政法规的规定和授权对报关行为进行有效管理。

一、海关及其设置

海关是根据国家法令，对进出关境的运输工具、货物、行李物品、邮递物品和其他物品进行监督管理，征收关税和其他税费，查缉走私和编制海关统计的国家行政管理机关。简言之，海关是依法执行进出关境监督管理的国家行政机关。

海关一般设在沿海一带，内陆国家则设在陆路边境线上，沿海国家也常在内地特别是在首都和大城市设立海关。

我国设立海关的基本原则是："国家在对外开放的口岸和海关监管业务集中的地点设立海关。"依据《海关法》，我国在下列地方设立海关机构：①对外开放港口、口岸和进出口业务集中的地点；②边境火车站、汽车站及主要国际联运火车站；③边境地区陆路和江河上准许货物、人员进出的地点；④国际航空港；⑤国际邮件互换局（交换站）；⑥其他需要设立海关的地点。

二、海关的性质和任务

（一）海关的性质

1. 海关是国家行政机关

我国的国家机关包括享有立法权的立法机关、享有司法权的司法机关和享有行政管理权的行政机关。海关是国家的行政机关之一，从属于国家行政管理体制，属我国的最高国家行政机关——国务院的直属机构。海关对内对外代表国家依法独立行使行政管理权。

2. 海关是国家行政监督管理机关

海关履行国家行政制度的监督职能，是国家宏观管理的一个重要组成部分。海关依照有关法律、行政法规并通过法律赋予的权力，制定具体的行政规章和行政措施，对特定领域的活动开展行政监督管理，以保证其按国家的法律规范进行。

海关实施监督管理的范围是进出关境及与之有关的活动，监督管理的对象是所有进出关境的货物、运输工具和物品。

3. 海关的监督管理是国家行政执法活动

海关通过法律赋予的权力，对在特定范围内的社会经济活动进行监督管理，并对违法行为依法实施行政处罚，以保证这些社会经济活动按照国家的法律规范进行。因此，海关的监督管理是保证国家有关法律、法规实施的行政执法活动。

（二）海关的任务

《海关法》明确规定海关有四项基本任务，即监管进出境的运输工具、货物、行李物品、邮递物品和其他物品（以下简称监管），征收关税和其他税费（以下简称征税），查缉走私和编制海关统计。

1. 监管

海关监管不是海关监督管理的简称。海关监督管理是海关全部行政执法活动的统称；而海关监管则是指海关运用国家赋予的权力，通过一系列管理制度与管理程序，依法对进出境运输工具、货物、物品及相关人员的进出境活动所实施的一种行政管理。

监管是海关最基本的任务，是四项任务的基础，海关其他任务都是在监管工作的基础上进行的。

根据监管对象的不同，海关监管分为货物监管、运输工具监管和物品监管三大体系，每个体系都有一整套规范的管理程序和方法。

2. 征税

代表国家征收关税和其他税、费是海关的另一项重要任务。"关税"是指由海关代表国家，按照《海关法》和进出口税则，对准许进出口的货物、进出境物品征收的一种税。"其他税、费"是指海关在货物进出口环节，按照关税征收程序征收的有关国内税、费，目前主要有增值税、消费税和船舶吨税等。

海关征税工作的基本法律依据是《海关法》和《关税条例》。海关通过执行国家制定的关税政策，对进出口货物、进出境物品征收关税，起到保护国内工农业生产、调整产业结构、组织财政收入和调节进出口贸易活动的作用。

3. 查缉走私

走私是指进出境活动的当事人或相关人违反《海关法》及有关法律、行政法规，逃避海关监管，偷逃应纳税款，逃避国家有关进出境的禁止性或限制性管理，非法运输、携带、邮寄国家禁止、限制进出口或者依法应当缴纳税款的货物、物品进出境，或者未经海关许可并且未缴应纳税款，未交验有关许可证件，擅自将保税货物、特定减免税货物以及其他海关监管货物、物品、进境的境外运输工具在境内销售的行为。

查缉走私是指海关依照法律赋予的权力，在海关监管场所和海关附近的沿海、沿边地区，为发现、制止、打击、综合治理走私活动而进行的调查和惩处活动。查缉走私是海关为保证顺利完成监管和征税任务而采取的保障措施。

我国实行"联合缉私、统一处理、综合治理"的缉私体制，海关在公安、工商、税务、烟草专卖等其他执法部门的配合下，负责组织、协调和管理缉私工作，对查获的走私案件统一处理，并组建有海关缉私警察队伍，专司打击走私犯罪。

4. 编制海关统计

编制海关统计是中国海关的一项重要业务。海关统计是指国家进出口货物贸易统计，由海关负责对进出中国关境的货物进行统计调查和分析，科学、准确地反映对外贸易的运行态势，实施有效的统计监督。

海关的四项基本任务是统一的、有机联系的整体。近几年，国家通过有关法律、行政法规赋予了海关一些新的职责，比如知识产权海关保护、海关对反倾销及反补贴的调查等，这些新的职责也是海关的任务。

三、海关权力

海关权力是指国家为保证海关依法履行职责，通过《海关法》和其他法律、行政法规赋予海关的对进出境运输工具、货物、物品的监督管理权。海关权力属于行政权力，其行使具有一定的范围和条件，并接受执法监督。

（一）海关权力的特点

海关权力作为一种行政权力，除了具有行政权力的单方面性、强制性、无偿性等基本特征外，还具有以下特点：

1. 特定性

海关享有对进出关境活动进行监督管理的行政主体资格，具有进出关境的监督管理权。其他任何机关、团体、个人都不具备行使海关权力的资格，不拥有这种权力。海关权力的特定性也体现在海关权力的限制上，这种权力只适用于进出关境监督管理领域，而不能作用于其他场合。

2. 独立性

《海关法》规定："海关依法独立行使职权，向海关总署负责"，明确了我国海关的垂直领导管理体制，海关行使职权只对法律和上级负责，不受地方政府、其他机关、企事业单位或个人的干预。

3. 效力先定性

海关权力的效力先定性表现在海关行政行为一经作出，就应推定其符合法律规定，对海关本身和海关管理相对人都具有约束力。在没有被国家有关机关宣布为违法和无效之前，即使管理相对人认为海关行政行为侵犯其合法权益，也必须遵守和服从。

4. 优益性

海关职权的优益性是指海关在行使行政职权时依法享有一定的行政优先权和行政受益权。行政优先权是国家为保障海关有效地行使职权而赋予海关的职务上的优先条件，如海关执行职务受到暴力抗拒时，执行有关任务的公安机关和人民武装警察部队应当予以协助。行政受益权是海关享受国家所提供的各种物质优益条件，如直属中央的财政经费等。

（二）海关权力的内容

1. 行政许可权

海关的行政许可权包括对企业报关权以及从事海关监管货物的仓储、转关运输货物的境内运输、保税货物的加工等业务的许可审批，对报关员的报关从业许可等权力。

2. 监督管理权

海关的进出口监督管理权是指海关对进出关境的货物、物品、运输工具进行监督管理的职权。它具体包括以下几种权力：

（1）查验权。海关有权对进出境货物、物品进行查验，以确定货物、物品申报是否属实，单证与货物是否相符，并不受海关监管区域的限制。

（2）检查权。海关可以检查进出境运输工具，检查有走私嫌疑的运输工具和有藏匿走私货物、物品的场所，检查走私嫌疑人的身体。

（3）查阅复制权。此项权力包括查阅进出境人员的证件，查阅、复制与进出境运输工具、货物、物品有关的合同、发票、账册、单据、记录、文件、业务函电、录音录像制品、计算机储存介质和其他有关资料。

（4）查问权。海关有权对违反《海关法》或者其他有关法律、行政法规的嫌疑人进行查问，调查其违法行为。

（5）查询权。海关在调查走私案件时，经直属海关关长或者其授权的隶属海关关长批准，可以查询案件涉嫌单位和涉嫌人员在金融机构、邮政企业的存款、汇款。

（6）稽查权。海关进行稽查时，可以行使下列职权：询问被稽查人的法定代表人、主要负责人和其他有关人员与进出口活动有关的情况和问题；检查被稽查人的生产经营场所；查询被稽查人在商业银行或其他金融机构的存款账户；封存有可能被转移、藏匿、篡改、毁弃的账簿、单证等有关资料；封存被稽查人有违法嫌疑的进出口货物。

（7）连续追缉权。对违抗海关监管逃逸的进出境运输工具或个人，海关可以连续追至海关监管区和海关附近沿海沿边规定地区以外，将其带回处理。

3. 税费征收权

海关的税费征收权包括：依法对进出口货物、物品征收关税及其他税费；根据法律、行政法规及有关规定，对特定地区、特定企业或有特定用途的进出口货物、物品减征或免征关税；对经海关放行后的有关进出口货物、物品，发现少征或者漏征税款的，依法补征、追征税款。

4. 行政处罚权

海关的行政处罚权就是海关有权对尚未构成走私罪的违法当事人处以行政处罚，包括对走私货物、物品及违法所得处以没收，对有走私行为和违反海关监管规定行为的当事人处以罚款，对有违法情事的报关企业和报关员处以暂停或取消报关资格的处罚等。

5. 强制执行权

海关的强制执行权是在有关当事人不依法履行义务的前提下，为实现海关的有效行政管理，依照法定程序，采取法定的强制手段，迫使当事人履行法定义务。强制执行权是《海关法》及相关法律、行政法规得以贯彻实施的重要保障。海关的强制执行权包括扣留权、强制扣缴和变价抵缴、强制履行海关处罚决定等。

6. 佩带和使用武器权

海关为履行职责，可以佩备武器。海关工作人员佩带和使用武器的规定，由海关总署会同公安部制定，报国务院批准。

7. 其他行政处理权

其他行政处理权包括行政命令权、行政奖励权、行政裁定权以及对与进出境货物有关的知识产权保护。

除了以上行政处理权以外，在进出境监督管理领域，海关还具有行政立法权和行政复议权。行政立法权是指海关总署根据法律的授权，制定发布海关行政规章的权力。行政复议权是指有权复议的海关（海关总署、各直属海关）对相对人不服海关行政行为进行复议的权力。

（三）海关权力的监督

海关权力的监督即执法监督，是指特定的监督主体依法对行政机关及其行政执法人员的行政执法活动实施具有法律效力的监察、督促行为。

海关执法监督包括国家最高权力机关的监督、国家最高行政机关的监督、检察机关的监督、审计机关的监督、司法机关的监督、管理相对人的监督、社会监督和党的监督以及海关上下级机构之间的相互监督，机关内部不同部门之间的相互监督、工作人员之间的相互监督等。

四、海关的领导体制与组织机构

（一）海关的领导体制

我国海关是国务院直属机构，实行集中统一的垂直领导管理体制。这一体制的特点主要体现在以下几个方面：①中国海关的最高领导机关是海关总署，统一管理全国海关，海关总署最高行政领导是署长；②国家在对外开放口岸和海关监管业务集中的地点设立海关，海关的隶属关系不受行政区划的限制；③各地海关依法独立行使职权，向海关总署负责，不受地方政府及其他机关干预。

（二）海关的组织机构

我国现行的海关组织机构设置为海关总署、直属海关和隶属海关三级。

1. 海关总署

海关总署为海关最高领导机构。海关总署设在北京，由国务院直接领导，统一管理全国海关。目前，海关总署设有12个司局级内部机构，1个分署——广东分署，41个直属海关，300多个隶属海关，2个特派办，3所海关院校，隶属海关由相应的直属海关领导。

司局级机构为办公厅（口岸规划办公室）、政策法规司、关税征管司、监管司、加工贸易与保税监管司、综合统计司、调查司（全国打击走私综合治理办公室）、缉私局、科技发展司（口岸电子执法系统协调指导委员会）、国际合作司、财务装备司、人事教育司。

分署为设在广州的广东分署，属于总署派出机构，协助总署管理广东省内海关。

特派办为天津特派员办事处、上海特派员办事处。

海关院校为上海海关高等专科学校、中国海关管理干部学院、秦皇岛海关学校。

2. 直属海关

直属海关由海关总署领导，向海关总署负责。直属海关有北京海关（4，即有4个隶属海关，以下数字意义相同）、天津海关（7）、石家庄海关（3）、太原海关（2）、满洲里海关（2）、呼和浩特海关（2）、沈阳海关（3）、大连海关（10）、长春海关（13）、哈尔滨海关（16）、上海海关（15）、南京海关（18）、杭州海关（9）、宁波海关（4）、合肥海关（7）、福州海关（9）、厦门海关（6）、南昌海关（4）、青岛海关（17）、郑州海关（2）、武汉海关（5）、长沙海关（5）、广州海关（17）、黄埔海关（7）、深圳海关（20）、拱北海关（6）、汕头海关（10）、海口海关（6）、湛江海关（2）、江门海关（6）、南宁海关（18）、成都海关（3）、重庆海关（2）、贵阳海关、昆明海关（24）、拉萨海关（4）、西安海关（2）、乌鲁木齐海关（12）、兰州海关、银川海关、西宁海关。

3. 隶属海关

隶属海关由直属海关领导，向直属海关负责，负责办理具体海关业务，是海关进出境监督管理职能的基本执行单位，一般都设在口岸和海关业务集中的地点。

五、报关管理制度

（一）报关管理制度的含义

报关管理制度，简称报关制度，是指海关依法对进出境运输工具负责人、进出口货物收发货人或其代理人的报关资格审定、批准和报关行为进行有效管理的业务制度。

报关管理制度是海关对报关单位及报关行为实施管理的基本业务制度，是报关单位和报关人员必须遵守的行为规范。

（二）报关管理制度的作用

1. 报关制度是完成海关各项工作任务的重要保证

海关监管、征税、查私、编制海关统计等任务的完成是通过对进出境活动的监督管理来实现的。向海关报关、办理进出境手续是进出境活动的主要部分。报关单位的报关活动能否遵守有关法律、法规的要求，报关行为是否规范，直接影响到海关工作的效率，关系到海关各项任务的完成。

2. 报关制度是维护国家进出口经济贸易活动正常秩序的重要保障

报关制度使国家进出口政策、法规得以正确贯彻、执行。最大限度地方便合法进出、制止走私违法行为是维护国家进出口经济贸易活动正常秩序的需要。报关制度通过对报关主体资格的管理和规范报关行为，确保良好的报关秩序，是提高进出口通关效率的重要保障。

3. 报关制度是报关单位及其报关员的报关行为准则

严格遵守报关制度的各项规定是报关单位和报关员的法定义务。报关制度明确规定了报关单位和报关员向海关办理报关手续的行为规范，给报关单位和报关员的报关活动提供了行为准则，为报关单位守法经营打下了基础。

六、与报关相关的海关事务

（一）海关事务担保

1. 海关事务担保的含义

海关事务担保是指与进出境活动有关的自然人、法人或其他组织在向海关申请从事特定的进出境经营业务或办理特定的海关事务时，以向海关提交现金、保函等方式，保证其行为的合法性或保证在一定期限内履行其承诺的义务的法律行为。

2. 海关事务担保的范围

《海关法》规定，在确定货物的商品归类、估价和提供有效报关单证或办结其他海关手续前，收发货人要求放行货物的，海关应当在其提供与其依法应当履行的法律义务相适应的担保后放行。法律、行政法规规定可以免除担保的除外。如加工贸易银行保证金台账制度中对一部分加工贸易实行具有免除担保意义的"不设台账"和虽设台账但可以"空转"的措施等。

进出口管理的法律、行政法规另行规定设立担保的，也适用海关事务担保。

3. 海关事务担保禁止适用的范围

国家对进出境货物、物品有限制性规定，应当提供许可证件而不能提供的，以及法律、行政法规规定不得担保的，海关不得担保放行。

4. 海关事务担保的方式

（1）人民币、可自由兑换货币的担保。

（2）汇票、本票、支票、债券、存单的担保。

（3）银行或非银行金融机构出具的保函的担保。

（4）海关依法认可的其他财产、权利的担保。

（二）知识产权海关保护

1. 知识产权海关保护的含义

知识产权海关保护是指海关对与进出口货物有关并受中华人民共和国法律、行政法规保护的商标专用权、著作权和与著作权有关的权利、专利权实施的保护。

2. 知识产权海关保护的程序

（1）知识产权人申请海关对知识产权进行保护备案。知识产权海关保护备案自海关总署准予备案之日起生效，有效期为10年；有效期届满前6个月内，向海关总署申请续展备案，每次续展备案的有效期为10年。有效期届满而不申请续展或知识产权不再受法律保护，备案随即失效。

（2）知识产权人申请海关扣留侵权嫌疑货物。

（3）海关对侵权嫌疑货物的处理。经海关调查后认定侵犯知识产权的货物，由海关没收并书面通知知识产权人。没收的货物可以用于社会公益事业；知识产权人有收购意愿的，海关可以有偿转让。无法用于社会公益事业和知识产权人无收购意愿的，可以在消除侵权特征后依法拍卖；侵权特征无法消除的，海关应当进行销毁。

（三）海关行政裁定

1. 海关行政裁定的含义

海关行政裁定是指海关在货物实际进出口前，应进出口企业的申请，依据有关海关法律、行政法规和部门规章，对与实际进出口行为有关的海关事务作出的具有普遍约束力的行政决定。

海关行政裁定可以保证和提高海关法律制度实施的可预见性、统一性和透明性，便利进出口企业办理海关手续，提高效率。

2. 海关行政裁定的范围

海关行政裁定适用于以下情况：

（1）进出口商品的归类。

（2）进出口货物原产地的确定。

（3）禁止进出口措施和许可证件的适用。

（4）海关总署决定适用海关行政裁定的其他海关事务。

（四）海关行政许可

1. 海关行政许可的含义

海关行政许可是指海关根据公民、法人或其他组织的申请，经依法审查，准予从事特定活动的行为。

2. 海关行政许可的范围

（1）报关企业注册登记。

（2）报关员资格核准及注册登记。

（3）出口监管仓库、保税仓库设立审批。

（4）进出境运输工具改营、兼营境内运输审批。

（5）海关监管货物仓储审批。

（6）免税商店设立审批。

（7）加工贸易备案（变更）、外发加工、深加工结转、余料结转、核销、放弃核准。

（8）进出口货物免检审批。

（9）暂时进出口货物的核准。

（10）报关单修改、撤销审批。

（11）海关派员驻厂监管的保税工厂资格审批。

（12）常驻机构及非居民长期旅客公私用物品进出境核准。

（13）小型船舶往来港澳进行货物运输备案。

（14）承运境内海关监管货物的运输企业、车辆注册登记。

（15）制造、改装、维修集装箱、集装箱式货车车厢工厂核准。

（16）外国在华常驻机构和常驻人员免税进境机动交通工具出售、转让、出租或移作他用审批。

（17）获准入境定居旅客安家物品审批。

（18）进境货物直接退运核准。

（19）高新技术企业适用海关便捷通关措施审批。

（20）长江驳运船舶转运海关监管的进出口货物审批。

（五）海关行政处罚

1. 海关行政处罚的含义

海关行政处罚是指海关对违反法律、行政法规和规章但尚未构成犯罪的行为给予的一种行政制裁。

2. 海关行政处罚的范围

（1）依法不追究刑事责任的走私行为。

（2）违反海关监管规定的行为。

（3）法律、行政法规规定由海关实施行政处罚的行为。

3. 海关行政处罚的形式

（1）警告。

（2）罚款。

（3）没收走私货物、物品、运输工具及违法所得。

（4）撤销报关企业和海关准予从事海关监管货物的运输、储存、加工、装配、寄售、展示等业务的企业的注册登记。

（5）取消报关从业资格，暂停从事有关业务或执业。

（6）取缔未经注册登记和未取得报关从业资格而从事报关业务的企业和人员的有关活动。

以上有些海关行政处罚是可以并处的。

（六）海关行政复议

1. 海关行政复议的含义

海关行政复议是指公民、法人或其他组织认为海关及其工作人员的具体行政行为侵犯其合法权益，依法向海关复议机构提出申请，由海关复议机构依照法定程序对该具体行政行为进行审查，并作出决定的活动。

2. 海关行政复议的范围

（1）对海关行政处罚决定不服的。

（2）对海关行政强制措施不服的。

（3）对海关作出的其他行政行为不服的，包括海关未依法办理通关手续、对海关征税行为有异议等。

第三节　海关对报关单位的管理

一、报关单位的含义与分类

报关单位是指依法在海关注册登记，取得办理进出口货物报关资格的境内法人。

　　我国现行报关体系中的报关单位主要有两类：一是自理报关的进出口货物收发货人；二是从事代理报关的报关企业。自理报关单位即自行办理报关手续的进出口货物收发货人。报关企业又分为专业报关企业与代理报关企业两种。

1. 自理报关单位

　　自理报关单位又称进出口货物收发货人，是指具有进出口经营权，依法在海关注册登记，只为本企业办理进出口货物报关的报关单位。

　　实例： 向龙公司于 2004 年 6 月 15 日经省外经贸厅批准经营进出口货物，次日即与美国 ST 公司成交一笔出口业务。因国外客户用货心切，向龙公司当天就派业务员小张去海关申报出口手续，结果被海关拒绝。

　　分析： 海关拒绝向龙公司的报关是合理的。自理报关单位一般是经国务院、外经贸部或地方经贸部门批准设立，具有经营进出口业务资格的企业，具有进出口经营权（对外经营权）。这类企业如要自行办理进出口货物的报关，必须在海关办理注册登记，以取得进出口货物的报关权。本例中，向龙公司尚没有报关权，因而海关拒绝是合理的。如因国外客户要货心切，交货在即而又来不及申请报关权，向龙公司必须委托有报关权的报关企业代理报关。

2. 专业报关单位

　　专业报关单位是指依法在海关注册登记，专门从事接受进出口货物经营单位的委托，办理进出口货物、进出境运输工具报关手续，具有境内法人地位的经济实体。专业报关企业又通称为报关公司或报关行。

　　专业报关企业没有进出口经营权，不能从事进出口业务，也没有国际运输代理权，其主营业务是代理委托人办理报关手续。

3. 代理报关单位

　　代理报关单位是指经营国际货物运输代理、国际运输工具代理业务，并接受委托代办进出口货物报关，依法办妥海关注册登记手续的境内法人。代理报关单位主要包括外运公司、外轮代理公司。经营进出境快件、邮政快递业务的企业在海关管理上视同代理报关单位。

　　代理报关企业是分别由外经贸部或交通部批准成立的国际货物运输代理企业或国际船舶代理企业。它本身没有进出口经营权，也只能接受有进出口货物经营权单位的委托，办理由本企业承揽、承运货物的报关事宜，超出上述范围的属于非法报关，海关将不予受理。

　　实例 1： 某国际货运代理公司接受 A 进出口贸易公司委托，承担货物从起运地至新加坡 B 公司的运输，并代为办理报关业务。为扩大业务，该货代公司其后与新加坡 B 公司联系，欲与之达成某货物出口交易。

　　分析： 该货代公司这样做是非法的。因为作为代理报关企业，其没有进出口经营权，不能与国外 B 公司达成出口交易。

　　实例 2： 富力进出口公司受国内某用货部门的委托，从德国进口一批货物。可由哪些单位向海关办理该批进口货物的报关？

分析：如果富力进出口公司已办理了海关注册登记，取得报关权，则可自行报关。如果富力进出口公司尚未取得报关权，则可委托进境地某专业报关行报关或承运该批货物的进境地某代理报关企业报关。即便富力进出口公司已取得报关权，也可根据需要委托报关企业代理报关。

二、报关单位的注册登记

（一）报关注册登记的含义

报关注册登记，又称海关注册登记，是指进出口货物收发货人或报关企业向海关提交规定的文件、资料，申请报关权，经海关确认其报关资格并予以登记的制度。向海关注册登记是进出口货物收发货人、报关企业向海关报关的前提条件。

（二）报关注册登记的范围

可以向海关办理报关注册登记的单位有两类：①进出口货物收发货人，主要包括有进出口经营权的内资公司、外商投资企业等；②报关企业，主要包括专业报关企业、代理报关企业。其他企业和单位，海关一般不接受申请办理报关注册登记。

（三）报关注册登记的程序

报关注册登记一般包括三个基本程序：向海关提出申请——海关审核——颁发报关注册登记证。

1. 向海关提出申请

符合海关规定条件的企业，向海关办理报关注册登记，应当向海关提出书面申请，并提交规定的文件资料。

例如，自理报关单位注册登记时须提交以下文件资料：

（1）自理报关单位注册登记申请书、企业情况登记表、企业管理人员情况登记表。

（2）"对外贸易经营者备案登记表"复印件。

（3）政府主管部门批准文件（包括批准证书、批复等）（外商投资企业提交）。

（4）"法人营业执照"副本复印件（个人独资企业、个人合伙企业或个体工商户提交"营业执照"副本复印件）。

（5）"税务登记证书"副本复印件（包括国税和地税）。

（6）"组织机构代码证书"副本复印件。

（7）银行基本账户开户证明（如"开户许可证"复印件或"开户核准通知书"复印件等证明材料）。

（8）企业法定代表人或个人独资企业、个人合伙企业或个体工商户负责人身份证复印件。

（9）报关专用章印模（需注明企业名称及"报关专用章"字样）。

（10）企业章程复印件（个人独资企业、个人合伙企业和个体工商户免交）。

（11）企业合同复印件（中外合作、合资企业提交）。

（12）固定生产经营场所证明（如租赁合同或房产证等证明）。

（13）海关需要的其他文件、资料。

2. 海关审核

对于专业报关企业，海关根据当时、当地报关服务市场的情况，审核申办企业各项条件是否符合开办所规定的要求，其承担经济法律责任的能力及企业提交有关文件的真实性和合法性等。

对于代理报关企业，海关需要评估当时、当地报关服务市场的情况，核实企业是否已开展经营国际运输代理或国际运输工具代理业务，企业承担经济法律责任的能力，企业提交有关文件的真实性和合法性等。

对于自理报关企业，海关审查企业有关文件的真实性和合法性，企业注册地址、企业的性质等，从而确认是否受理、是否符合注册的条件。

3. 颁发报关注册登记证

海关对企业提交的文件资料予以审核后，在规定的时限内作出准予或不予注册登记的决定。经海关审核准予注册登记的单位，由海关分别颁发"专业报关企业注册登记证书""代理报关企业注册登记证书"或"自理报关企业注册登记证书"，并按规定为企业编制"报关注册编码"，给予海关注册登记编号（又称经营单位代码）。

经海关注册登记的企业，即成为报关单位，可以在规定的经营地域或口岸的范围内开展报关业务。

（四）报关单位注册登记时效及换证管理

1. 注册登记时效

根据海关规定，报关企业登记证书有效期为 2 年，收发货人登记证书有效期为 3 年。

2. 换证管理

进出口货物收发货人应当在收发货人登记证书有效期届满前 30 日内到注册地海关办理换证手续。报关企业应当在办理注册登记许可延期的同时办理换领报关企业报关登记证书手续。

三、异地报关备案

通常，在海关办理了报关注册登记的企业只能在企业所在地海关所辖关区各口岸办理进出口货物报关手续。但在货物进出口实际业务中，海关允许符合一定条件的企业开展异地报关业务。

（一）异地报关备案的含义

异地报关备案是指已在所在地海关办理了报关注册登记的报关单位，为取得在其他海关所辖关区报关的资格，而在有关海关办理报关备案的审批手续的海关管理规定。经批准异地报关备案的企业，除了在企业所在地海关所辖关区各口岸办理进出口货物的报关外，还可以在准予异地备案地海关所辖关区各口岸办理报关手续。

一般情况下，只有已向海关办理了报关注册登记的进出口货物收发货人，才能向海关申请办理异地报关备案，报关企业原则上不得开展异地报关业务。

实例： 广州 A 贸易有限公司经省外经贸厅批准经营进出口货物后，于 2004 年 12 月 10 日在广州海关注册登记，取得了报关权。2005 年因业务需要，该公司需要在深圳海关办理报关手续。因已取得报关权，因而只需在深圳招聘一位报关员即可向深圳海关办理报关业务。

分析： A 公司这样做是不能在深圳海关报关的。因为 A 公司是在广州海关注册登记的进出口货物收发货人，通常只能在广州海关所辖关区各口岸办理进出口货物报关手续。如果需到所在地海关关区以外的地区办理报关，则必须办理异地报关备案手续。

（二）异地报关备案的程序

1. 向注册地海关递交异地报关备案的申请

申请异地报关备案的自理报关企业应向原报关注册地海关（主管海关）递交下列文件资料：

（1）已填妥的报关备案申请书一式两份。

（2）海关核发的报关注册证明书复印件一份。

（3）批准企业成立的批文复印件。

（4）工商登记执照副本复印件。

（5）海关认为需要的其他资料。

2. 原报关注册地海关审核

原报关注册地海关审核上述资料合格后，在自理报关备案申请书正本"备案情况"栏内加注意见并加盖印章，与企业递交的有关文件、资料一起制作"关封"；同时，海关还在自理报关注册证明书正本"备案情况"栏内批注海关审核批准的情况，一并交企业带往备案地海关办理备案。

3. 异地备案海关审核并颁发证书

申请企业在向异地备案海关递交原注册地海关制作的"关封"后，异地备案海关审核无异议，则颁发自理报关单位报关备案证明书，即享有在该关区内各口岸的进出口货物报关权。企业到备案转入海关办理备案手续后，应将备案转入海关签注意见的单据送回原注册地海关核销。

四、报关单位的海关年审

（一）报关单位海关年审的含义

报关单位海关年审是指报关单位每年在海关规定的期限内，向海关递交规定的文件资料，由海关对其报关资格进行年度审核，以确定企业是否具备继续开展报关业务条件的海关管理规定。海关年审的主要内容包括报关单位的年报关量及报关业务情况，报关差错情况及原因，遵守海关各项有关规定情况等。

（二）报关单位海关年审的时限

每个公历年的 1 月 1 日至 5 月 31 日为海关年审工作时间。海关于 1 月 1 日至 4 月 30 日接受在海关注册登记企业的年审申报。

未经海关同意，不在规定期限内参加海关年审的，海关公告通知其参加年审。自公告之日起 30 日内报关单位必须向海关申报年度审核；逾期者，海关注销其报关注册登记。

（三）报关单位海关年审的程序

1. 提出申请，提交资料

例如，外商投资企业按照《对外商投资企业实行联合年检的实施方案》要求递交以下文件：

（1）联合年检报告书复印件。

（2）外商投资企业进出口报关业务情况表原件。

（3）报关员年审报告书原件。

（4）经会计师事务所审计的企业本年度资产负债表和损益表复印件以及审计报告电子件。

（5）自理报关单位注册登记证明书原件。

（6）本企业全部在册报关员证原件。

（7）海关需要的其他文件、资料。

2. 海关审核

海关审核报关单位递交的年审文件资料，符合年审要求的，在企业年审报告书上批注"同意年审"意见，并在报关注册登记证明书"年审"栏上批注年审情况并加盖印章，其中年审报告书由海关留存，报关注册登记证明书由企业留存。

3. 年审结果

通过年审的报关单位，海关予以延长报关有效期，在有效期内可以继续从事报关业务。未通过年审的，海关不再接受其办理报关纳税等海关事务。

五、报关单位的变更登记和注销登记

1. 变更登记

已在海关报关注册登记或异地备案的报关单位，如果有关登记事项如企业名称、法定代表人、注册地址、企业性质、注册资金、联系电话、营业场所或生产地址、经营服务范围等发生变更，应当自批准变更之日起 30 日内，向注册地海关办理海关变更登记手续。

2. 注销登记

企业经海关办理注册登记后，遇到丧失经营许可、破产、解散、经营期到期等情形时，应事先以书面形式向注册地海关报告，在办结海关有关手续后，由海关注销并收回其报关注册证书等资料。

办理了异地报关备案的报关单位，由原报关注册海关在办理注销登记手续后，通知异地报关备案海关注销异地报关备案。

六、报关单位的报关行为规则和法律责任

（一）报关单位的报关行为规则

1. 进出口货物收发货人的报关行为规则

（1）只能办理本单位进出口货物的报关业务，不得代理其他企业报关。

（2）聘用合格的报关员，通过本单位所属的报关员向海关办理报关业务。

（3）如实向海关申报，递交合法、齐全、有效的单证，并对报关员的报关行为承担法律责任。

（4）建立健全财务账册，真实、完整地记录进出口经营活动。

（5）协助、配合海关对走私违法事件进行调查和稽查。

2. 报关企业的报关行为规则

（1）应在注册地海关办理报关，一般不能到异地备案。

（2）依法履行代理人职责，不得滥用报关权。如代理报关企业就只能接受有权委托，办理本企业承揽、承运货物的报关业务。

（3）报关企业代理报关时，应当与委托方签订书面的委托协议，承担对委托人所提供情况的真实性、完整性进行合理审查的义务。

（4）不得以任何形式出让其名义，供他人办理报关业务。

（5）按海关规定设立专职的报关员，并对报关员的报关行为承担法律责任。

（6）依法建立账册和营业记录，真实、完整地记录其受托办理报关事宜的所有活动，完整保留委托单位提供的各种报关单证、票据、函电，接受海关稽查。

（7）接受、协助海关对所代理报关的货物涉及走私违规事件的调查。

（二）报关单位的法律责任

（1）未经海关注册登记从事报关业务的，予以取缔，没收违法所得，并处以10万元以下罚款。

（2）提供虚假资料骗取海关注册登记的，撤销其注册登记，并处以30万元以下罚款。

（3）报关单位应如实向海关申报，对所申报货物、物品的品名、规格、数量等的真实性、合法性负责，承担相应的法律责任。

（4）报关企业受委托人的欺骗，向海关报关时发生伪报、瞒报行为的，由海关依法追究报关企业的经济法律责任。报关企业因被海关暂停或取消报关权所发生的与受托人之间的经济法律纠纷，责任自负。

（5）报关单位有下列情形之一的，海关予以警告，责令改正，并可处以人民币1 000

元以上 5 000 元以下罚款：

①海关注册登记的内容发生变更，未按规定向海关办理变更手续的。

②未向海关备案，擅自变更或启用"报关专用章"的。

③所属报关员离职，未按规定向海关办理相关手续的。

（6）报关企业有下列情形之一的，海关可以暂停其 6 个月的报关权：

①拖欠税款或不履行纳税义务的。

②报关企业出让其名义供他人办理进出口报关纳税事宜的。

③有需要暂停其从事报关业务的其他违法行为的。

（7）报关企业有下列情形之一的，海关可以撤销其注册登记：

①构成走私犯罪或 1 年内有 2 次以上走私行为的。

②所属报关员 1 年内 3 人次以上被海关暂停执业的。

③被海关暂停从事报关业务，恢复从事报关业务后 1 年内再次发生上述（6）所述情形的。

④有需要撤销其注册登记的其他违法行为的。

（8）向海关工作人员行贿的，撤销其报关注册登记，并处以 10 万元以下罚款；构成犯罪的，依法追究刑事责任，并不得重新申请注册登记为报关单位。

七、海关对企业的分类管理

为促进和引导企业守法自律，提高海关监管效率，1999 年 4 月海关总署、外经贸部、国家经贸委联合下发了《海关对企业实施分类管理办法》。本着守法便利、动态管理、风险管理、公开公平公正的原则，根据企业的经营管理状况、报关情况、遵守法律法规情况等，设置 A、B、C、D 四种管理类别的管理措施。对守法企业提供通关便利，对违法企业进行重点监控。海关对企业的分类管理标准中，企业的报关状况是关键指标之一。

例如，符合下列条件的企业经向主管海关申请并经海关审核确定的，海关实施 A 类管理：

（1）注册登记两年以上，并且：

①连续 6 个月无走私违规行为记录。

②连续两年无拖欠海关税款情事。

③连续两年加工贸易合同按期核销。

④进口海关必检商品签订免验协议后两年内无申报不实记录。

（2）向海关提供的单据、证件真实、齐全、有效。

（3）有正常的进出口业务，年进出口额为 100 万美元以上。

（4）会计制度完善：财务账册健全，科目设置合理，业务记录真实可信。

（5）指定专人负责海关事务。

（6）连续两年报关单差错率在 5% 以下。

（7）凡设有存放海关监管货物仓库的企业，其仓库管理制度健全，仓库明细账目清楚，入库单、出库单（包括领料单）等实行专门管理，做到账货相符。

（8）其中年进出口总额 3 000 万美元以上或出口总额达到 2 000 万美元以上的外贸公

司和自营出口额1 000万美元以上（机电产品自营出口额达到500万美元以上）的生产企业可予以优先考虑。

海关对A类企业提供以下便利：

（1）在海关业务现场设专门窗口，优先办理货物申报、查验和放行手续；并应企业要求，优先实行"门对门"验货。

（2）对从事加工贸易的企业，经海关总署批准，可实行海关派员驻厂监管或计算机联网管理。除国家另有规定者外，不实行保证金台账制度。

（3）对按规定允许担保的货物，海关凭企业提交的保函验放，免收保证金。

（4）对企业进口海关必检目录中的商品可免予抽样化验。

（5）为企业优先提供EDI联网报关的便利。

（6）自营进出口生产企业和科研院所可向外经贸部门申报成立进出口公司，海关优先为其办理报关注册登记手续。

八、报关活动相关人

（一）报关活动相关人的含义

报关活动相关人主要是指经营海关监管货物仓储业务的企业、保税货物的加工企业、转关运输货物的境内承运人等。报关活动相关人虽然不是直接的报关单位和报关人员，不具有报关资格，但这些单位和个人的业务与报关活动密切相关，承担着相应的海关义务和法律责任，因而也必须在海关注册登记。

（二）报关活动相关人的类型

1. 海关监管货物仓储企业

经营海关监管货物仓储的企业必须经海关批准，办理海关注册登记手续。其仓储的海关监管货物必须按照海关的规定收存、交付。在保管期间造成海关监管货物毁损或灭失的，除不可抗力外，仓储企业应承担相应的纳税义务和法律责任。

2. 从事加工贸易生产加工的企业

作为报关活动相关人的从事加工贸易生产加工的企业有两类：一类是未向海关办理报关注册登记的企业，但因其从事保税料件的加工业务，所以也须向海关办理保税加工的注册登记手续；另一类是已向海关办理了报关注册登记的企业，但因其保税料件是受经营单位的委托而开展的，因此，该企业在这种情况下应视为报关活动相关人，而不是报关单位。

3. 转关运输货物的境内承运人

转关运输货物的境内承运人须经海关批准，并办理海关注册登记手续。其从事转关运输的运输工具和驾驶人员也须向海关注册登记。在运输期间造成转关运输货物毁损或灭失的，除不可抗力外，承运人应承担相应的纳税义务和法律责任。

表 1 - 1　自理报关注册登记申请书

自理报关注册登记申请书

中华人民共和国＿＿＿＿＿＿＿＿＿＿＿＿海关：

我单位已经＿＿＿＿＿＿＿＿＿＿＿＿＿＿＿批准，有权经营有关的进出口业务；工商行政管理局已签发营业执照，具有法人资格，且有缴纳进出口税费的能力，现根据《中华人民共和国海关对报关单位和报关员的管理规定》，特向贵关申请注册登记，并将有关情况说明如下：

1. 法人代表：＿＿＿＿＿＿＿＿＿＿＿＿＿

2. 总经理：＿＿＿＿＿＿＿＿＿＿＿副经理：＿＿＿＿＿＿＿＿＿＿＿＿＿

3. 法定地址：＿＿＿＿＿＿＿＿＿＿＿＿＿＿＿＿＿＿＿＿＿＿＿＿＿＿＿

4. 现在地址：＿＿＿＿＿＿＿＿＿＿＿＿＿＿＿＿＿＿＿＿＿＿＿＿＿＿＿

5. 联系电话：(1) ＿＿＿＿＿＿＿　(2) ＿＿＿＿＿＿＿　(3) ＿＿＿＿＿＿＿

6. 邮政编码：＿＿＿＿＿＿＿＿＿＿＿＿＿＿＿＿＿＿＿

7. 开户银行：＿＿＿＿＿＿＿＿＿＿＿账号：＿＿＿＿＿＿＿＿＿＿＿＿＿

以上各项保证无讹，特请贵关准予办理自理报关注册登记手续。如获贵关批准为自理报关单位，我单位保证遵守海关的法律、法规和其他有关制度，承担相应的法律责任。

申请单位（签印）：

报关专用章印模：　　　　　　　　　　　　　法人代表（签印）：

年　　月　　日

海关审核意见

该公司已向我关递交下列文件的复印件：

1. ＿＿＿＿＿＿＿＿＿＿＿＿＿部、委、局批准成立企业的批文复印件一份；

2. ＿＿＿＿＿＿＿＿＿＿＿＿＿工商行政管理局核发的营业执照副本的复印件一份；

3. ＿＿＿＿＿＿＿＿＿＿＿＿＿核发的批准证书的复印件一份；

4. 本公司的财务制度、与进出口相关的账册设置、财务管理人员名单各一份；

5. 保证缴纳税费的保证书（担保书）一份（非外商投资企业提供）。

以上证件经与正本核对无讹，建议该企业注册登记为自理报关单位，请领导审核。

经办关员：

年　　月　　日

主管科长意见：

年　　月　　日

主管领导指示：

年　　月　　日

表1-2　自理报关备案申请书（正面）

自理报关备案申请书

中华人民共和国＿＿＿＿＿＿＿＿＿＿海关：

本公司已经贵关核准并办妥自理报关注册登记手续，注册登记编号为＿＿＿＿＿＿＿。现因本单位经常在＿＿＿＿＿＿口岸进出口货物，特向贵关申请办理到＿＿＿＿＿海关的转关备案登记手续，现将有关证件的复印件递交如下：

1. ＿＿＿＿＿＿＿＿＿＿＿＿＿＿＿＿＿＿＿＿＿＿＿
2. ＿＿＿＿＿＿＿＿＿＿＿＿＿＿＿＿＿＿＿＿＿＿＿
3. ＿＿＿＿＿＿＿＿＿＿＿＿＿＿＿＿＿＿＿＿＿＿＿
4. ＿＿＿＿＿＿＿＿＿＿＿＿＿＿＿＿＿＿＿＿＿＿＿
5. ＿＿＿＿＿＿＿＿＿＿＿＿＿＿＿＿＿＿＿＿＿＿＿
6. ＿＿＿＿＿＿＿＿＿＿＿＿＿＿＿＿＿＿＿＿＿＿＿
7. ＿＿＿＿＿＿＿＿＿＿＿＿＿＿＿＿＿＿＿＿＿＿＿

以上各项保证无讹，请贵关准予办理报关备案登记手续。

特此申请

申请单位（签印）：
年　月　日

自理报关备案申请书（背面）

主管海关意见

_____已经我关核准办理自理报关注册登记手续，因业务需要到_____口岸办理进出口手续，现申请到_____海关备案登记。经审核，该单位递交的有关单证齐全、无讹，建议准予办理报关备案手续，特报领导审核。

经办关员：
年　月　日

主管领导：　　　　　　　　海关（章）：

备案海关意见

_____因在我口岸办理进出口业务，且_____海关已同意转到我关办理备案登记手续，经审核有关单证齐全、无讹，拟同意。特报请领导审核。

经办关员：
年　月　日

主管领导：　　　　　　　　海关（章）：

样单 1-1　代理报关委托书和委托报关协议

代理报关委托书

编号：**5100000383359**

　　我单位现　　　（A.逐票　B.长期）委托贵公司代理　　（A.报关查验　B.垫缴税款　C.办理海关证明联　D.审批手册　E.核销手册　F.申办减免税手续　G.其他）等通关事宜。详见《委托报关协议》。

　　我单位保证遵守《海关法》和国家有关法规，保证所提供的情况真实、完整、单货相符，否则愿承担相关法律责任。

　　本委托书有效期自签字之日起至　　　　年　　月　　日止。

委托方（盖章）：

法定代表人或其授权签署《代理报关委托书》的人（签字）：

年　月　日

委托报关协议

为明确委托报关具体事项和各自责任，双方经平等协商签订协议如下：

委托方		被委托方	
主要货物名称		*报关单编码	No.
HS编码	☐☐☐☐☐☐☐☐☐	收到单证日期	年　月　日
进出口日期	年　月　日	收到单证情况	合同☐　　发票☐ 装箱清单☐　提（运）单☐ 加工贸易手册☐　许可证件☐ 其他
提单号			
贸易方式			
原产地/货源地		报关收费	人民币　　　　元
传真电话			
其他要求：		承诺说明：	
背面所列通用条款是本协议不可分割的一部分，对本协议的签署构成了对背面通用条款的同意。		背面所列通用条款是本协议不可分割的一部分，对本协议的签署构成了对背面通用条款的同意。	
委托方业务签章：		被委托方业务签章：	
经办人签章： 联系电话：　　　　　年　月　日		经办报关员签章： 联系电话：　　　　　年　月　日	

CCBA

（白联：海关留存　　黄联：被委托方留存　　红联：委托方留存）　　中国报关协会监制

委托报关协议通用条款

委托方责任　委托方应及时提供报关报检所须的全部单证，并对单证的真实性、准确性和完整性负责。

委托方负责在报关企业办结海关手续后，及时、履约支付代理报关费用，支付垫支费用，以及因委托方责任产生的滞报金、滞纳金和海关等执法单位依法处以的各种罚款。

负责按照海关要求将货物运抵指定场所。

负责与被委托方报关员一同协助海关进行查验，回答海关的询问，配合海关调查，并承担产生的相关费用。

在被委托方无法做到报关前提取货样的情况下，承担单货相符的责任。

被委托方责任　负责解答委托方有关向海关申报的疑问。

负责对委托方提供的货物情况和单证的真实性、完整性进行"合理审查"，审查内容包括：（一）证明进出口货物实际情况的资料，包括进出口货物的品名、规格、用途、产地、贸易方式等；（二）有关进出口货物的合同、发票、运输单据、装箱单等商业单据；（三）进出口所需的许可证件及随附单证；（四）海关要求的加工贸易（纸质或电子数据的）及其他进出口单证。

因确定货物的品名、归类等原因，经海关批准，可以看货或提取货样。

在接到委托方交付齐备的随附单证后，负责依据委托方提供的单证，按照《中华人民共和国海关进出口报告单填制规范》认真填制报关单，承担"单单相符"的责任。在海关规定和本委托报关协议中约定的时间内报关，办理海关手续。

负责及时通知委托方共同协助海关进行查验，并配合海关开展相关调查。

负责支付因报关企业责任给委托方造成的直接经济损失及由此产生的滞报金、滞纳金和海关等执法单位依法处以的各种罚款。

负责在本委托书约定的时间内将办结海关手续的有关委托内容的单证、文件交还委托方或其指定的人员（详见《委托报关协议》"其他要求"栏）。

赔偿原则　被委托方不承担因不可抗拒力给委托方造成损失的责任。因其他过失造成的损失，由双方自行约定或按国家有关法律法规的规定办理。由此造成的风险，委托方可以投保方式自行规避。

不承担的责任　签约双方各自不承担因另外一方原因造成的直接经济损失，以及滞报金、滞纳金和相关罚款。

收费原则　一般货物报关收费原则上按当地《报关行业收费指导价格》规定执行。特殊商品可由双方另行商定。

法律强制　本《委托报关协议》的任一条款与《海关法》及有关法律、法规不一致时，应以法律、法规为准，但不影响《委托报关协议》其他条款的有效。

协商解决事项　变更、中止本协议或双方发生争议时，按照《中华人民共和国合同法》有关规定及程序处理。因签约双方以外的原因产生的问题或报关业务需要修改协议条款，应协商订立补充协议。

第四节　海关对报关员的管理

一、报关员的含义

报关员是指取得报关员资格，按海关规定程序在海关登记注册，向海关办理进出口货物报关业务的专门人员。报关员必须具备两个条件：①通过全国报关员资格考试，取得报关从业资格；②在海关办理注册登记。

报关员与会计师、审计师一样，是向社会提供专业化智力服务的人员。我国海关规定，报关员不是自由职业者，依法取得报关从业资格的人员必须受雇于某一个报关单位才能向海关办理报关员注册登记，并代表该企业向海关办理报关业务。

二、报关员资格

报关员必须具备一定的学识水平和实际业务能力，必须熟悉与货物进出口有关的法律、对外贸易、商品知识，必须精通海关法律、法规、规章和海关业务制度，并具备办理海关手续的技能。我国《海关法》第十条规定："未依法取得报关从业资格的人员，不得从事报关业务。"以法律形式明确了报关员资格许可制度。

我国报关员从业资格许可是通过报关员资格全国统一考试的形式进行的。海关通过对符合报名条件的人员进行全面、系统的专业知识考试，来检验其是否符合报关职业的基本要求，并通过行政许可的方式对符合条件者颁发报关员资格证书。

报关员资格考试实行公开、平等、竞争的原则，采取全国统一报名日期、统一命题、统一时间闭卷笔试、统一评分标准、统一阅卷和统一录取的方式进行。目前，海关总署规定报关员资格全国统一考试的时间为每年11月份的第二个星期日。

（一）报关员资格考试的报名条件

报关员资格全国统一考试面向全社会。符合下列条件的人员，可以报名申请参加资格考试：

（1）具有中华人民共和国国籍。

（2）遵纪守法，品行端正。

（3）年满18周岁，具有完全民事行为能力。

（4）具有高中或中等专业学校毕业及以上学历。

下列人员不得报名参加考试：

（1）因触犯刑法受到刑事处罚，刑罚执行完毕不满5年的。

（2）因在报关活动中发生走私或严重违反海关规定行为，被海关吊销报关员证不满5年的。

（3）考生因舞弊行为被宣布考试成绩无效或因欺骗行为被撤销报关员资格许可，自行为确定之日起不满3年的。

（4）因向海关工作人员行贿构成犯罪的。

（二）报名手续

符合条件的报考人可根据个人情况选择就近的考试地点报名，每个报考人只能选择一个海关报考点进行报名。目前，全国报关员资格考试采取网上报名、现场确认的报考方式。

（三）报关员资格证书的颁发

海关总署核定并公布全国统一合格分数线。考试地海关公布成绩合格者名单，对成绩合格者颁发报关员资格证书，并报海关总署备案。报关员资格证书是从事报关工作的专业资格证明，在全国范围内有效，持有资格证书者可按规定向海关申请注册成为报关员。

（四）报关员资格证书的失效

有下列情况之一者，报关员资格证书自动失效：
（1）自资格证书签发之日起 3 年内未注册成报关员的。
（2）连续 2 年脱离报关员岗位的。

三、报关员的注册登记

海关对报关员实行注册登记制度。报关员注册登记是指通过报关员资格考试取得报关员资格证书的人员，由所属企业向所在地海关申请注册登记并获取报关员证件的行为。

（一）注册条件

（1）报关员必须取得报关从业资格。通过全国报关员资格统一考试，取得报关员资格证书者，方可申请报关员注册。

（2）报关员必须受聘于报关单位。我国报关员不是自由职业者。目前，海关不接受由报关员以个人名义向海关申请的注册登记，要由报关单位为其向海关申请登记注册。

一名报关员只能受聘于一家报关单位，该报关单位必须是与报关员签订了劳动合同的相关企业。

报关员的报关行为是一种职务行为。报关员的注册登记是由所属单位以企业的名义为其申请的，报关员的报关行为，是基于企业的授权而从事的，并不是以本人的名义办理报关纳税等手续的，因此，报关员报关行为的法律责任要由所属企业而不是报关员本人来承担。但是，报关员明知企业的行为违法而故意实施的，应当与企业一并承担连带责任。

（二）注册程序

1. 企业向海关提出申请

通过报关员资格考试取得报关员资格证书者，如需注册成为报关员，应由其所属的已在海关注册登记的企业向所在地海关提出报关员注册的申请。

报关员注册登记应提交以下资料：
（1）报关员资格证书。
（2）海关核发的报关单位注册登记证明书。

（3）报关员注册申请书、报关员情况登记表、办理报关员磁卡申请表（以上表格在海关领取）。

（4）申请注册人所属报关单位的用工劳动合同或证明申请注册人为本企业正式职工的人事证明文件。

（5）录用单位出具的担保证明。

（6）申请注册人有效的身份证件。

（7）申请注册人的近期免冠照片。

（8）海关需要的其他文件或资料。

2. 海关审核

海关对申请报关员注册的企业、单位提交的上述文件进行审核，确定其真实性、合法性、有效性，作出是否符合注册条件的审核意见，并决定是否给予注册。

3. 颁发报关员证

海关对符合报关员注册条件的人员予以办理注册手续，根据企业的性质，颁发不同的报关员证，并在报关员资格证书上批注。

报关员证是报关员在取得职业资格的前提下，最终取得从业资格的证明文件。报关员可以凭此向海关办理报关纳税等海关事务。海关对进出口收发货人和报关企业的报关员分别发给不同颜色的报关员证，以便能一目了然地区分其报关业务范围，对其实施不同的管理措施。

报关员证的有效期为 1 年，在签发年度内有效。跨年度使用必须履行年审手续。报关员证是报关员办理本企业报关业务的身份凭证，不得转借、涂改。

（三）报关员条码卡

为了加强对报关员的管理，我国海关在报关现场实行报关员条码系统，对持有报关员证的报关员核发报关员卡。因此，报关员在交验报关单及有关单据时，应同时交验报关员证和报关员卡，如果报关员卡显示的身份与报关单的有关数据不符，海关将不接受报关。报关员条码卡每年也需要接受海关年审。

（四）报关证件的换发、补发和注销

报关员调动工作单位，应持调出和调入双方企业的证明文件向调入企业所在地海关重新办理注册登记手续，经海关核准后，换发新的报关员证和报关员条码卡。

报关员遗失报关员证件，应自证件遗失之日起 15 日内向海关递交情况说明，并登报声明作废。海关于声明作废之日起 3 个月后予以补发，期间不得办理报关业务。

有下列情事之一的，应由报关员所在企业收回其报关员证和报关员条码卡，交回所在地海关，并以书面形式申请办理报关员证件注销手续：

（1）脱离报关员工作岗位的。

（2）企业因解散、破产等原因停止报关业务的。

（3）企业解聘报关员的。

因未办理注销手续而发生的法律责任由企业自行承担。

四、报关员的记分考核管理

(一)《海关对报关员记分考核管理办法》的颁布

为进一步维护报关秩序,提高报关质量,规范报关员报关行为,保证通关效率和明确海关内部职责权限,海关总署于 2004 年 11 月 30 日发布了《中华人民共和国海关对报关员记分考核管理办法》(以下简称《管理办法》),并于 2005 年 1 月 1 日正式实施。

这是继 1997 年海关对外公布《中华人民共和国海关对报关员管理规定》对报关员的报关行为管理规定以来,新近出台的一项量化标准详细、操作可控性强的对报关员报关行为实行动态、实时监控的重要举措。

(二)记分考核管理的实施

1. 记分、考核的范围

报关员记分考核的管理对象是取得报关从业资格,并按照规定程序在海关注册登记,持有报关员证件的报关员,即在职报关员。

2. 记分的办法

《管理办法》规定,若报关时出现报关单填制和报关行为不规范,以及违反海关监管规定或有走私行为未被海关暂停执业、撤销报关从业资格的,报关员将被海关扣分。

对报关员的记分考核,依据其报关单填制不规范、报关行为不规范的程度和行为性质,一次记分的分值分为 1 分、2 分、5 分、10 分、20 分和 30 分 6 个档次进行记分考核。

记分周期从每年 1 月 1 日至 12 月 31 日止,报关员在海关注册登记之日起至当年 12 月 31 日。不足 1 年的,按一个记分周期计算。

3. 记分项目的分类

《管理办法》中所列的记分项目都是与通关业务和报关员日常报关行为紧密联系的行为,往往直接影响通关效率或提高了海关的监管风险。记分项目主要分为以下四大类:

(1)报关单填制不规范。其包括海关电子审单系统接受电子数据报关单后进行逻辑处理,发现差错自动将报关单退回的;海关接受纸质报关单申报后,报关单证及其内容因报关员填制不规范导致需要修改或撤销的;影响海关统计的。

(2)报关行为不规范。其包括未按规定在纸质报关单及随附单证上加盖报关专用章及其他印章,或者使用印章不规范的;未按规定在纸质报关单及随附单证上签名盖章或由其他人代替签名盖章的;出借本人报关员证件、借用他人报关员证件或者涂改报关员证件内容的;因报关员原因,导致海关退回或撤销报关单的。

(3)违反海关监管规定被海关予以行政处罚,但未被暂停执业、取消报关从业资格的。

(4)因走私被海关予以行政处罚,但未被暂停执业、取消报关从业资格的。

（三）记分考核的处理

《管理办法》规定，报关员记分达到 30 分的，海关将中止报关员证的效力。报关员应参加海关组织的岗位考核，合格后才能再上岗。考核内容为海关法律法规、报关单填制规范及相关业务知识和技能等。经岗位考核合格的，可以向注册登记地海关申请将原记分分值予以消除。岗位考核不合格的，应当继续参加下一次考核。报关员记分已达 30 分，拒不参加考核的，直属海关可以将报关员的姓名及所在单位等情况对外公告，让社会公众监督。

五、报关员的权利和义务

（一）报关员的权利

（1）代表所属报关单位办理进出口货物报关业务。

（2）有权拒绝办理所属企业交办的单证不真实、手续不齐全的报关业务。

（3）对海关的行政处罚不服的，有权向海关申请复议，或者向人民法院起诉。

（4）有权根据国家有关法律、法规对海关工作进行监督，并有权对海关工作人员的违法、违纪行为进行检举、揭发和控告。

（5）有权举报报关活动中的违规走私行为。

（二）报关员的义务

（1）遵守国家有关法律、法规和海关规章，熟悉所申报货物的基本情况。

（2）提供齐全、正确、有效的单证，准确、清楚地填制进（出）口货物报关单，并按有关规定向海关提交办理进出口货物的报关手续。

（3）海关查验进出口货物时，应按时到场，负责搬移货物、开拆和重封货物的包装。

（4）负责在规定的时间内办理缴纳所报进出口货物的各项税费的手续、海关罚款手续和销案手续。

（5）配合海关对走私违规案件进行的调查。

（6）协助本企业完整保存各种原始报关单证、票据、函电等资料。

（7）按规定参加海关对报关员的记分考核。

（8）承担海关规定报关员办理的与报关业务有关的工作。

六、报关员的报关行为规则和法律责任

（一）报关员的行为规则

（1）不得同时兼任两个或两个以上报关单位的报关工作。

实例： 李先生在某地先后投资办有 A、B 两家电子产品加工企业，两家企业均已向海关办理了注册登记手续，取得报关权。为节省成本，李先生计划聘用报关员小李办理 A、B 两家公司进出口货物的报关业务。

分析： 李先生这样做是不可以的。因为根据我国《海关对报关员管理规定》，报关员只能受雇于一家报关单位，办理该报关单位的进出口货物报关业务，不得同时兼任两个或两个以上报关单位的报关工作。本例中，虽然 A、B 两家企业均为李先生所有，但毕竟是两个企业、两个报关单位。

（2）应在企业所在地海关关区内办理本企业授权承办的报关业务。

（3）应持有效的报关员证件办理报关业务，其签字应在海关备案。向海关递交的报关单，应有报关员和所属企业的法定代表人（或其授权委托的报关业务负责人）的签字。专业、代理报关企业的报关员办理报关业务，应交验委托单位的委托书。

（4）报关员证不得转借、涂改。

（5）工作调动或报关证件遗失或停止报关业务，应按规定及时办理报关证件换发、补发、注销手续。

（二）报关员的法律责任

（1）违反《海关法》和相关法律、行政法规的，由海关或其他部门给予相应的处理和行政处罚。构成犯罪的，依法移交司法机关追究刑事责任。

（2）因工作疏忽或在代理报关业务中对委托人所提供的真实性未进行合理审查，致使发生进出口货物的有关项目未申报或申报不实的，海关可以暂停其 6 个月报关执业；情节严重的，取消其报关从业资格。

（3）非法代理报关，责令改正，处以 5 万元以下罚款，暂停其 6 个月报关执业；情节严重的，取消其报关从业资格。

（4）被海关暂停报关执业，恢复从事有关业务后 1 年内再次被暂停报关执业的，海关可以取消其报关从业资格。

（5）向海关工作人员行贿的，撤销其报关从业资格，并处以 10 万元以下罚款；构成犯罪的，依法追究刑事责任，并不得重新取得报关从业资格。

（6）未取得报关从业资格从事报关业务的，予以取缔，没收违法所得，并可处以 10 万元以下罚款。

实例： 叶某受聘于某报关行，2004 年参加从业资格考试未通过。2005 年继续报名参加考试并通过了报名确认，准备参加该年 11 月份的考试。叶某从 2005 年 8 月起借用该单位其他报关员的名义向海关报关。

分析： 叶某的这一行为属非法报关，海关可以取缔其非法报关活动，没收自 2005 年 8 月起的非法报关所得，并可处以 10 万元以下罚款。

（7）提供虚假资料骗取海关注册登记、取得报关从业资格的，撤销其注册登记，取消其报关从业资格，并处以 30 万元以下罚款。

（8）报关员有违反《海关法》行为，受到海关按照《海关法》《海关法行政处罚实施细则》规定吊销其报关员证件处罚的，5 年内不得重新申请报关员注册。

七、《报关行业自律准则（试行）》和《报关员公约》

中国报关协会（简称 CCBA）是中国唯一的全国性报关行业组织。其成立以来，在促进报关行业自律和促进我国报关服务行业的健康发展方面做了大量的工作。2003 年 12 月 31 日中国报关协会制定了《报关行业自律准则（试行）》和《报关员公约》。

《报关员公约》的主要内容是：依法报关，照章纳税；资格有效，手续完备；公平竞争，透明收费；履行承诺，服务到位；自律自强，提高素养；维权倡廉，诚信为贵。

表 1-3 报关员注册申请书

报关员注册申请书					照片
中华人民共和国_____海关： 本企业为〔专业〕〔代理〕〔自理〕报关企业，已在海关办理报关注册登记。现根据《中华人民共和国海关对报关员管理规定》，向贵关申请报关员注册并申领报关员证件，有关情况如下：					
姓 名		性 别		联系电话	
身份证件号		取得报关员资格时间			年 月
企 业 名 称				注册编码	
企 业 地 址				邮政编码	
法 定 代 表 人			联系电话		
报 关 业 务 负 责 人			联系电话		
企业上年度报关单数		票	已有报关员人数		名
申请人签字备案： 年 月 日	企业法定代表人（或授权委托的报关业务负责人）签字备案： 年 月 日			企业印章： 年 月 日	
海关审核意见	经办关员： 年 月 日				
	经审核：同意（不同意）注册，予以制发报关员证件。				
	报关员证号为： 主管领导： 海关（印）： 年 月 日				
备注	学历： 过户前企业编码：				

表1-4　报关单位情况登记表

报关单位情况登记表

（以下内容不得空缺，如办理变更仅填写变更事项）

填表单位（盖章）：　　　　　　　　　　　填表日期：　　　年　　月　　日

海关注册编码			预录入号				
注册日期							
名　称	工商注册全称						
	对外英文名称						
地　址	工商注册地址				邮政编码		
	对外英文地址						
注册资本（万）			资本币制		投资总额		
备案（批准）机关			备案（批准）文号		生产类型		
开户银行			银行账号		行业种类		
法定代表人（负责人）			证件类型	证件号		电话	
联系人		联系电话			报关类别		
纳税人识别号			营业执照编号				
组织机构代码			报关有效期				
进出口企业代码			工商注册有效期				
经营范围							
主要产品							

投资者	投资国别	投资方式	投资金额	到位金额
1				
2				
3				
4				
5				

以上填写保证无讹，请贵关（办）办理单位报关登记手续，我单位保证遵守海关的法律、法规和其他有关制度，承担相应的法律责任。

备　注	

表 1 - 5　报关单位管理人员情况登记表

报关单位管理人员情况登记表

填表单位（盖章）：　　　　　　　　　　　　　填表日期：　　　年　　月　　日

单位名称		
海关注册编码		
法定代表人	姓　名	
	身份证件号	
	国籍（地区）	
	职　务	
	出生日期	
	学　历	
	住　址	
	联系电话（手机）	
	备　注	
报关业务负责人	姓　名	
	身份证件号	
	国籍（地区）	
	职　务	
	出生日期	
	学　历	
	住　址	
	联系电话（手机）	
	备　注	
财务负责人	姓　名	
	身份证件号	
	国籍（地区）	
	职　务	
	出生日期	
	学　历	
	住　址	
	联系电话（手机）	
	备　注	

表1-6　报关员情况登记表

报关员情况登记表

填表单位（盖章）：　　　　　　　　填表日期：　　年　月　日

	单位名称	
	海关注册编码	
1	姓　名	
	性　别	
	出生日期	
	身份证件号	
	联系电话（手机）	
	报关员证号	
	学　历	
	住　址	
	报关员等级	
	备　注	
2	姓　名	
	性　别	
	出生日期	
	身份证件号	
	联系电话（手机）	
	报关员证号	
	学　历	
	住　址	
	报关员等级	
	备　注	
3	姓　名	
	性　别	
	出生日期	
	身份证件号	
	联系电话（手机）	
	报关员证号	
	学　历	
	住　址	
	报关员等级	
	备　注	
备注	一、企业无报关员则不填此表 二、报关员等级一栏暂不填	

第五节 海关通关制度与报关一般程序

一、进出口货物通关制度

(一) 进出口货物通关制度的含义

根据《海关法》的规定，进口货物自进中国关境起到办结海关手续为止，出口货物自向海关申报起到出中国关境止，过境、转运和通运货物自进境到出境止，都必须接受海关的监管。海关为使监管达到有效目的，建立了一套进出口货物通关的基本制度。

进出口货物通关制度是指根据有关进出口货物的货物性质、贸易方式、贸易目的不同，海关给予不同进出口货物在通关环节不同的政策待遇，需要其履行特定报关手续的一系列制度的总和。

(二) 通关制度的适用

通关制度是一系列制度的总称，主要包括一般进出口货物的通关制度、保税进出口货物的通关制度、特定减免税进出口货物的通关制度、暂时进出口货物的通关制度等。这套制度运用于不同的监管对象以及体现海关监管的各个业务部门的形式和要求是有区别的。

特定的进出口货物总是在一定的条件下才适用某一通关制度，超出特定范围的进出口货物将不再适用原来的通关制度，转而适用新的通关制度。

(三) 电子口岸通关系统

我国海关已经在进出境货物通关作业中全面使用计算机进行信息化管理，成功地开发运用了多个电子通关系统。

1. **海关 H883/EDI 通关系统**

H883/EDI 通关系统是中国海关报关自动化系统的简称，是我国海关利用计算机对进出口货物进行全面信息化管理，实现监管、征税、统计三大海关业务一体化管理的综合性信息处理项目。

2. **海关 H2000 通关系统**

H2000 通关系统是对 H883/EDI 通关系统进行全面更新换代的升级项目。

H2000 通关系统在集中式数据库的基础上建立了全国统一的海关信息作业平台，不但提高了海关管理的整体效能，而且使进出口企业真正享受到简化报关手续的便利。进出口企业可以在其办公场所办理加工贸易登记备案、特定减免税证明申领、进出境报关等各种海关手续。

3. 中国电子口岸系统

中国电子口岸系统又称口岸电子执法系统，简称电子口岸，是与进出口贸易管理有关的国家12个部委利用现代计算机信息技术，将各部委分别管理的进出口业务信息电子底账数据集中存放在公共数据中心，向政府管理机关提供跨部门、跨行业联网数据核查，向企业提供网上办理各自进出口业务的国家信息系统。

电子口岸系统和海关通关系统，尤其是和 H2000 通关系统连接起来，构成了覆盖全国的进出口贸易服务和进出口贸易管理的信息网络系统。进出口企业在其办公室外就可以上网向海关及国家各有关部委办理与进出口贸易有关的各种手续，与进出口贸易有关的海关及国家各有关部委也能在网上对进出口贸易进行有效的管理。

4. 企业申办中国电子口岸法人卡和操作员卡的办法

（1）申办企业必须是已在海关办理注册登记手续的企业。

（2）企业申请办理中国电子口岸法人卡和操作员卡，向中国电子口岸制卡中心（以下简称中心）领取申请表，按要求如实填写并加盖公章后，携带有关资料向中心办理入网申请手续。

（3）凭中心签发的申请入网受理回执，连同以下资料，向注册地海关申请办理入网资格审批手续：

①自理报关单位注册登记证明书原件；

②操作员的报关员证原件（操作员不是报关员的免交）；

③海关需要的其他文件、资料。

（4）企业按照入网资格审核程序办妥海关、外汇管理局等部门审核签章和有关手续后，凭申请入网受理回执向中心领卡。

二、进出境货物分类与通关环节

（一）进出境货物分类

进出境货物按照海关监管的基本特征大体分为以下几类：

（1）一般进出口货物。

（2）保税货物。

（3）特定减免税货物。

（4）暂准进出境货物。

（5）其他进出境货物。

（二）通关基本环节

货物、运输工具与有关物品进出境的具体通关程序不尽相同。但总体来说，总是经过以下四个基本环节：申报——查验——征税——放行。

当然，这些环节还不能满足海关对所有进出境货物的实际监管要求。例如，加工贸易原材料进口，海关要求事先备案；如果上述原材料进口加工成成品后出口，海关要求后期核销。

三、进出境货物一般报关程序

从海关对进出境货物进行监管的全过程来看，报关程序按时间先后可以分为三个阶段，即

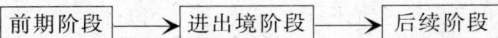

前期阶段 ⟶ 进出境阶段 ⟶ 后续阶段

1. 前期阶段

前期阶段适用于保税货物、特定减免货物、暂准进出境货物、其他进出境货物的报关。根据海关对这些货物的监管要求，进出口货物收发货人或其代理人在货物进出境以前，必须向海关办理备案手续。

2. 进出境阶段

进出境阶段适用于所有进出境货物的报关。进出口货物收发货人或其代理人在一般进出口货物、保税货物、特定减免税货物、暂准进出境货物、其他进出境货物进出境时，必须向海关办理进出口申报、配合查验、缴纳税费、提取或装运货物等手续。

进出境阶段，进出口货物收发货人或其代理人应当完成以下四个环节的工作：

（1）进出口申报。进出口申报是指进出口货物的收发货人或其代理人在海关规定的期限内，按照海关规定的形式，向海关报告进出口货物的情况，提请海关按其申报的内容放行进出口货物的行为。

（2）配合查验。申报进出口的货物经海关决定查验时，进口货物的收货人、出口货物的发货人或者办理进出口申报具体手续的报关员应到达查验现场，配合海关查验货物，并负责按照海关的要求搬移、开拆或重封被查验货物。

（3）缴纳税费。进出口货物的收发货人或其代理人接到海关发出的税费缴纳通知书后，应在海关指定的银行办理税费款项的缴纳手续，由银行将税费款项缴入海关专门的账户。

（4）提取或装运货物。进口货物的收货人或其代理人，在办理了进口申报、配合查验、缴纳税费等手续，海关决定放行后，持凭海关加盖"放行章"的进口提货凭证或海关通过计算机系统发送的放行通知书，提取进口货物。

出口货物的发货人或其代理人，在办理了出口申报、配合查验、缴纳税费等手续，海关决定放行后，持凭海关加盖"放行章"的出口装货凭证或海关通过计算机系统发送的放行通知书，通知港区、机场、车站及其他有关单位装运出口货物。

3. 后续阶段

后续阶段适用于保税货物、特定减免货物、暂准进出境货物、部分其他进出境货物的报关。进出口货物收发货人或其代理人在货物进出境储存、加工、装配、使用、维修后，应按规定向海关办理上述进出口货物核销、销案、申请解除监管等手续。

第二章
报关与对外贸易管制

为了维护对外贸易秩序，保障对外经济、技术、文化交流的健康发展，我国制定了一系列法律、行政法规，对进出口货物的贸易经营加以管制。进出口货物的收发货人或其代理人在通关的过程中，必须严格遵守这些规定，并按照相应的管理要求办理货物进出境手续。

第一节　对外贸易管制概述

一、对外贸易管制的含义

对外贸易管制又称进出口贸易管制，简称贸易管制，是指一国政府从国家宏观经济利益、国内外政策需要以及为履行所缔结或加入国际条约的义务出发，为对本国的对外贸易活动实现有效的管理而颁布实行的各种制度、措施以及所设立的相应机构及其活动的总称。

对外贸易管制包括如下含义：①它以实现我国对内对外政策目标为基本出发点；②它是国家管制；③它是政府的一种强制性行政管理行为；④它所涉及的法律制度属于强制性法律范畴。

二、对外贸易管制的目的和特点

（一）对外贸易管制的目的

1. 为了发展本国经济、保护本国经济利益

发达国家实行对外贸易管制主要是为了确保本国在世界经济中的优势地位，避免国际贸易活动对本国经济产生不利影响，特别是要保持本国某些产品或技术的国际垄断地位，保证本国经济发展目标的实现。发展中国家实行对外贸易管制主要是为了保护本国的民族工业，防止外国产品冲击本国市场而影响本国独立经济结构的建立。

2. 为了达到国家的政治或军事目的

不论是发达国家还是发展中国家，往往出于政治或军事上的考虑，甚至不惜牺牲本国的经济利益，在不同时期，对不同国家或不同产品实行不同的对外贸易管制措施，以达到其政治上或军事上的目的。

3. 为了行使国家职能

国家对外贸易管制制度和措施的强制性是国家为了保护本国环境和自然资源、保障国民人身安全、调控本国经济而行使国家管理职能的一个重要保证。

（二）对外贸易管制的特点

（1）对外贸易管制政策是一国对外政策的体现。

（2）不同国家或同一国家的不同时期的对外贸易管制政策和措施是各不相同的，会因时因势而变化。

（3）各国对外贸易管制都以对进口的管制为重点。

（4）贸易管制是一种综合制度，它通过一系列法律、法规、制度实施管制措施。

三、对外贸易管制目标的实现

（一）海关监管是实现对外贸易管制的重要手段

我国海关是国家进出关境的监督管理机关，依据《海关法》所赋予的权利，代表国家在口岸上行使进出境管理职能，这种管理职能决定了海关是实施对外贸易管制政策和措施的重要部门。

对外贸易管制作为一项综合制度，是需要国家各行政管理部门之间通力合作来实现的。国家对外贸易管制是通过国家对外贸易主管部门及其他行业主管部门依据国家对外贸易管制政策发放各类许可证件，最终由海关依据许可证件对实际进出口货物的合法性的监督管理来实现。

海关监管时要确认受管制的货物达到"单单相符""单货相符""单证相符""证货相符"（"单"是指包括报关单在内的各类报关单据及其电子数据，"证"是指各类许可证件及其电子数据，"货"即实际进出口货物）的条件，海关才可放行。

（二）报关是海关确认进出口货物合法性的先决条件

《海关法》第二十四条规定："进口货物的收货人、出口货物的发货人应当向海关如实申报，交验进出口许可证件和有关单证。国家限制进出口的货物，没有进出口许可证件的，不予放行。"因此，报关不仅是进出口货物收发货人或其代理人必须履行的手续，也是海关确认进出口货物合法性的先决条件。

一般进口货物应自运输工具申报进境之日起14日内向海关报关，出口货物自货物到达海关监管区后、装货前24小时向海关报关。

四、对外贸易管制的分类

国际上对外贸易管制通常有两种分类形式：①按管理目的分为进口贸易管制和出口贸易管制；②按管制手段分为关税措施和非关税措施。

我国对外贸易管制按管制对象分为货物进出口贸易管制、技术进出口贸易管制、国际服务贸易管制。本章重点介绍货物进出口贸易管制和技术进出口贸易管制以及在这些贸易管制中所涉及的报关规范。

五、我国对外贸易管制的基本内容

我国对外贸易管制是一种综合管理制度，主要由海关监管制度，关税制度，对外贸易经营者的资格管理制度，进出口许可证制度，出入境检验检疫制度，进出口货物收、付汇管理制度以及贸易救济制度等构成。其基本内容可以概括为证、备、检、核、救五个方面。

（一）证

"证"即货物、技术进出口的许可。它主要是指进出口许可证件，也就是法律、行政法规规定的各种具有许可进出性质的证明、文件。在进出口许可证件中，进出口许可证是我国贸易管制的最基本的手段，另外还包括进出口废物、进出口濒危野生动植物种、进出口药品等特殊商品的批准文件或许可文件。进出口许可制度是我国对外贸易管制的核心管理制度，而且还是我国对外贸易管制的主要实现方式之一。

（二）备

"备"即对外贸易经营资格的备案登记。它指的是我国对外贸易经营者在从事或参与对外贸易经营活动前，必须按规定向国务院对外贸易主管部门或者其委托的机构办理备案登记。

（三）检

"检"即商品质量的检验检疫、动植物检疫和国境卫生检疫。对货物的进出口实行必要的检验或检疫也是我国对外贸易管制方面的重要内容之一，基本目标是为了保证进出口商品的质量、保障人民的生命安全和健康。我国出入境检验检疫机构可依法对进出口的货物实施必要的检验检疫。

（四）核

"核"即进出口收、付汇核销，它反映我国有关进出口货物的收、付汇管理。我国对进出口的货物和技术实行较为严格的收、付汇核销制度，以达到国家对外汇实施管制的目的，防止偷逃、偷套外汇。

（五）救

"救"即贸易管制的救济措施。我国根据世界贸易组织的有关规定所采取的贸易救济措施主要包括反倾销、反补贴和保障措施。对外贸易管制的救济措施是为了维护我国的经济贸易利益，防止或阻止我国产业受到侵害和损害。

第二节　我国货物、技术进出口许可管理制度

进出口许可是国家对进出口的一种行政管理程序，既包括准许进出口的有关证件的审批和管理制度本身的程序，也包括以国家各类许可为条件的其他行政管理手续，这种行政管理制度称为进出口许可管理制度。

货物、技术进出口许可管理制度是我国进出口许可管理制度的主体，是国家对外贸易管制中极其重要的管理制度。目前，我国对进出口商品实行禁止进出口、限制进出口与自由进出口的管理制度。海关依据国家相关法律、法规对进出口货物、技术实施监督管理。

一、禁止进出口管理

（一）禁止进口

对列入国家公布的禁止进口目录以及其他法律、法规明令禁止或停止进口的货物、技术，任何对外贸易经营者都不得经营进口。

1. 禁止进口的货物

我国政府明令禁止进口的货物主要包括以下几类：

（1）列入《禁止进口货物目录》的商品。

目前，我国公布的《禁止进口货物目录》共5批：

①《禁止进口货物目录》（第一批）是为履行我国所缔结或者参加的与保护世界自然生态环境相关的一系列国际条约和协定而公布的，目的是为了保护我国的生态环境和生态资源。如国家禁止进口破坏臭氧层的物质三氯三氟乙烷，禁止进口属世界濒危物种管理范畴的犀牛角和虎骨。

②《禁止进口货物目录》（第二批）都是旧机电产品类，是国家对涉及生产安全（压力容器类）、人身安全（电器、医疗设备类）和环境保护（汽车、工程及车船机械类）的旧机电产品所实施的禁止进口管理。

③《禁止进口货物目录》（第三、第四、第五批）所涉及的是对环境有污染的固体废物类，包括城市垃圾、医疗废物、含铅汽油淤渣等13个类别的废物。

（2）国家有关法律、法规明令禁止进口的商品。例如，依据《中华人民共和国进出

境动植物检疫法》，对来自疫区或不符合我国卫生标准的动物和动物产品禁止进口。

（3）其他。

①停止进口以 CFC – 12 为制冷工质的汽车及以 CFC – 12 为制冷工质的汽车空调压缩机（含汽车空调器）。

②停止进口属右置方向盘的汽车。

③停止进口旧服装、Ⅷ因子制剂等血液制品、黑人牙膏（DARKLE、DARLIE）等。

④停止国产手表复进口。

2. 禁止进口的技术

根据《对外贸易法》、《技术进出口管理条例》以及《禁止进口、限制进口技术管理办法》的有关规定，属于禁止进口的技术不得进口。

目前，《中国禁止进口限制进口技术目录》（第一批）所列明的禁止进口的技术涉及钢铁冶金技术、有色金属冶金技术、化工技术、石油炼制技术、石油化工技术、消防技术、电工技术、轻工技术、印刷技术、医药技术、建筑材料生产技术等 11 个技术领域的 26 项技术。

（二）禁止出口

对列入国家公布的禁止出口目录以及其他法律、法规明令禁止或停止出口的货物、技术，任何对外贸易经营者都不得经营出口。

1. 禁止出口的货物

禁止出口的货物主要包括以下几类：

（1）列入《禁止出口货物目录》的商品。

①《禁止出口货物目录》（第一批）是为履行我国所缔结或者参加的与保护世界自然生态环境相关的一系列国际条约和协定而公布的，目的是为了保护我国的生态环境和生态资源。如国家禁止出口破坏臭氧层的物质三氯三氟乙烷，禁止出口有防风固沙作用的发菜和麻黄草等植物。

②《禁止出口货物目录》（第二批）主要是为了保护我国的森林资源。如禁止出口木炭。

（2）国家有关法律、法规明令禁止出口的商品。例如，依据《中华人民共和国野生植物保护条例》禁止出口未定名的或者新发现并有重要价值的野生植物。

（3）其他。例如，禁止出口劳改产品等。

2. 禁止出口的技术

目前，列入《中国禁止出口限制出口技术目录》禁止出口的技术涉及核技术、测绘技术、地质技术、药品生产技术、农业技术等 25 个技术领域的 31 项技术。

二、限制进出口管理

（一）限制进口

国家实行限制进口的货物、技术，必须依照国家有关规定取得国务院对外贸易主管部门或者由其会同国务院有关部门许可，方可进口。

1. 限制进口货物

目前，我国限制进口货物管理按照其限制方式可分为关税配额管理和进口许可证件管理。

（1）关税配额管理。它是指在一定时期内（一般是1年），国家对部分商品的进口制定关税配额税率并规定该商品进口数量总额，限额内按关税配额税率征税进口，超出限额按照配额外税率征税进口的措施。一般关税配额税率优惠幅度很大，如2005年我国实行进口关税配额管理的小麦，关税配额税率是1%，而最惠国税率是65%。

（2）进口许可证件管理。它是指在一定时期内根据国内政治、工业、农业、商业、军事、技术、卫生、环保、资源保护等领域的需要，以及为履行我国加入或缔结的有关国际条约的规定，以经国家各主管部门签发许可证件的方式来实现各类限制进口的措施。

进口许可证件管理主要包括进口许可证、可利用废物进口、濒危物种进口、进口药品、黄金及其制品进口、进口音像制品等管理。2005年我国实行进口许可证管理的共有3类货物：监控化学品、易制毒化学品和消耗臭氧层物质。

我国商务部是全国进出口许可证的管理部门，商务部授权配额许可证事务局统一管理、指导全国各发证机构的进出口许可证签发工作。配额许可证事务局及商务部驻各地特派员办事处和各省、自治区、直辖市、计划单列市以及商务部授权的其他省会城市商务厅（局）、外经贸委（厅、局）为进出口许可证的发证机构。

2. 限制进口技术

目前，列入《中国禁止进口限制进口技术目录》（第一批）中属限制进口的技术包括生物技术、化工技术、石油炼制技术、石油化工技术、生物化工技术和造币技术等6个技术领域的16项技术。属于目录范围内的限制进口的技术，实行许可证管理；未经国家许可，不得进口。

进口属于限制进口的技术，应当向国务院对外贸易主管部门提出技术进口申请，国务院对外贸易主管部门收到技术进口申请后，应当会同国务院有关部门对申请进行审查，技术进口申请经批准的，由国务院对外贸易主管部门发给"中华人民共和国技术进口许可意向书"，进口经营者取得技术进口许可意向书后，可以对外签订技术进口合同。进口经营者签订技术进口合同后，应当向国务院对外贸易主管部门申请技术进口许可证。经审核符合发证条件的，由国务院对外贸易主管部门颁发"中华人民共和国技术进口许可证"，凭以向海关办理进口通关手续。

（二）限制出口

1. 限制出口货物

我国货物限制出口按照其限制方式划分为出口配额限制、出口非配额限制（即许可证件管理）。

（1）出口配额限制。它是指在一定时期内为了增强我国产品在国际市场上的竞争力，保护我国产品的国际市场利益，国家对部分商品的出口数量直接加以限制的措施。我国出口配额限制的管理形式分为出口配额许可证管理和出口配额招标管理。

①出口配额许可证管理。它是指国家对部分商品的出口，在一定时期内（一般是1年）规定数量总额，经国家批准获得配额的允许出口，否则不准出口的配额管理措施。

根据申请者需求并结合其进出口业绩、能力等条件，国家各配额主管部门对经申请有资格获得配额的申请者发放各类配额证明。申请者获得配额证明后，到国务院对外贸易主管部门及其授权发证机关，凭配额证明申领出口许可证。

②出口配额招标管理。它是指国家对部分商品的出口，在一定时期内（一般是1年）规定数量总额，采取招标分配的原则，经招标获得配额的允许出口，否则不准出口的配额管理措施。

国家各配额主管部门对中标者发放各类配额证明。中标者获得配额证明后，到国务院对外贸易主管部门及其授权的发证机关，凭配额证明申领出口许可证。

（2）出口非配额限制。它也称为出口许可证件管理，是指在一定时期内根据国内政治、工业、农业、商业、军事、技术、卫生、环保、资源保护等领域的需要，以及为履行我国加入或缔结的有关国际条约的规定，以经国家各主管部门签发许可证件的方式来实现各类限制出口的措施。

目前，我国出口非配额限制管理主要包括出口许可证、濒危物种出口、黄金制品出口、敏感物项出口等许可管理。2005年我国实行出口许可证管理的共有47种货物，分别实行出口配额许可证、出口配额招标和出口许可证管理。

2. 限制出口技术

我国目前限制出口技术目录主要是依据《核出口管制清单》、《生物两用品及相关设备和技术出口管制清单》、《导弹及相关物项和技术出口管制清单》等制定的《敏感物项和技术出口许可证管理目录》以及《中国禁止出口限制出口技术目录》。出口属于上述限制出口的技术，应当向国务院对外贸易主管部门提出技术出口申请，经国务院对外贸易主管部门审批后取得技术出口许可证件，凭以向海关办理出口通关手续。

三、自由进出口管理

自由进出口的货物和技术是指除国家规定禁止、限制进出口以外的进出口货物和技术。自由进出口的货物和技术的进出口不受限制，但基于监测进出口情况的需要，国家对部分自由进出口的货物实行自动进出口许可管理，对自由进出口的技术实行技术进出口合同登记管理。

（一）自动进口许可管理的货物

自动进口许可管理是指在任何情况下对进口申请一律给予批准的进口许可制度。这种进口许可是由于国家对部分进口货物有统计和监督的需要，因而在进口前实施的自动登记性质的许可制度。

2005年我国实行自动进口许可管理的货物包括一般商品、机电产品（包括旧机电产品）、重要工业品三个目录共26大类。

进口经营者在进口列入《自动许可管理货物目录》的货物时，应当事先向国务院对外贸主管部门或者国务院有关经济管理部门提交自动进口许可申请，凭国务院对外贸易主管部门或者国务院有关经济管理部门发放的自动进口许可证向海关办理报关手续。但下列情形免交自动进口许可证：

（1）加工贸易项下进口并复出口的（原油、成品油除外）。

（2）暂时进口的海关监管货物。

（3）货样广告品、实验品进口，每批次价值不超过 5 000 元人民币。

（4）外商投资企业作为投资进口或者投资额内生产自用的（旧机电产品除外）。

（5）进入我国保税区、出口加工区等海关特殊监管区域及进入保税仓库、保税物流中心的属自动进口许可管理的货物。

（6）国家法律、法规规定其他免领自动进口许可证的。

（二）纺织品出口自动许可管理

自 2005 年 3 月 1 日起，我国自动对出口美国、欧盟（25 个成员国）、香港特别行政区的部分纺织品实行纺织品出口自动许可管理。

凡出口到上述国家和地区的列入《纺织品出口自动许可目录》的纺织品，出口经营者应凭配额许可证事务局及各地方商务主管部门发放的纺织品出口自动许可证向海关办理报关手续。

（三）技术进出口合同登记管理

进出口属于自由进出口的技术，应当向国务院对外贸易主管部门或者其委托的机构办理合同备案登记。国务院对外贸易主管部门应当在收到规定的文件之日起 3 个工作日内，对技术进出口合同进行登记，颁发技术进出口合同登记证。申请人凭技术进出口合同登记证办理外汇、银行、税务、海关等手续。

四、许可证管理的报关规范

（一）出口许可证管理的报关规范

（1）出口许可证的有效期为 6 个月，当年有效。特殊情况需要跨年度使用时，有效期最长不得超过次年 2 月底，逾期自动失效。

（2）出口许可证管理实行"一证一关"制。一般情况下，出口许可证管理实行"一批一证"制。如要实行"非一批一证"制，发证机构在签发出口许可证时必须在备注栏中注明"非一批一证"字样，在其有效期内最多可使用 12 次。实行"非一批一证"制的货物包括：外商投资企业出口许可证管理的货物，补偿贸易项下出口许可证管理的货物，其他在《出口许可证管理货物目录》中规定实行"非一批一证"制的出口许可证管理货物。

（3）出口许可证不得擅自更改证面内容。如需更改，经营者应当在许可证有效期内提出更改申请，将许可证交回原发证机构，由原发证机构重新换发许可证。

（4）对出口实行许可证管理的大宗、散装货物，溢装数量按照国际贸易惯例办理。即报关出口的大宗、散装货物的溢装数量不得超过出口许可证所列进口数量的5%。对实行"非一批一证"制的大宗、散装货物，在每批货物出口时，按实际出口数量进行核扣，最后一批出口货物出口时，其溢装数量按该许可证实际剩余数量的5%上限计算。

（二）进口许可证管理的报关规范

（1）进口许可证有效期为1年，当年有效。特殊情况需要跨年度使用时，有效期最长不得超过次年3月31日，逾期自动失效。

（2）进口许可证管理实行"一证一关"制（"一证一关"是指进口许可证只能在一个海关报关）。一般情况下，进口许可证管理实行"一批一证"制（"一批一证"是指进口许可证在有效期内只能一次报关使用）。如要实行"非一批一证"制（"非一批一证"是指进口许可证在有效期内可以多次报关使用），发证机构在签发进口许可证时必须在备注栏中注明"非一批一证"字样，在其有效期内最多可使用12次。

（3）进口许可证不得擅自更改证面内容。如需更改，经营者应当在许可证有效期内提出更改申请，将许可证交回原发证机构，由原发证机构重新换发许可证。

（4）对进口实行许可证管理的大宗、散装货物，溢装数量按照国际贸易惯例办理。即报关进口的大宗、散装货物的溢装数量不得超过进口许可证所列进口数量的5%。对实行"非一批一证"制的大宗、散装货物，在每批货物进口时，按实际进口数量进行核扣，最后一批进口货物进口时，其溢装数量按该许可证实际剩余数量的5%上限计算。

（三）自动进口许可证管理的报关规范

（1）自动进口许可证的有效期为6个月，当年有效。

（2）一般情况下，自动进口许可证管理实行"一批一证"制。外商投资企业申领的自动进口许可证实行"非一批一证"制，发证机构在签发自动进口许可证时，必须在备注栏中注明"非一批一证"字样，在其有效期内最多可使用6次。

（3）报关进口的散装货物的溢短装数量最多为自动进口许可证所列进口数量的5%；原油、成品油、化肥、钢材四种大宗货物的溢短装数量最多为自动进口许可证所列进口数量的3%。对实行"非一批一证"制的大宗、散装货物，在每批货物进口时，按实际进口数量进行核扣，最后一批进口货物进口时，其溢装数量按该自动进口许可证实际剩余数量并在规定的允许溢装上限内计算。

（四）纺织品出口自动许可证管理的报关规范

（1）纺织品出口自动许可证的有效期为3个月，当年有效。

（2）纺织品出口自动许可证实行"一证一关"制和"一批一证"制。

（3）纺织品出口自动许可证不得买卖、转让、涂改、伪造和变卖。

（4）向海关交验的纺织品出口自动许可证应盖已向海关申报备案的出口自动许可证

专用章。

样单2－1　进口许可证

中华人民共和国进口许可证
IMPORT LICENCE OF THE PEOPLE'S REPUBLIC OF CHINA

进口商: Importer	进口许可证号: Import Licence No.
收货人: Consignee	进口许可证有效截止日期: Import Licence expire date
贸易方式: Terms of trade	出口国（地区）: Country/Region of exportation
外汇来源: Terms of foreign exchange	原产地国（地区）: Country/Region of origin
报关口岸: Place of clearance	商品用途: Use of goods
商品名称: Description of goods	商品编码: Code of goods

规格、型号 Specification	单位 Unit	数量 Quantity	单价（ ） Unit price	总值（ ） Amount	总值折美元 Amount in USD
总计 Total					

备注: Supplementary details	发证机关签章: Issuing authority's stamp & signature 发证日期: Licence date

样单 2－2　出口许可证

中华人民共和国出口许可证
EXPORT LICENCE OF THE PEOPLE'S REPUBLIC OF CHINA

1. 出口商：　　　编码： Exporter		3. 出口许可证号： Export Licence No.
2. 发货人：　　　编码： Consignor		4. 出口许可证有效截止日期： Export Licence expire date
5. 贸易方式： Terms of trade		8. 进口国（地区）： Country/Region of importation
6. 合同号： Contract No.		9. 收款方式： Terms of payment
7. 报关口岸： Place of clearance		10. 运输方式： Means of transport

11. 商品名称： Description of goods			商品编码： Code of goods		
12. 规格、型号 Specification	13. 单位 Unit	14. 数量 Quantity	15. 单价（　） Unit price	16. 总值（　） Amount	17. 总值折美元 Amount in USD
18. 总计 Total					

19. 备注： Supplementary details	20. 发证机关签章： Issuing authority's stamp & signature
	21. 发证日期： Licence date

样单2-3 纺织品出口许可证

中华人民共和国纺织品临时出口许可证
TEMPORARY TEXTILES EXPORT LICENCE OF THE PEOPLE'S REPUBLIC OF CHINA No.5195938

1. 出口商： Exporter	440023111622X	3. 出口许可证号： Export Licence No.
广东省纺织品进出口广通贸易有限公司		
2. 发货人： Consignor	440023111622X	4. 出口许可证有效截止日期： Export Licence expire date
广东省纺织品进出口广通贸易有限公司		2006年07月04日
5. 贸易方式： Terms of trade	一般贸易	8. 出口最终目的国（地区）： Country/Region of purchase 美国
6. 合同号： Contract No.		9. 付款方式： Payment 汇付
7. 报关口岸： Place of clearance	深圳海关	10. 运输方式： Means of transport 海运,陆运
11. 商品名称： Description of goods 其他棉制针织或钩编男式T恤衫（内衣除外）		商品编码： Code of goods 6109100021

12. 规格、等级 Specification	13. 单位 Unit	14. 数量 Quantity	15. 单价(USD) Unit price	16. 总值(USD) Amount	17. 总值折美元 Amount in USD
M-XXXL	件	*2,004.0	*2.5000	*5,010.0	$5,010.0
18. 总计 Total	件	*2,004.0		*5,010.0	$5,010.0

19. 备注： Supplementary details 输欧或输美许可证号： 类别号： 数量：*167.0 单位：打 单价：*30.0000 USD 总值：*5,010.0 USD	20. 发证机关盖章： Issuing authority's stamp 21. 发证日期： Licence date 2006年01月05日

中华人民共和国商务部制（2005）

第三节　特定进出口货物管理措施

特定进出口货物管理包括进口废物管理、濒危物种进出口管理、进出口药品管理、黄金及其制品进出口管理、音像制品进口管理、化学品首次进境及有毒化学品管理、进出口农药登记证明管理、兽药进口管理、进出境现钞管理等。

一、进口废物管理

（一）进口废物管理的含义和内容

废物包括工业固体废物、城市生活垃圾、危险废物以及液态废物和置于容器中的气态废物。进口废物管理是国务院环境保护行政主管部门根据有关法律、法规，对进口废物所实施的禁止、限制以及自动许可措施的总和。

我国禁止进口不能用作原料的固体废物，对进口可以用作原料的固体废物实行限制管理。国家环境保护总局是进口废物的国家主管部门，会同国务院对外贸易主管部门制定公布了《限制进口类可用作原料的废物目录》和《自动进口许可管理类可用作原料的废物目录》，没有列入这两个目录的固体废物禁止进口。

（二）进口废物报关规范

（1）进口列入《限制进口类可用作原料的废物目录》的废物时，应向海关提交经国家环境保护总局签发并盖有"国家环境保护总局废物进口审批专用章"的"进口废物批准证书"（第一联）和口岸检验检疫机构出具的入境货物通关单。

（2）进口列入《自动进口许可管理类可用作原料的废物目录》的废物时，应向海关提交经国家环境保护总局签发并盖有"国家环境保护总局废物进口审批专用章"的标注"自动进口许可"字样的"进口废物批准证书"（第一联）和口岸检验检疫机构出具的入境货物通关单。

（3）进口废物批准证书实行"非一批一证"制管理。进口的废物不能转关（废纸除外），只能在口岸海关办理申报进境手续。

二、濒危物种进出口管理

（一）濒危物种进出口管理的含义和内容

濒危物种进出口管理是指我国濒危物种进出口管理办公室会同其他部门制定公布《进出口野生动植物种商品目录》，并以签发"濒危野生动植物种国际贸易公约允许进出口证明书"（简称公约证明）"中华人民共和国濒危物种进出口管理办公室野生动植物允许进出口证明书"（简称非公约证明），或"非《进出口野生动植物种商品目录》物种证明"（简称非物种证明）的形式，对该目录列明的依法受保护的珍贵、濒危野生动植物及其产品实施的进出口限制管理。

（二）濒危物种进出口报关规范

（1）列入《进出口野生动植物种商品目录》属我国自主管理的野生动植物及其产品，不论以何种方式进出口，均须事先申领"非公约证明"，并向海关提交"非公约证明"正本联。"非公约证明"实行"一批一证"制。

（2）列入《进出口野生动植物种商品目录》中属《濒危野生动植物种国际贸易公约》成员国应履行保护义务的野生动植物及其产品，不论以何种方式进出口，均须事先申领"公约证明"，其中出口应向海关递交"公约证明"的副本联，进口应递交"公约证明"的正本联。"公约证明"实行"一批一证"制。

（3）未列入《进出口野生动植物种商品目录》的动植物物种的进出口，以及列入《进出口野生动植物种商品目录》的非《濒危野生动植物种国际贸易公约》附录植物物种的进出口，由濒危物种进出口办公室指定机构进行认定并出具"非物种证明"，报关单位凭以向海关办理通关手续。"非物种证明"按时效分为"当年使用"和"一次性使用"两种。"当年使用"的"非物种证明"用于未列入《进出口野生动植物种商品目录》的动植物物种的进出口，以及列入《进出口野生动植物种商品目录》的非《濒危野生动植物种国际贸易公约》附录植物物种的进口；"一次性使用"的"非物种证明"则用于列入《进出口野生动植物种商品目录》的非《濒危野生动植物种国际贸易公约》附录人工培植植物物种的出口。

三、进出口药品管理

（一）进出口药品管理的含义和内容

进出口药品管理是指为加强对药品的监督管理，保证药品质量，保障人体用药安全，维护人民身体健康和用药的合法权益，国家食品药品监督管理局依照《中华人民共和国药品管理法》、有关国际公约以及国家其他法规，对进出口药品实施监督管理的行政行为。

我国对进出口药品管理实行分类和目录管理，进出口药品从管理角度可分为进出口麻醉药品、进出口精神药品以及进口一般药品。

目前，我国公布的药品进出口管理目录有2004年1月1日起执行的新《进口药品目录》和《生物制品目录》、《精神药品管制品种目录》、《麻醉药品管制品种目录》，并且规定对列入《进口药品目录》药品的进口以及列入《精神药品管制品种目录》、《麻醉药品管制品种目录》药品的进出口必须由北京市、天津市、上海市、大连市、青岛市、成都市、武汉市、重庆市、厦门市、南京市、杭州市、宁波市、福州市、广州市、深圳市、珠海市、海口市、西安市等 18 个城市的指定口岸通关，对列入《生物制品目录》以及首次在中国境内销售的药品必须经由北京市、上海市和广州市 3 个口岸城市的指定口岸进口。

（二）进出口药品报关规范

（1）进出口列入《精神药品管制品种目录》的药品向海关报关时，需提交"精神药品进（出）口准许证"。"精神药品进（出）口准许证"是进出口精神药品的管理批件，实行"一批一证"制。

（2）进出口列入《麻醉药品管制品种目录》的药品向海关报关时，需提交"麻醉药品进（出）口准许证"。"麻醉药品进（出）口准许证"是进出口麻醉药品的管理批件，实行"一批一证"制。

（3）进口一般药品（即除上述特殊用途药品外的其他药品）向海关报关时，需提交"进口药品通关单"。"进口药品通关单"是一般药品的进口管理批件，同样实行"一批一证"制，仅在该单注明的指定口岸海关使用才有效。一般药品的出口目前暂时没有特殊的管理要求。

四、其他货物进出口管理

（一）黄金及其制品进出口管理

黄金及其制品包括黄金条、块、锭、粉，黄金铸币，黄金制品，黄金及合金制品，含黄金化工产品，含黄金废渣、废液、废料，包金制品，镶嵌金制品等。

中国人民银行总行为黄金及其制品进出口管理机关，具体规定为：出口黄金及其制品，出口企业应事先向中国人民银行申领"黄金产品出口准许证"；进口黄金及其制品应事先向中国人民银行申领"中国人民银行授权书"。

（二）音像制品进口管理

音像制品成品进口业务由文化部指定的音像制品经营单位经营，未经文化部指定，任何单位和个人不得从事音像制品成品的进口。图书馆、音像资料馆、科研机构、学校等单位进口供研究、教学用的音像制品成品，也应当委托文化部指定的音像制品进口海关凭"中华人民共和国文化部进口音像制品批准单"验放。

（三）化学品首次进境及有毒化学品管理

"化学品首次进境"是指外商或其代理人向中国出口其未曾在中国登记过的化学品，即使同种化学品已有其他外商或其代理人在中国进行了登记，仍被视为化学品首次进口。"化学品进口环境管理登记证"是化学品首次进口的管理证件。

列入《中国禁止或严格限制的有毒化学品名录》的有毒化学品需要取得"有毒化学品进出口环境管理放行通知单"才可以进出口。

"化学品进口环境管理登记证"和"有毒化学品进出口环境管理放行通知单"都由国家环境保护局审批。

（四）进出口农药登记证明管理

我国对进出口列入《中华人民共和国进出口农药登记证明管理目录》和《中华人民共和国进出口列入事先知情同意程序（PIC）农药登记证明管理目录》的农药，应事先向农业部农药检定所申领进出口农药登记证明向海关报关。对既可用作农药，也可用作工业原料的商品，如果企业以工业原料用途进出口，则企业不需办理进出口农药登记证明。海关凭农业部向进出口企业出具的加盖"中华人民共和国农业部农药审批专用章"的"非农药登记管理证明"验放。

"进口农药登记证明"和"出口农药登记证明"实行"一批一证"制。

（五）兽药进口管理

兽药进口凭农业部指定的口岸兽药监察所已在进口货物申报单上加盖的"已接受报验"的印章向海关办理验放手续。

（六）进出境现钞管理

属于银行经营外汇业务收付外币现钞需调出境外或从境外调入的外币现钞由国家外汇管理局管理，需调运进出境的人民币现钞由中国人民银行管理。

银行办理外币现钞进出口业务时，报关单位凭银行填制的、外汇管理局核发的"银行调运外币现钞进出境许可证"向海关办理通关手续。外币现钞进出境仅限在北京、上海、福州、广州、深圳口岸报关。人民币现钞进出境则需要中国人民银行货币金银局的批件。

表2－1　我国有关进出口货物和技术的管制措施列表

贸易管制类别	适用范围			管理方式	管理机构	主要证件	报关规范（海关验放凭证）
禁止进出口货物和技术	①列入《禁止进出口货物目录》的商品；②国家有关法律、法规明令禁止进出口的商品；③其他禁止进出口的商品；④列入《中国禁止进口限制进口技术目录》（第一批）及《中国禁止出口限制出口技术目录》的技术			国家禁止进口或出口	商务部、海关总署		
限制进出口货物和技术	限制进口货物	工业品		关税配额管理	商务部	配额证明和/或进口许可证	向海关申报并交验有效期为1年的进口许可证　国家对进口许可证原则上实行"一批一证""一证一关"制，也可以采用"非一批一证"制
		农产品			商务部、国家发改委		
		2005年实行进口许可证管理的共三个目录货物（83个8位HS编码）	监控化学品	许可证件管理	商务部	进口许可证	
			易制毒化学品				
			消耗臭氧层物质				
	限制出口货物	2005年实行出口许可证管理的47种货物（316个8位HS编码）		出口配额许可证管理或出口配额招标管理	商务部	配额证明和/或出口许可证	向海关申报并交验有效期为6个月的出口许可证。国家对出口许可证原则上实行"一批一证""一证一关"制，也可以采用"非一批一证"制
	特定限制进出口货物	进口废物	列入《限制进口类可用作原料的废物目录》的废物	许可证件管理	国家环保总局	进口废物批准证书	向海关申报并交验进口废物批准证书（第一联）和口岸检验检疫机构出具的入境货物通关单。国家对进口废物批准证书实行"非一批一证"制
			列入《自动进口许可管理类可用作原料的废物目录》的废物	自动进口许可管理		标注"自动进口许可"字样的进口废物批准证书	

（续上表）

贸易管制类别			适用范围	管理方式	管理机构	主要证件	报关规范（海关验放凭证）
限制进出口货物和技术	特定限制进出口货物	进出口濒危物种	列入《进出口野生动植物种商品目录》的珍贵、濒危野生动植物及其产品	许可证件管理	我国濒危物种进出口管理办公室及其授权的办事处	简称公约证明或非公约证明或非物种证明	向海关申报并交验公约证明或非公约证明或非物种证明。公约证明和非公约证明实行"一批一证"制，非物种证明分"当年使用"和"一次性使用"两种
		进出口药品	列入《进口药品目录》和《生物制品目录》、《精神药品管制品种目录》、《麻醉药品管制品种目录》进出口药品	许可证管理，一般药品出口目前暂无特殊管理	国家食品药品监督管理局	精神药品进出口准许证或麻醉药品进出口准许证或进口药品通关单	向海关申报并交验精神药品进出口准许证或麻醉药品进出口准许证或进口药品通关单。国家实行"一批一证"制
		进出口黄金及其制品	黄金条、块、锭、粉，黄金铸币，黄金制品，黄金及合金制品，含黄金化工产品，含黄金废渣、废液、废料，包金制品，镶嵌金制品等的进出口	许可证件管理	中国人民银行总行	中国人民银行授权书或黄金产品出口准许证	进口时向海关申报并交验中国人民银行授权书；出口时向海关申报并交验黄金产品出口准许证
		进口音像制品	音像制品的进口	许可证件管理	国家文化部	进口音像制品批准单	报关单位进口时向海关申报并交验进口音像制品批准单
		进出口有毒化学品及化学品首次进境	有毒化学品的进出口	许可证件管理	国家环境保护总局	有毒化学品进出口环境管理放行通知单	报关单位向海关申报并交验有毒化学品进出口环境管理放行通知单
			化学品首次进境			化学品进口环境管理登记证	报关单位进口时向海关申报并交验化学品进口环境管理登记证

（续上表）

贸易管制类别		适用范围		管理方式	管理机构	主要证件	报关规范（海关验放凭证）
限制进出口货物和技术	特定限制进出口货物	进出口农药	农药进出口	许可证件管理	农业部药检所	进（出）口农药登记证明	报关单位向海关申报并交验进出口农药登记证明
		进口兽药	兽药进口	许可证件管理	农业部	进口报关单加盖指定口岸兽药监察所"已接受报验"的印章	报关单位向海关提交加盖了农业部指定的口岸兽药监察所的"已接受报验"印章的进口货物报关单
		进出境现钞	人民币进出境	许可证件管理	中国人民银行货币金银局	中国人民银行货币金银局的批件	报关单位向海关提交银行调运外币现钞进出境许可证或中国人民银行货币金银局的批件。外币现钞进出境仅限在北京、上海、福州、广州、深圳口岸报关
			外币进出境		国家外汇管理局	银行调运外币现钞进出境许可证	
	限制进出口技术	列入《中国禁止进口限制进口技术目录》（第一批）和《中国禁止出口限制出口技术目录》的技术		许可证件管理	商务部	技术进出口许可证	报关单位向海关提交技术进出口许可证
		列入《敏感物项和技术出口许可证管理目录》的技术				敏感物项和技术出口许可证	报关单位向海关提交敏感物项和技术出口许可证。国家实行"一批一证""一证一关"制
自由进出口货物和技术	自由进出口货物	自动进口许可管理	2005年实行自动进口许可管理的货物包括一般商品、机电产品（包括旧机电产品）、重要工业品三个目录共26大类	自动许可管理	商务部及其授权的各级发证机关和国家经济贸易委员会及其授权发证机关	自动进口许可证	报关单位向海关提交有效期为6个月的自动进口许可证。国家一般实行"一批一证"制，外商投资企业申领的自动进口许可证实行"非一批一证"制

（续上表）

贸易管制类别		适用范围		管理方式	管理机构	主要证件	报关规范（海关验放凭证）
自由进出口货物和技术	纺织品出口自动许可管理	出口美国、欧盟（25个成员国）、香港特别行政区列入《纺织品出口自动许可目录》的部分纺织品		自动许可管理	商务部配额许可证事务局及各地授权签证部门	自动出口许可证	报关单位向海关提交有效期为3个月的自动出口许可证，实行"一证一关"和"一批一证"制
	自由进出口技术	除国家禁止、限制进出口以外的其他技术		合同登记管理	国务院对外贸易主管部门或其委托的机构	技术进出口合同登记证	报关单位向海关提交技术进出口合同登记证

第四节　其他贸易管理制度

一、对外贸易经营资格管理制度

根据经修订并于2004年7月1日起正式生效的《对外贸易法》的规定，我国目前对对外贸易经营者资格管理实行备案登记制，由进出口经营权管理制度和进出口经营范围管理制度组成。

（一）进出口经营权管理制度

1. 进出口经营权的含义

进出口经营权是指我国境内的法人、其他组织或个人，经国家批准所享有的对外签订进出口贸易合同的资格，又称对外贸易经营权。

2. 进出口经营者的经营资格条件

进出口经营者是依法从事进出口贸易经营活动的法人、其他组织或者个人。我国目前有进出口经营权的主要有专业外贸公司、有权自营进出口的生产企业（包括外商投资企业和内资生产企业）、对外经营科技产品的科研院所和大专院校、从事国际承包工程和劳务合作的国际合作公司等。

进出口经营者应当依法办理工商登记或者其他执业手续，并且按照国务院对外贸易主管部门或国务院其他有关部门依法作出的规定要求，提交与其对外贸易经营活动有关的文件资料。从事对外工程承包或者对外劳务合作的单位还应当具备国家主管部门所规定的相应的资质或者资格。

3. 我国进出口经营权管理制度

对外贸易经营者在从事对外贸易经营前，必须向国家对外贸易主管部门及其委托的机构办理备案登记，取得对外贸易经营资格后，方可在国家允许的范围内从事这类经营活动。对外贸易经营者未按照规定办理备案登记的，海关不接受其报关。

（二）进出口经营范围管理制度

1. 进出口经营范围的含义

进出口经营范围是指国家允许对外贸易经营者从事进出口经营活动的具体商品类别和服务项目，具体体现在国家允许对外贸易经营者从事进出口经营活动的内容和方式上。

2. 不同类型的对外贸易经营者的经营范围

不同类型的对外贸易经营者的经营范围不同。进出口经营者只能在备案登记的经营范围内经营，超出经营范围来进出口国家限制进出口的商品将领不到进出口许可证件。

我国现有的各类对外贸易经营者分别是：①商务部和各省、市、自治区的专业外贸公司；②包括外商投资及各类内资生产型企业在内的有权自营进出口的生产企业；③科研院所与大专院校；④从事国际承包工程和劳务合作的国际合作公司等四大类。

其中，商务部和各省、市、自治区的专业外贸公司主要经营有关国计民生的大宗商品和在国际市场上垄断性、竞争性较强的商品、我国政府与其他有关国家政府间双边贸易协定项下的商品以及代理属于其经营范围内的进出口业务；其余三大类的对外贸易经营者各自的经营范围分别是本企业生产所需的技术、设备、零部件和原辅材料的进口与本企业自产产品的出口；科研和生产所需的原辅材料、技术、设备和零部件的进口及自主开发并自产的科技产品的出口；与国际承包工程和劳务合作项目相关的产品。

二、出入境检验检疫制度

（一）出入境检验检疫制度的含义

出入境检验检疫制度是指我国出入境检验检疫部门根据我国有关法律、法规及我国所缔结或参加的国际条约、协定等的相关规定，对出入我国国境的货物及其包装物、物品及其包装物、运输工具、运输设备和进出境人员实施检验检疫的法律依据和行政手段。

（二）出入境检验检疫的职责范围

（1）国家列入《出入境检验检疫机构实施检验检疫的进出境商品目录》（简称法检目录，即法定检验的商品目录）的进出口商品。

（2）法定检验以外的进出境商品是否需要检验由进出口贸易双方决定。进出口贸易合同约定或者进出口商品的收发货人申请检验检疫时，出入境检验检疫机构可以接受委托实施检验检疫并出具证书。此外，出入境检验检疫机构对法检以外的进出境商品可以抽查的方式进行监督管理。

（3）对关系国计民生、价值较高、技术复杂或者涉及环境及卫生、疫情标准的重要进出境商品，收货人应当在进出口贸易合同中约定，在出口国装运前进行预检验、监造或者监装，以及保留货到后最终检验和索赔的权利。

（4）其他法律、法规、国际条约规定必须检验检疫的进出境商品。

（三）出入境检验检疫制度的组成

1. 进出境商品检验制度

进出境商品检验的主要内容包括检查商品的质量、规格、数量、重量、包装以及是否符合安全、卫生要求。进出口商品检验的目的是为了保证进出境商品的质量，促进进出口贸易的发展。

2. 进出境动植物检疫制度

进出境动植物检疫的主要内容包括对进出境动植物、动植物产品的生产、加工、存放过程进行检疫。进出境动植物检疫的目的是防止动物传染病、寄生虫病和植物危险性病、虫、杂草以及其他有害生物传入、传出国境，保护农、林、牧、渔业生产和人体健康。

3. 国境卫生监督制度

国境卫生监督的主要内容包括在进出境口岸对出入境的交通工具、货物、运输容器以及口岸辖区的公共场所、环境、生活设施、生产设备进行卫生检查、鉴定、评价和采样检验。国境卫生监督的目的是为了防止传染病传入传出，保护人民身体健康。

（四）出入境检验检疫的报关规范

进出口货物的收发货人或其代理人对列入《出入境检验检疫机构实施检验检疫的进出境商品目录》以及其他法律、法规规定必须检验检疫的进出境商品，在办理进出口通关手续前，必须向口岸检验检疫机构报检，并取得口岸检验检疫机构签发的"中华人民共和国检验检疫入境货物通关单"（简称入境货物通关单）或"中华人民共和国检验检疫出境货物通关单"（简称出境货物通关单）。出入境货物通关单实行"一批一证"制。

三、进出口货物收、付汇管理制度

我国对外汇实行国家管制制度。根据《中华人民共和国对外贸易法》的规定，对外贸易经营者在对外贸易经营活动中，应当依照国家外汇管理制度的要求结汇、用汇，银行对企业的收、付汇实行结汇、售汇制。

（一）出口收汇管理制度

我国对出口收汇管理采取外汇核销形式。为了防止不把出口所得外汇结给国家指定银行而将外汇截留境外的行为，国家外汇管理局以"出口收汇核销单"的方式跟踪、监督出口企业出口货物后的收汇。

具体程序如下：

（1）出口企业向外汇管理局申领空白的"出口收汇核销单"。

（2）出口企业向海关报关出口时，填写与出口报关单内容一致的"出口收汇核销单"（见样单2–5）。

（3）海关核对后在"出口收汇核销单"上签章，货物出口后海关出具出口报关单（出口收汇证明联）。

（4）银行收到货款后，出口企业凭"出口收汇核销单"、出口报关单（出口收汇证明联）和银行结汇水单到外汇管理局进行收汇核销。

（二）进口付汇管理制度

我国对进口付汇管理也采取外汇核销形式。国家为了防止汇出外汇而实际不进口商品的逃汇行为，国家外汇管理局以"进口付汇核销单"的方式监督企业的付汇情况。

具体程序如下：

（1）企业进口付汇前，须向付汇银行申领国家外汇管理局统一制发的"进口付汇核销单"并填写，凭"进口付汇核销单"办理付汇。

（2）货物进口报关后海关出具进口报关单（进口付汇证明联）。

（3）进口企业凭盖有海关"放行"或"验讫"章的进口报关单（进口付汇证明联）和"进口付汇核销单"向国家外汇管理局指定银行（原付汇银行）办理进口付汇核销手续。

四、出口退税管理制度

为鼓励出口，提高我国出口产品在国际市场上的竞争能力，1991年起，我国开始实行出口退税制度。

（一）出口退税的凭证和范围

出口企业向税务机关申请退税，须提供海关盖有"验讫"章的出口货物报关单、银行的出口结汇水单、出口销售发票、出口产品购进发票等"两单两票"。出口企业还须每半年提供一次经当地外汇管理部门出具的出口收汇核销证明。

申请出口退税必须具备规定的条件，在规定的范围内有权申请出口退税的包括：①有出口经营权并承担出口创汇任务的企业出口货物；②工业企业委托有出口经营权的企业出口自产产品。

下列情况均不能申请出口退税：①来料加工、来件装配复出口的产品；②保税工厂开展的加工装配复出口的产品；③保税仓库储存的复出口货物；④捐赠出口货物；⑤暂准出口货物；⑥不结汇的援外货物；⑦出口企业报关出口，但实际不出境的货物；⑧没有出口经营权的企业出口货物。

（二）出口退税的条件

出口产品只有同时满足下述四个条件才能办理退税：
（1）必须是属于增值税、消费税及营业税征税范围内的产品。
（2）必须已报关离境。
（3）必须在财务上作出口销售。
（4）必须是在国外消费的产品。

（三）出口退税的报关规范

申请出口产品退税的出口企业，在向海关办理出口报关手续时，应填制与普通出口报关单一致的"出口退税报关单"。由海关签发的"出口退税报关单"是税务机关办理出口退税的主要凭证。出口企业应在海关放行货物（指装载出口货物的运输工具办结海关手续）之日起 15 日内，向海关申领"出口退税报关单"，凭以办理退税手续。

（四）其他情况

1. 货物退关处理

出口货物，因故发生退关或退运，有进出口经营权的企业应向原报关出口地海关交验当地主管出口退税的县级以上税务机关的证明，证明该批货物未办理出口退税或者所退税款已退回税务机关，海关才准予办理退关手续。

2. 遗失出口退税报关单的处理

出口企业，如遗失由海关签发的"出口退税报关单"，要求海关补办时，应向海关交验当地主管出口退税的县级以上税务机关出具的该批货物尚未办理出口退税的证明，经海关查核该批货物已出口，才能给予补签退税报关单，并在补签的"出口退税报关单"上签注"补办"字样。

五、对外贸易救济措施

对外贸易救济措施包括反倾销措施、反补贴措施和保障措施。世界贸易组织允许成员国在进口产品倾销、补贴和过度增长等给国内产业造成损害的情况下，可以使用反倾销措施、反补贴措施和保障措施来保护国内产业。保障措施针对的是进口产品激增的情况，反倾销措施和反补贴措施针对的是价格歧视这种不公平的贸易行为。

（一）反倾销措施

倾销是指一国产品以低于其正常价值的价格，将产品出口到另一国市场的行为。

1. 临时反倾销措施

进口国经过调查，初步认定被指控产品存在倾销，并对国内同类产业造成损害，可以依据世界贸易组织规定的程序进行调查。在全部调查接受之前，进口国可以采取临时性反倾销措施。临时反倾销措施包括两种：一是征收临时反倾销税；二是要求提供现金保证金、保函或者其他形式的担保。临时反倾销措施的期限为自临时反倾销措施决定公告规定实施之日起，不超过 4 个月，特殊情形下可延长至 9 个月。

2. 最终反倾销措施

对终裁决定确定倾销成立，并因此对国内产业造成损害的，可以在正常海关税费之外征收反倾销税。海关自公告规定实施之日起执行。

（二）反补贴措施

WTO 反补贴守则《补贴与反补贴措施协议》中规定，补贴是指一成员政府或任何公共机构向某一企业或某一产业提供财政捐助或对价格或收入的支持，结果直接或间接增加从某领土输出某种产品或减少向其领土内输入某种产品，或者因此对其他成员的利益造成损害的政府行为或措施，是一种促进出口、限制进口的国际贸易手段。

1. 临时反补贴措施

进口国初裁决定确定补贴成立并因此对国内产业造成损害的，可以采取临时性反补贴措施。临时反补贴措施采取征收反补贴税或者担保（现金保证金或保函）的形式，期限自临时反补贴措施决定公告规定实施之日起，不超过 4 个月。

2. 最终反补贴措施

进口国终裁决定确定补贴成立并因此对国内产业造成损害的，征收反补贴税。海关自公告规定实施之日起执行。

（三）保障措施

保障措施是指进口国在进口产品激增并对国内相关产业造成严重损害或严重威胁时采取的进口限制措施。

1. 临时保障措施

在紧急情况下，如果延迟会造成难以弥补的损失，进口国与成员国之间可以不经过磋商采取临时性保障措施。临时保障措施采取增加关税的形式，实施期限不得超过 200 天，并且此期限计入保障措施总期限。如事后不能证实进口激增对国内有关产业已经造成损害或损害威胁，增收的关税应立即退还。

2. 最终保障措施

最终保障措施可以采取提高关税、纯粹的数量限制和关税配额形式。实施期限一般不超过4年，如果产业仍需以保障措施防止损害或救济损害，或有证据表明该产业正在进行调整，可延长实施期限。但保障措施全部实施期限（包括临时保障措施期限）不得超过8年。

样单2-4　出境货物通关单

中华人民共和国出入境检验检疫
出境货物通关单

编号：440100205070682-2

1. 发货人 广东广兴食品冷冻实业有限公司 ***		5. 标记及号码 N/M
2. 收货人 *** LIV. INT'L TRADING CO.,LTD		
3. 合同/信用证号 GD-LIVI-D082185 /***	4. 输往国家或地区 尼日利亚	
6. 运输工具名称及号码 船舶 ***	7. 发货日期 ***	8. 集装箱规格及数量 ***
9. 货物名称及规格 耐磨砖 300mm×300mm *** （以下空白）	10. HS编码 6907900000 *** （以下空白）　11. 申报总值 *4 478.778美元 *** （以下空白）	12. 数/重量、包装数量及种类 *3 780平方米 *50 400千克 *2 100纸箱 （以下空白）

13. 证明

上述货物业经检验检疫，请海关予以放行。

本通关单有效期至 二〇〇五 年 八 月 二十四 日

签字： 日期： 2005 年 06 月 15 日

检验检疫专用章
(6)

14. 备注

D 3670545　　　　　① 货物通关　　　　印刷流水号：D3670545　　　{2-2(2000).1.1

样单 2 – 5　出口收汇核销单

样单2-6　出口报关单（收汇核销联）

中华人民共和国海关 **出口** 货物报关单　| 收汇核销联 |

✳ 主页 ✳

出口口岸	045171776-7 Page.	备案号		出口日期 2002-04-05	申报日期 2002-03-28
经营单位 蛇口海关 (53/04) 广东省纺织品进出口棉织品有限公司		运输方式 运输工具名称		提运单号 0420320175	
发货单位 3006(44010423116270) 广东省纺织品进出口棉织品有限公司		贸易方式 B000003FPA002002	征免性质	结汇方式 电汇	
收货单位 3006(44010423116270)	运抵国（地区）	一般贸易 指运港	一般征税 (0101)	境内货源地 惠州其他 (44130)	
批准文号	成交方式 利	运费 (0307) 意大利	保费 (0307)	杂费	
	件数 000/	包装种类 000/	毛重（千克）	净重（千克）	000
	随附单据 371	纸箱	10735	生产厂家 10164	
	共1（2）			博罗石湾镇桂辉电子文具厂	

项号	商品编号	商品名称、规格型号	数量及单位	最终目的国（地区）	单价	总价	币制	征免
01	42021290.10	✳拉链公文包　无牌	27,408.00个	意大利 (307)	830	22,748.64	USD 美元	照章

税费征收情况

报关员申报单

录入员	接单环节字单核放 录入单位	合计总价：00022748 兹声明以上申报无讹并承担法律责任	海关审单 (签字及日期)（签章）
报关员	深圳服务中心 海声BP机号	申报单位（签章）申报人：计算机 填制日期：20020328	
单位地址			验讫 (75)
邮编	电话	填制日期 深圳市积龙泰报关有限公司	2002/03/29 曹田潮

2002/03/28　　　　045171776

第三章
一般进出口货物与保税货物的报关

第一节　一般进出口货物的报关

一、一般进出口货物的含义

（一）含义

一般进出口货物是指在进出口（境）环节缴纳了应征的进出口税费并办结了所有必要的海关手续，海关放行后不再进行监管的进出口货物。

（二）与一般贸易货物的区别

一般进出口货物与一般贸易货物是不同范畴的两个概念。一般贸易货物中的"一般贸易"是指国际贸易中的一种交易方式，按"一般贸易"交易方式进出口的货物即为一般贸易货物。而一般进出口货物，是指按照海关一般进出口监管制度监管的进出口货物。

两者之间有着明显的区别。一般贸易货物在进口时可以按"一般进出口"监管制度办理海关手续，这时它就是一般进出口货物；也可以享受特定减免税优惠，按"特定减免税"监管制度办理海关手续，这时它就是特定减免税货物；也可以经海关批准保税，按"保税"监管制度办理海关手续，这时它就是保税货物。

二、一般进出口货物的特征

1. 进出境时缴纳进出口税费
一般进出口货物的收发货人应当按照《海关法》和其他有关法律、行政法规的规定，在货物进出境时向海关缴纳应当缴纳的税费。

2. 进出口时提交相关的许可证件
货物进出口应受国家法律、行政法规管制，进出口货物收发货人或其代理人应当向海关提交相关的进出口许可证件。

3. **海关放行即办结海关手续**

海关征收了全额的税费，审核了相关的进出口许可证件，并对货物进行实际查验（或作出不予查验的决定）以后，按规定签印放行。海关放行后，进出口货物收发货人或其代理人才能办理提取进口货物或者装运出口货物的手续。

对一般进出口货物来说，海关放行即意味着海关手续已经全部办结，海关不再监管。

三、一般进出口货物的范围

除特定减免税货物以外的实际进出口货物都属于一般进出口货物的范围，主要包括：

（1）不享受特定减免税或不准予以保税的一般贸易进口货物。

（2）转为实际进口的原保税进口货物。

（3）转为实际进口或出口的暂准进出境货物。

（4）易货贸易、补偿贸易进出口货物。

（5）不准予以保税的寄售代销贸易货物。

（6）承包工程项目实际进出口货物。

（7）边境小额贸易进出口货物。

（8）外国驻华商业机构进出口陈列用的样品。

（9）外国旅游者小批量订货出口的商品。

（10）随展览品进出境的小卖品。

（11）实际进出口货样广告品。

（12）免费提供的进口货物。

（13）外商在经济贸易活动中赠送的进口货物。

（14）外商在经济贸易活动中免费提供的试车材料等。

（15）我国在境外的企业、机构向国内单位赠送的进口货物。

四、一般进出口货物的报关程序

一般进出口货物的报关通常经过四个基本环节：申报——配合查验——缴纳税费——提取或装运货物。

（一）进出口申报

1. 进出口申报的含义

申报是指进出口货物收发货人、受委托的报关企业，依照《海关法》以及有关法律、行政法规和规章的要求，在规定的期限、地点，采用电子数据报关单和纸质报关单形式，向海关报告实际进出口货物的情况，并接受海关审核的行为。

2. 申报地点

（1）一般情况下，进口货物应当由收货人或其代理人在货物的进境地海关申报；出口货物应当由发货人或其代理人在货物的出境地海关申报。

（2）经收发货人申请，海关同意，进口货物的收货人或其代理人可以在设有海关的货物指运地、出口货物的发货人或其代理人可以在设有海关的货物起运地申报。

（3）以保税、特定减免税和暂准进境申报进口或进境的货物，因改变使用目的从而改变货物性质为一般进口时，进口货物的收货人或代理人应当在货物所在地的主管海关申报。

3. 申报期限

（1）进口货物的申报期限。进口货物的申报期限为自装载货物的运输工具申报进境之日起 14 日内。申报期限的最后一天是法定节假日或休息日，顺延至法定节假日或休息日后的第一个工作日。

（2）出口货物的申报期限。出口货物的申报期限为货物运抵海关监管区后、装货的 24 小时以前。

（3）集中申报期限。经海关批准准予集中申报的进口货物，自装载货物的运输工具申报进境之日起 1 个月内办理申报手续。

（4）定期申报。经电缆、管道或其他特殊方式进出境的货物，进出口货物收发货人或其代理人应当按照海关的规定定期申报。

（5）延期申报的处理。进口货物的收货人未按规定期限向海关申报，由海关按规定征收滞报金。

进口货物自装载货物的运输工具申报进境之日起超过 3 个月未向海关申报的，货物由海关提取依法变卖处理。对属于不宜长期保存的货物，海关可以根据实际情况提前处理。

4. 申报的具体步骤

（1）准备申报单证。申报单证可以分为主要单证、随附单证两大类，其中随附单证包括基本单证、特殊单证和预备单证。

①主要单证。主要单证就是报关单（证）。报关单（证）是由报关员按照海关规定的格式填制的申报单。

②基本单证。它是指进出口货物的货运单据和商业单据，主要有进口提货单据、出口装货单据、商业发票、装箱单等。

③特殊单证。它主要是指进出口许可证件、加工贸易登记手册（包括电子的和纸质的）、特定减免税证明、作为特殊货物进出境证明的原进出口货物报关单证、出口收汇核销单、原产地证明书等。

④预备单证。它主要是指贸易合同、进出口企业的有关证明文件等。这些单证，海关在审单、征税时可能需要调阅或者收取备案。

在上述单证中报关单处于核心地位。

准备申报单证的原则是：基本单证、特殊单证、预备单证必须齐全、有效、合法；报关单填制必须真实、准确、完整；报关单与随附单证数据必须一致。

（2）申报前看货取样。进口货物的收货人，在向海关申报前，因确定货物的品名、规格、型号、归类等原因，可以向海关提出查看货物或者提取货样的书面申请。海关审核同意的，派员到场监管。

查看货物或提取货样时，海关开具取样记录和取样清单；提取货样的货物涉及动植物及其产品以及其他依法提供检疫证明的，应当按照国家的有关法律规定，在取得主管部门签发的书面批准证明后提取。提取货样后，到场监管的海关关员与进口货物的收货人在取样记录和取样清单上签字确认。

（3）申报。

①电子数据申报。进出口货物的收发货人或其代理人可以选择终端申报方式、委托EDI方式、自行EDI方式、网上申报方式等四种电子申报方式中适用的一种，将报关单内容录入海关电子计算机系统，生成电子数据报关单。

进出口货物收发货人或其代理人在委托录入或自行录入报关单数据的计算机系统上接收到海关发送的"不接受申报"报文后，应当根据报文提示修改报关单内容后重新申报。一旦接收到海关发送的"接受申报"报文和"现场交单"或"放行交单"通知，即表示电子申报成功。

②提交纸质报关单及随附单证。海关审结电子数据报关单后，进出口货物收发货人或其代理人应当自接到海关"现场交单"或"放行交单"通知之日起10日内，持打印的纸质报关单，备齐规定的随附单证并签名盖章，到货物所在地海关提交书面单证并办理相关海关手续。

③申报日期。申报日期是指申报数据被海关接受的日期。

进出口货物收发货人或其代理人的申报数据自被海关接受之日起，其申报的数据就产生法律效力，即进出口货物收发货人或其代理人应当承担"如实申报""如期申报"等法律责任。因此，海关接受申报数据的日期非常重要。

不论是否以电子数据报关单方式申报，海关接受申报数据的日期即为接受申报的日期。

以电子数据报关单方式申报的，申报日期为海关计算机系统接受申报数据时记录的日期，该日期将反馈给原数据发送单位，或公布于海关业务现场，或通过公共信息系统发布。电子数据报关单经过海关计算机系统检查被退回的，视为海关不接受申报，进出口货物收发货人或其代理人应当按照要求修改后重新申报，申报日期为海关接受重新申报的日期。在先采用电子数据报关单申报，后提交纸质报关单申报的情况下，海关接受申报的时间以海关接受电子数据报关单申报的日期为准。

在不使用电子数据报关单、只提供纸质报关单申报的情况下，海关关员在报关单上作登记处理的日期为"海关接受申报"的日期。

（二）配合查验

1. 海关查验

海关查验是指海关依法确定进出境货物的性质、价格、数量、原产地、货物状况等是否与报关单上已申报的内容相符，对货物进行实际检查的行政行为。

海关进行查验时，进出口货物的收发货人或其代理人应当到场。

（1）查验地点。查验一般在海关监管区内进行。对进出口大宗散货、危险品、鲜活商品、落驳运输的货物，经货物收发货人或其代理人申请，海关也可同意在装卸作业的现场进行查验。在特殊情况下，经货物收发货人或其代理人申请，海关可派员到海关监管区以外的地方查验货物。

（2）查验时间。当海关决定查验时，即将查验的决定以书面通知的形式通知进出口货物收发货人或其代理人，约定查验的时间。查验时间一般约定在海关正常工作时间内。但是在一些进出口业务繁忙的口岸，海关也可应进出口货物收发货人或其代理人的请求，在海关正常工作时间以外安排查验作业。

（3）复验和径行开验。海关认为必要时，可以依法对已经完成查验的货物进行复验，即第二次查验。海关复验时，进出口货物收发货人或其代理人仍然应当到场。

径行开验是指海关在进出口货物收发货人或其代理人不在场的情况下，自行开拆货物进行查验。海关行使"径行开验"的权力时，应当通知货物存放场所的管理人员或其他见证人到场，并由其在海关查验记录上签字。

（4）海关查验的方式。

①彻底查验，即对货物逐件开箱、开包检查。

②抽查，即有针对性地从进出口货物中抽取一定比例作为货样进行检查。

③外形查验，即对货物的外包装、唛头进行核对。

查验中采取何种查验方式要由主管海关根据进出口货物收发货人或其代理人所申报货物的性质类别、进出口货物收发货人或其代理人的资信情况等进行风险分析后加以确定。

2. 配合查验

海关查验货物时，进出口货物的收发货人或其代理人应当到场，配合海关查验。配合查验的工作如下：

（1）负责搬移货物，开拆和重封货物的包装。

（2）了解和熟悉所申报货物的情况，回答查验关员的询问，提供海关查验货物时所需要的单证或其他资料。

（3）协助海关提取需要作进一步检验、化验或鉴定的货样，收取海关出具的取样清单。

查验结束后，认真阅读关员填写的"海关进出境货物查验记录单"，注意以下情况的记录是否符合实际：

（1）开箱的具体情况。

（2）货物残损情况及造成残损的原因。

（3）提取货样的情况；查验结论。

查验记录准确清楚的，应即签字确认。

3. 货物损坏赔偿

在查验过程中，或者证实海关在径行开验过程中，因为海关关员的责任造成被查验货物损坏的，进出口货物的收发货人或其代理人可以要求海关赔偿。

海关赔偿的范围仅限于在实施查验过程中，由于海关关员的责任造成被查验货物损坏的直接经济损失。直接经济损失的金额根据被损坏及其部件的受损程度确定，或者根据修理费确定。

以下情况不属于海关赔偿范围：

（1）进出口货物的收发货人或其代理人搬移、开拆、重封包装或保管不善造成的损失。

（2）易腐、易失效货物在海关正常工作程序所需时间内（含扣留或代管期间）所发生的变质或失效。

（3）海关正常查验时产生的不可避免的磨损。

（4）在海关查验之前已发生的损坏和海关查验之后发生的损坏。

（5）由于不可抗拒的原因造成货物的损坏、损失。

（6）进出口货物的收发货人或其代理人在海关查验时对货物是否受损坏未提出异议，事后发现货物有损坏的，海关不负赔偿的责任。

实例：某中外合资经营企业为生产内销产品，从德国购进生产设备一批。在海关依法查验该批进口设备时，陪同查验人员开拆包装不慎，将其中一台设备的某一部件损坏。

分析：本例中，进口设备的损坏是因收货单位的陪同查验人员开拆包装不慎造成，而非海关查验关员的责任所致，因此，应由收货单位即该中外合资经营企业自负责任。

（三）缴纳税费

（1）凭纸质缴款书和收费票据到海关指定的银行缴纳税费。进出口货物的收发货人或其代理人在规定的时间内，持缴款书或收费票据向指定银行办理税费交付手续。

（2）网上缴税和付费。进出口货物的收发货人或其代理人根据海关发出的电子税款缴款书和收费票据，通过网络向海关指定的银行缴付，本方式主要适用于实行中国电子口岸网上缴税和付费的海关。进出口货物收发货人或其代理人可以通过电子口岸接收海关发出的税款缴款书和收费票据，在网上向签有协议的银行进行电子支付税费。一旦收到银行缴款成功的信息，即可报请海关办理货物放行手续。

（四）提取或装运货物

1. 海关放行

海关放行是指海关接受进出口货物的申报、审核电子数据报关单和纸质的报关单及随附单证、查验货物、征收税费或接受担保以后，对进出口货物作出结束海关进出境现场监管决定，允许进出口货物离开海关监管现场的工作程序。

2. 提取或装运货物

进口货物收货人或其代理人签收海关加盖"海关放行章"戳记的进口提货凭证（提单、运单、提货单等），凭以到货物进境地的港区、机场、车站、邮局等地的海关监管仓库提取进口货物。

出口货物发货人或其代理人签收海关加盖"海关放行章"戳记的出口装货凭证（提单、运单、提货单等），凭以到货物出境地的港区、机场、车站、邮局等地的海关监管仓库办理将货物装运上运输工具运离关境的手续。

3. 海关签章或签发的常见证明

进出口货物收发货人或其代理人在办理完提取进口货物或装运出口货物之后，根据实际情况和需要请海关签章或签发的证明包括：①进口付汇证明；②出口收汇证明；③出口收汇核销单；④出口退税证明；⑤进口货物证明书。

第二节　保税货物的报关

一、保税货物的含义与特征

保税货物是指进入一国关境，在海关监管下未缴纳进口关税，存放后再复运出口的货物。由于各国实行保税制度的目的不同，各国海关保税制度所涉及的范围也有差异，因此，各国对保税货物的解释也不同。

我国《海关法》关于保税货物的定义是："保税货物，是指经海关批准未办理纳税手续进境，在境内储存、加工、装配后复运出境的货物。"

根据《海关法》对保税货物所下的定义，保税货物具有以下特征：

1. 经海关批准

保税货物必须经海关批准。任何货物，不经过海关批准，不能成为保税货物。海关批准保税的范围包括批准成立保税仓库、保税工厂、保税集团；海关接受加工贸易备案，核发登记手册，包括核发电子的或纸质的登记手册，实际上就是在行使批准保税的权力；保税区和出口加工区是由国务院审批的，但是具体批准这些区域的某些进口货物的保税，仍是海关的权力，也属于海关批准保税的范围。

2. 暂缓纳税

《海关法》规定："经海关批准暂时进口或暂时出口的货物，以及特准进口的保税货物，在货物收发货人向海关缴纳相当于税款的保证金或者提供担保后，准予暂时免纳关税。"可见，保税货物是未办理纳税手续进境的，属于暂时免税，待货物确定最终流向后，海关再决定征税或免税。

3. 海关监管

因为保税货物是在没有办理纳税手续的情况下进境的，所以，保税货物从进境之日起就必须置于海关的监管之下，它在境内的运输、储存、加工、装配，都必须接受海关监管，直到复运出境或改变性质、办理正式进口手续为止。

保税货物未经海关许可，不得开拆、提取、交付、发运、调换、改装、抵押、质押、留置、转让、更换标志、移作他用或者进行其他处置。海关对保税货物施加的封志，任何人不得擅自开启或者损毁。当保税货物失去保税条件时，海关有权依法对该保税货物作出处置。

4. 复运出境

保税货物的最终流向应当是复运出境。因此，经海关批准保税进境后的货物，一旦决定不复运出境，就改变了保税货物的特性，不再是保税货物，而应当按照留在境内的实际性质办理相应的进口手续。如加工贸易进口料件经批准内销、保税仓库货物出库进入国内市场等。

复运出境是构成保税货物的重要前提。

二、保税形式和保税货物的分类

（一）海关保税形式

与国际通行做法一致，我国海关目前保税的主要形式有以下三种：

1. 保税储存

保税储存是进口货物在海关监管下储存于指定场所，暂缓缴纳进口税的一种保税形式。它使进口货物可以在不必缴纳进口税的状态下较为长期地储存，使货物储存人有充分的时间在国内或国外推销货物。

保税储存的表现形式有保税仓库、寄售代销、免税商店等。

2. 保税加工

保税加工是指拟用于制造、加工的货物在海关监管下暂缓缴纳进口税，作为原材料、半成品临时进口，经加工后复运出口的一种保税形式。它为货物为特定目的暂时进入境内使用或加工制造提供了便利，尤其有利于促进我国对外加工制造业的发展。

保税加工主要有来料加工、进料加工、保税工厂、保税集团等。

3. 区域保税

区域保税是指在特定区域实行保税制度，主要有保税区、出口加工区。

（二）保税货物的分类

1. 储存类和加工装配类

根据《海关法》对保税货物定义的表述，保税货物可以分为储存类和加工装配类两大类。

（1）储存类保税货物。即保税储存货物，又可以分为两种：

①储存后复运出境的保税货物。其包括：国际转运货物，主要是指转口贸易货物；供应国际运输工具的货物，主要是指从境外进口在保税仓库存储的供应给国际运输船舶、航空器在国际运输途中所需要的燃料、物料等。

②储存后进入国内市场的保税货物。其包括进口寄售用于维修外国商品的零配件、经海关批准存入保税仓库的未办结海关手续的一般贸易货物和其他未办结海关手续的货物。

（2）加工装配类保税货物。即保税加工的货物，又称加工贸易保税货物。经海关准予保税的加工贸易监管形式下进口的料件以及用这些料件生产的半成品、成品都属于加工装配类保税货物。

2. 加工贸易保税货物、仓储保税货物、区域保税货物

根据海关保税的形式，保税货物可分为加工贸易保税货物、仓储保税货物、区域保税货物三类。

三、海关对保税货物的监管要求

1. 批准保税

海关批准进口货物保税的原则有以下三种：

（1）合法经营。它是指申请保税的货物或申请保税的形式或保税申请人本身不属于国家禁止的范围，并且获得有关主管部门的许可，有合法进出口的凭证。

（2）复运出境。它是指申请保税的货物流向明确，除另有规定外，进境储存、加工、装配后的最终流向表明是复运出境，而且申请保税的单证能够证明进出基本是平衡的。

（3）可以监管。它是指申请保税的货物无论在进出口环节，还是在境内储存、加工、装配环节，海关都可以监管，不会因为某种不合理因素造成监管失控。

2. 纳税暂缓

一般进口货物必须在进境地海关办妥纳税手续才能提取，保税货物在进境地海关不办理纳税手续就可以提取，这不是说不要办理纳税手续，而是要到货物最终复运出境或改变保税货物特性、按货物不复运出境的实际性质申报时办理纳税手续。

比如，国家规定专为加工出口产品而进口的料件，按实际加工复出口的成品所耗用料件的数量准予免缴进口关税和进口环节增值税、消费税。这里所指的免税，是指用在出口成品上的料件可以免税。但是，料件进口时是无法得到用于出口成品上的料件的实际数量，因此也是无法免税的。海关只有先准予保税，等产品实际出口后，确定使用在出口成品上的料件数量后再办理纳税手续，即用于出口的免税，不出口的征税。也就是说，保税货物的纳税时间推迟到了加工成品出口后。

3. 监管延伸

一般进口货物，海关监管的时间是自进口货物进境起到办结海关手续、提取货物止，出口货物的海关监管的时间为自向海关申报起到装运出境止，海关监管的地点主要在货物进出境口岸的海关监管场所。

保税货物的海关监管无论是地点，还是时间，都必须延伸。

从地点上说，保税货物提高进境地口岸海关监管场所后，凡是该货物储存、加工、装配的地方，都是海关监管该保税货物的场所。

从时间上说，保税货物在进境地被提取，不是海关监管的结束，而是海关保税监管的开始，海关一直要监管到该货物储存、加工、装配后复运出境或者办结正式进口海关手续为止。

4. 核销结关

保税货物的核销，相对来说比较简单，因为这类保税货物无论是复运出境，还是转为进入国内市场，不改变原来的形态，只要在规定的时间内复运出境或办妥正式进口纳税手续，并且确认复运出境的数量或办妥正式进口纳税手续的数量与原进口数量一致，就可以核销结关。

5. 准予保税的期限

准予保税的期限是指经海关批准保税后在境内储存、加工、装配的时间限制。

（1）仓储保税期限。保税仓库货物的保税期限，规定从进境入库起到出库出境或办结海关手续止，最长为1年。因特殊情况需要延长的，经海关批准，可以延长，延长的最长期限为1年。

（2）加工贸易保税期限。加工贸易保税期限原则上不超过1年。经海关批准延长的，延长的最长期限也为1年。

联网监管模式中纳入电子手册管理的料件保税期限，从企业的电子手册经海关批准建立起到撤销止。

（3）区域保税期限。现行区域保税期限，只笼统地规定为从进境进区起到出境出区办结海关手续止。

6. 申请核销的期限

申请核销的期限是指保税货物的经营人向海关申请核销的最后期限。

（1）仓储保税报核期限。以保税仓库的经营人为责任人，每月的5日前向海关报核上一月的所有保税货物的进、出、存情况。

（2）加工贸易保税报核期限。电子手册，企业定期报核，一般以6个月为一报核周期，海关分段核销。纸质手册，在手册到期之日起或最后一批成品出运后30日内向海关报核。

（3）区域保税期限。以区内企业为责任人，每半年一次，向海关报核本企业所有保税货物的进、出、存情况。

四、保税货物的报关程序

保税货物的报关应当符合海关对保税货物监管的基本特征和满足海关的监管要求。保税货物的报关程序除了和一般进出口货物报关程序一样有进出境报关阶段外，还有前期备案申请保税阶段和后期报核申请结案阶段。

保税货物的报关程序包括三个阶段，即

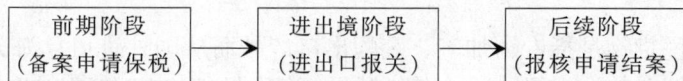

前期阶段（备案申请保税）→进出境阶段（进出口报关）→后续阶段（报核申请结案）

1. 备案申请保税

经国家批准的保税区域包括保税区、出口加工区、从境外运入区内储存、加工、装配后复运出境的货物，采用填制进出境备案清单的方式报关，备案阶段与报关阶段合并，并省略了按照每一个合同或每一批货物进行备案申请保税的环节。

经海关批准的保税仓库，在货物进境入库时，海关根据核定的保税仓库存入货物范围和商品种类对报关入库货物的品种、数量、金额进行审核，并对入库货物进行核注登记。

加工贸易进口料件，包括来料加工，进料加工，外商投资企业履行产品出口合同，保税工厂、保税集团进口料件之前，都必须进入备案申请保税阶段。加工贸易进口料件备案批准保税阶段的具体环节是企业申请备案、海关审核准予保税、设立或不设立银行台账、海关建立电子登记手册或核发纸质登记手册。

2. 进出境报关

所有经海关批准保税的货物，包括区域保税货物、仓储保税货物和加工贸易经海关批准准予保税的货物，在进出境时都必须和其他货物一样进入进出境报关阶段。与一般进出口货物报关阶段不同的是，保税货物暂缓纳税，不进入纳税环节。

3. 报核申请结案

报核申请结案阶段的具体环节是：企业报核——海关受理——实施核销——结关销案。

所有经海关批准保税的货物，包括区域保税货物、仓储保税货物和加工贸易经海关批准准予保税的货物，都必须按规定由保税货物的经营人向主管海关报核，海关受理报核后进行核销，核销后视不同情况，分别予以结关销案。

（1）区域保税货物因为没有规定具体的保税期限，所以最终的结案应当以进区货物最终全部出境或出区，没有办结海关手续为结案的标志。本期核销的保税货物没有全部出境或出库，未办结海关手续的，则不能结案，结转到下期继续监管，直到能够结案。

（2）仓储保税货物应当以该货物在规定的保税期限内最终全部出境或出库、没有办结海关手续为结案的标志。仓储保税货物每月报核一次。本期核销该批保税货物没有全部出境或出库，没有办结海关手续的，则不能结案，结转到下期继续监管，直到能够结案或者到期提取、依法变卖处理。

（3）加工贸易经海关批准准予保税的货物应当以该加工贸易项下产品在规定期限内全部出口或者部分出口，不出口部分全部得到合法处理为结案的标志。海关受理报核后，在规定的核销期限内实施核销，对不设立台账的，予以结案，对设立台账的应当到银行撤销台账，然后结案。

五、加工贸易保税货物的报关

（一）加工贸易保税货物的含义

加工贸易保税货物是指专为加工、装配出口产品而从国外进口且海关准予保税的原材料、零部件、元器件、包装物料、辅助材料（简称料件）以及用这些料件生产的成品、半成品。

加工贸易俗称"两头在外"的贸易，即料件从境外进口，在境内加工装配后成品运到境外的贸易。

（二）加工贸易保税货物的形式

1. 来料加工

来料加工是指国外委托方，提供料件和必要的机器设备及生产技术，委托国内生产企业作为承接方，由国内加工者加工成品后，运交委托方在国外销售使用，国内加工者收取约定的工缴费（加工费）。

2. 进料加工

进料加工是指国内生产者进口部分或全部料件，加工成品或半成品后再销往国外市场的一种贸易方式。

3. 外商投资企业履行产品出口合同

外商投资企业经营的来料加工和进料加工统称为外商投资企业履行产品出口合同。

4. 保税工厂

保税工厂是指由海关批准的专门从事保税加工的工厂或企业。这是在来料加工、进料加工和外商投资企业履行产品出口合同的基础上，发展形成的一种保税加工的监管形式。

5. 保税集团

保税集团是指经海关批准，由一个具有进出口经营权的企业牵头，在同一关区内，同行业若干个加工企业联合对进口料件进行多层次、多工序连续加工，直至最终产品出口的企业联合体。

（三）加工贸易保税货物海关监管与报关

1. 常规监管模式

常规监管模式是相对新创建的联网监管模式而言的，是以合同为单元的监管模式。目前，海关对加工贸易保税货物的监管大多还是采用这种模式。

常规监管模式的基本程序包括：合同备案——进出境报关——合同核销结案。

（1）合同备案。

①含义。加工贸易合同备案是指加工贸易企业持合法的加工贸易合同到主管海关备案，申请保税，并领取加工贸易手册或其他准予备案凭证的行为。

②加工贸易合同合法的标志。加工贸易合同是否合法有效的标志主要是商务主管部门审批通过，合同所涉及的加工贸易进出口国家管制商品获得许可。

③保税额度。加工贸易合同项下海关准予备案的料件，全额保税。加工贸易合同项下海关不予备案的料件及试车材料、非列名消耗性物料等，不予保税，进口时按照一般进口办理。

④台账制度。所有的加工贸易合同，包括来料加工合同、进料加工合同、外商投资企业履行产品出口合同、保税工厂、保税集团的加工贸易合同，都要按加工贸易进口料件银行保证金台账制度的规定办理，或不设台账，即"不转"；或设台账不付保证金，即"空转"；或设台账并付保证金，即"实转"。

⑤分类管理措施。海关根据企业分类管理标准对加工贸易企业设定 A、B、C、D 四类，对商品分为禁止类、限制类、允许类三类的管理措施。例如，任何企业都不得开展禁止类商品的加工贸易；适用 A 类管理企业设台账，无论限制类还是允许类商品都不需付保证金；适用 D 类管理企业不得开展加工贸易。

⑥企业办理合同备案海关手续应提交的单证及流程。应提交的单证有：经营企业对外签订的进出口合同一式两份；外经贸部门签发的加工贸易业务批准证一式两份；本年度加工贸易加工企业生产能力证明复印件一份；合同执行情况表；登记手册；合同预录入呈报表一份；新产品生产工艺流程图及成品所需料件单耗情况；外贸、工贸公司进料加工还需

提供主管出口退税的税务机关签章；按规定需提交的其他单证。

合同备案海关手续流程是：合同预录入——向海关申报——海关审核——海关签发银行保证金台账开设联系单——企业到指定银行办理台账登记手续——海关登记银行保证金台账登记通知单——核发登记手册。

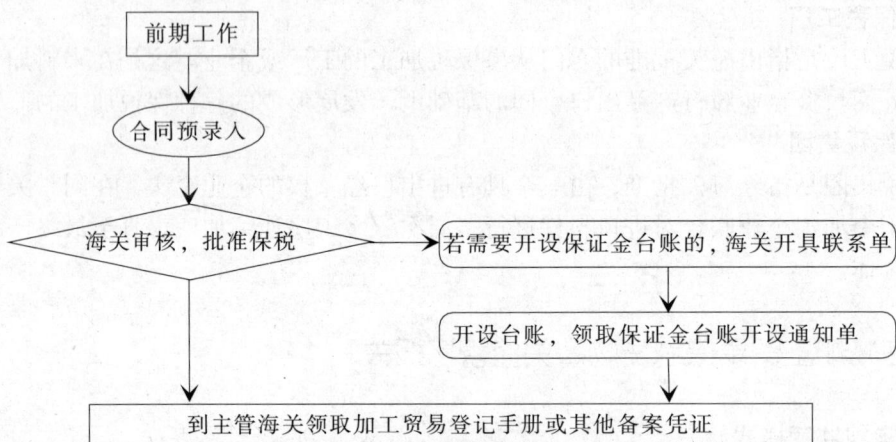

```
           ┌──────────┐
           │  前期工作  │
           └────┬─────┘
                ▼
           ┌──────────┐
           │ 合同预录入 │
           └────┬─────┘
                ▼
        ◇────────────◇        ┌────────────────────────────┐
        │海关审核，批准保税│──────▶│若需要开设保证金台账的，海关开具联系单│
        ◇──────┬─────◇        └──────────────┬─────────────┘
               │                             ▼
               │                ┌────────────────────────────┐
               │                │开设台账，领取保证金台账开设通知单│
               │                └──────────────┬─────────────┘
               ▼                               ▼
        ┌──────────────────────────────────────────────────┐
        │  到主管海关领取加工贸易登记手册或其他备案凭证  │
        └──────────────────────────────────────────────────┘
```

图 3－1　加工贸易合同备案步骤

（2）进出境报关。加工贸易保税货物进出境报关的要点如下：

①报关数据必须与备案数据一致。加工贸易企业在主管海关备案的情况在计算机系统中已生成电子底账，有关电子数据通过网络传输到相应的口岸海关，因此，企业在口岸海关报关时提供的有关单证内容必须与电子底账数据相一致。也就是说，报关数据必须与备案数据完全一致，一种商品报关的商品编码号、品名、规格、计量单位、数量、币制等数据完全一致。只要在某一方面不一致，报关就不能通过。要做到完全一致，首先报关数据的输入必须做到准确无误。

②加工贸易保税货物进出境由加工贸易经营单位或其代理人申报。

③加工贸易保税货物进出境申报必须持有加工贸易登记手册（电子的或纸质的）或其他准予备案的凭证。

④关于进出口许可证管理。进口料件除易制毒化学品、监控化学品、消耗臭氧层物质等个别规定商品以外，均可以在报关进口时免予交验进口许可证件；出口成品属于国家规定应交验出口许可证件的，在出口报关时必须交验出口许可证件。

⑤关于进出口税收。准予保税的加工贸易料件进口，暂缓纳税。加工贸易项下出口应税商品，如系全部使用进口料件加工的产（成）品，不征收出口关税。加工贸易项下出口应税商品，如系部分使用进口料件加工的产（成）品，则按海关核定的比例征收出口关税。

（3）合同核销结案。

①合同报核的含义。加工贸易是指加工贸易企业在加工贸易合同履行完毕或终止合同并按规定对未加工部分货物进行处理后，按照规定的期限和规定的程序，向主管海关申请核销要求结案的行为。

②报核的时间。加工贸易企业应在登记手册到期或最后一批加工成品出口后的一个月内向海关办理合同核销结案手续。

③加工贸易合同报核的单证。

应提交的单证有：登记手册（含续册及分册）、对外加工装配合同核销申请表或进料加工合同核销申请表（简称核销申请表）一式两份、进出口货物报关单、合同核销预录入呈报表、海关认为必要的其他单证（如内销补税报关单及税单）、申请放弃进口保税货物提交书面申请报告、涉及料件补税提供内销批准证及必要的许可证件、边角料和残次品等内销补税申请报告、其他单证。

④加工贸易合同核销流程。作业流程：企业提出核销申请——海关审核——海关开具银行保证金台账核销联系单——企业到中行核销台账——海关登记银行保证金台账核销登记单——海关签发核销申请（结案）表。

⑤海关核销。它是指加工贸易企业加工复出口并对未出口部分货物办妥有关海关手续后，按规定向海关申请解除监管，海关经审核，予以办理解除监管手续的海关行政许可行为。

2. 联网监管模式

海关对加工贸易企业联网监管，是海关通过计算机网络，从实行全过程计算机管理的加工贸易企业提取监管所必需的财务、物流、生产经营等数据，与海关计算机管理系统连接，从而实施对保税货物监管的一种模式。

对联网企业，海关建立电子账册，取代加工贸易纸质登记手册，实行电子账册管理。联网企业根据实际生产需要办理进口料件、出口成品及成品单（损）耗的备案手续，取代以合同为单元的备案手续。

联网企业不实行银行保证金台账制度。进入电子账册的料件全额保税。

六、保税仓库货物的报关

（一）保税仓库的含义

保税仓库是指经海关批准设立的专门存放保税货物及其他未办结海关手续货物的仓库。

经海关批准可以存入保税仓库的货物有以下几类：

（1）加工贸易进口货物。

（2）转口货物。

（3）供应国际航行船舶和航空器的油料、物料和维修用零部件。

（4）供维修外国产品所进口寄售的零配件。

（5）外商进境暂存货物。

（6）未办结海关手续的一般贸易进口货物。

（7）经海关批准的其他未办结海关手续的进境货物。

保税仓库不得存放国家禁止进境货物，不得存放未经批准的影响公共安全、公共卫生或健康、公共道德或秩序的国家限制进境货物以及其他不得存入保税仓库的货物。

（二）保税仓库的类型

（1）自用型保税仓库由特定的中国境内独立企业法人经营，仅存储供本企业自用的保税货物。

（2）公用型保税仓库由主营仓储业务的中国境内独立企业法人经营，专门向社会提供保税仓储服务。

（3）专用型保税仓库是专门用来存储具有特定用途或特殊种类商品的保税仓库。

专用型保税仓库包括液体危险品保税仓库、备料保税仓库、寄售维修保税仓库和其他专用保税仓库。例如，液体危险品保税仓库是指符合国家关于危险化学品存储规定的，专门提供石油、成品油或者其他散装液体危险化学品保税仓储服务的保税仓库。

（三）保税仓库的设立

1. 保税仓库设立的条件

保税仓库应当设立在设有海关机构、便于海关监管的区域。经营保税仓库的企业，应当具备下列条件：

（1）经工商行政管理部门注册登记，具有企业法人资格。

（2）注册资本最低限额为 300 万元人民币。

（3）具备向海关缴纳税款的能力。

（4）经营特殊许可商品存储的，应当持有规定的特殊许可证件。

（5）经营备料保税仓库的加工贸易企业，年出口额最低为 1 000 万美元。

（6）具有专门存储保税货物的营业场所并达到：①符合海关对保税仓库布局的要求；②具备符合海关监管要求的安全隔离设施、监管设施和办理业务必需的其他设施；③具备符合海关监管要求的保税仓库计算机管理系统并与海关联网；④具备符合海关监管要求的保税仓库管理制度、符合会计法要求的会计制度；⑤符合国家土地管理、规划、交通、消防、安全、质检、环保等方面法律、行政法规及有关规定；⑥公用保税仓库面积最低为 2 000 平方米，液体危险品保税仓库容税最低为 5 000 立方米，寄售维修仓库面积最低为 2 000 平方米。

2. 保税仓库设立的步骤

（1）企业申请。企业申请设立保税仓库的，应向仓库所在地主管海关提交书面申请，提供能够证明上述条件已经具备的有关文件。

（2）主管海关审核。主管海关在审核申请文件后，对材料齐全、有效的，予以受理；对材料不齐全或者不符合法定形式的，在 5 个工作日内一次告知申请人需要补正的全部内容。

主管海关自受理申请之日起 20 个工作日内提出初审意见并将有关材料报直属海关审批。

（3）直属海关审批。直属海关自接到材料之日起 20 个工作日内审查完毕，对符合条件的，出具批准文件，批准文件的有效期为 1 年；对不符合条件的，书面告知申请人理由。

（4）海关总署备案。直属海关自批准设立保税仓库之日起 30 日内报海关总署备案。

（四）保税仓库货物的报关程序

保税仓库货物的报关程序可以分为进库报关和出库报关。

1. 进库报关

货物在保税仓库所在地进境时，除易制毒化学品、监控化学品、消耗臭氧层物质外免领许可证件，由收货人或其代理人办理进口报关手续，海关进境现场放行后存入保税仓库。

货物在保税仓库所在地以外其他口岸入境时，经海关批准，收货人或其代理人可以按照转关规定办理手续；也可以直接在口岸海关办理异地传输报关手续。

2. 出库报关

（1）进口报关。

①保税仓库货物出库用于加工贸易的，由加工贸易企业或其代理人按加工贸易货物的报关程序办理进口报关手续；②保税仓库货物出库用于可以享受特定减免税的特定地区、特定企业和特定用途的，由享受特定减免税的企业或其代理人按特定减免税货物的报关程序办理进口报关手续；③保税仓库货物出库进入国内市场或用于境内其他方面，由收货人或其代理人按一般进口货物的报关程序办理进口报关手续。

（2）出口报关。保税仓库货物出库转口或退运，由保税仓库经营企业或其代理人按一般出口货物的报关程序办理出口报关手续，但免纳出口税，免予交验出口许可证件。

（3）集中报关。保税货物出库批量少、批次频繁的，经海关批准可以办理定期集中报关手续。

（五）保税仓库货物报关应注意的事项

（1）保税仓库所存货物的储存期限为 1 年。如因特殊情况需要延长储存期限，应向主管海关申请延期，经海关批准，可以延长，但延长的期限最长不超过 1 年。

实例： 某公司在某地保税仓库存放一批货物，2005 年 12 月 5 日已经存放了一年，仍然未能转为进口或退运出境。该公司向海关要求延长该批保税货物存放期限。

分析： 该公司可以向海关申请延期。因为保税仓库货物的保税期限，规定从进境入库到出库出境或办结海关手续止，最长期限为 1 年。如因特殊情况需要延长的，应向海关申请，经海关批准，可以延长，但延长的最长期限为 1 年。

（2）保税仓库所存货物，是海关监管货物，未经海关批准并未按规定办理有关手续，任何人不得出售、转让、抵押、留置、移作他用或者进行其他处置。

（3）货物在仓库储存期间发生损毁或者灭失，除不可抗力原因外，保税仓库应当依法向海关缴纳损毁、灭失货物的税款，并承担相应的法律责任。

（4）保税仓库货物可以进行包装、分级分类、加刷唛码、分拆、拼装等简单加工，不得进行实质性加工。

（5）保税仓库经营企业应于每月 5 日之前以电子数据和书面形式向主管海关申报上一个月仓库收、付、存情况，并随附有关的单证，由主管海关核销。

七、保税区货物的报关

（一）保税区的含义

保税区是指经国务院批准在中华人民共和国境内设立的由海关进行监管具有加工、转口、仓储等功能的特定区域。凡为出口加工、转口贸易、仓储和展示而进口的货物，在保税区内均可以保税。

（二）保税区的关税优惠

保税区享有以下免税优惠：

（1）区内生产性的基础设施建设项目所需的机器、设备和其他基建物资，予以免税。

（2）区内企业自用的生产、管理设备和自用合理数量的办公用品及其所需的维修零配件，生产用燃料，建设生产厂房、仓储设施所需的物资、设备，除交通车辆和生活用品外，予以免税。

（3）保税区行政管理机构自用合理数量的管理设备和办公用品及其所需的维修零配件，予以免税。

（三）保税区的货物报关程序

保税区货物报关分进出境报关和进出区报关。

1. 进出境报关

（1）报关制。

保税区与境外之间进出境货物，属自用的，采取报关制，填写进出口报关单。即对保税区内企业进口自用合理数量的机器设备、管理设备、办公用品及工作人员所需自用合理数量的应税物品以及货样，由收货人或其代理人填写进口货物报关单向海关报关。

（2）备案制。保税区与境外之间进出境货物，属非自用的，包括加工出口、转口、仓储和展示，采取备案制，填写进出境备案清单。即保税区内企业的加工贸易料件、转口贸易货物、仓储货物进出境，由收货人或其代理人填写进出境货物备案清单向海关报关。

2. 进出区报关

（1）保税进口料件以及用保税进口料件生产的成品、半成品进出区。

①进区报关。进区，报出口，要有加工贸易登记手册，填写出口报关单，提供有关的许可证件，海关不签发出口退税证明联。

②出区报关。出区，报进口，按不同的流向填写不同的进口货物报关单：

出区进入国内市场的，按一般贸易货物报关，填写进口货物报关单。

出区用于加工贸易的，按加工贸易货物报关，填写加工贸易进口报关单，提供加工贸易登记手册。

出区给可以享受特定减免税的企业用的，按特定减免税货物报关，提供进出口货物征免税证明和应当提供的许可证件，免缴进口税。

（2）进出区外发加工。外发加工是指加工贸易企业出口产品生产的某一环节由其他企业代为加工的业务。保税区企业出区外发加工，或区外企业进区外发加工须经主管海关核准。

进区凭外发加工合同向保税区海关备案，加工出区后核销，不填写进出口报关单，不缴纳税费。

出区外发加工的，须由区外加工企业在加工企业所在地海关办理加工贸易备案手续，需要建立银行保证金台账的应当设立台账，加工期限最长为6个月，情况特殊的经海关批准可以延长，延长的最长期限是6个月；备案后按加工贸易货物出区进行报关。

（3）设备进出区。设备进出区不管是施工还是投资设备，进出区均须向保税区海关备案，设备进区不填写报关单，不缴纳出口税，海关签发出口退税报关单，设备系从国外进口已征进口税的，不退进口税；设备退出区外，也不必填写报关单申报，但要报保税区海关销案。

八、出口加工区货物的报关

（一）出口加工区的含义

出口加工区是指国务院批准在中华人民共和国境内设立的由海关对加工贸易进出口货物进行封闭式监管的特定区域。

出口加工区的主要功能是加工贸易以及区内加工贸易服务的储运业务。与保税区相比，出口加工区功能较为单一。

（二）出口加工区的关税优惠

（1）从境外运入出口加工区的加工贸易货物全额保税。

（2）出口加工区内企业从境外进口的自用的生产、管理所需设备、物资，除交通车辆和生活用品外，予以免税。

（3）出口加工区运往区外的货物，海关按照进口货物的有关规定办理报关手续，可以办理出口退税手续。

（三）出口加工区货物的报关程序

出口加工区内企业在进出口货物前，应向出口加工区主管海关申请设立电子账册。出口加工区企业电子账册包括加工贸易电子账册和企业设备电子账册。企业凭经海关审核通过的电子账册办理进出口货物的报关手续。

1. 出口加工区与境外之间进出货物的报关

出口加工区企业从境外运进货物或运出货物到境外，由收发货人或其代理人填写进出境货物备案清单，向出口加工区海关报关。

（1）对于跨关区进出境的出口加工区货物，除邮递物品、个人随身携带物品、跨关区进口车辆和出区在异地口岸拼箱出口货物以外，可以按转关运输出口的直转转关方式办理转关。

（2）对于同一直属海关关区内进出境的出口加工区货物，可以按直通式报关。

①进境货物报关。货物到港后，收货人或其代理人向口岸海关录入转关申报数据，并持进口转关货物申报单、汽车载货登记簿向口岸海关物流监控部门办理转关手续；口岸海关审核同意企业转关申请后，向出口加工区海关发送转关申报电子数据，并对运输车辆进行加封；货物运抵出口加工区后，收货人或其代理人向出口加工区海关办理转关核销手续，出口加工区海关物流监控部门核销"汽车载货登记簿"，并向口岸海关发送转关核销电子回执；同时收货人或其代理人录入"出口加工区进境货物备案清单"，并凭运单、发票、装箱单、电子账册编号、相应的许可证件等单证向出口加工区海关办理进境报关手续；出口加工区海关审核有关报关单证，确定是否查验，对不需查验的货物予以放行；对需查验的货物，由海关实施查验后，再办理放行手续，签发有关备案清单证明联。

②出境货物报关。发货人或其代理人录入"出口加工区出境货物备案清单"，凭运单、发票、装箱单、电子账册编号等单证向出口加工区海关办理出口报关，同时向出口加工区海关录入转关申报数据，并持"出口加工区出境货物备案清单""汽车载货登记簿"向出口加工区海关物流监控部门办理出口转关手续；出口加工区海关审核同意企业转关申请后，向口岸海关发送转关申报电子数据，并对运输车辆进行加封，出境地海关核销"汽车载货登记簿"，并向出口加工区海关发送转关核销电子回执；货物实际离境后，出境地海关核销清洁载货清单并反馈给出口加工区海关，出口加工区海关凭以签发有关备案清单证明联。

2. 出口加工区与境内区外其他地区之间货物的报关

（1）出口加工区运往境内区外货物的报关。出口加工区运往境内区外的货物，由区外企业录入进口货物报关单，凭发票、装箱单、相应的许可证等单证向出口加工区海关办理进口报关手续。进口报关结束后，区内企业填制"出口加工区出境货物备案清单"，凭发票、装箱单、电子账册编号等单证向出口加工区海关办理出区报关手续。

货物经出口加工区海关查验放行后，出口加工区海关分别向区外企业核发进口货物报关单进口付汇证明联，向区内企业核发"出口加工区出境货物备案清单"出口收汇证明联。

（2）境内区外运入出口加工区货物的报关。境内区外运入出口加工区的货物，由区外企业录入出口货物报关单，凭购销合同（协议）、发票、装箱单等单证向出口加工区海关办理出口报关手续。出口报关结束后，区内企业填制"出口加工区进境货物备案清单"，凭购销发票、装箱单、电子账册编号等单证向出口加工区海关办理进区报关手续。

货物经出口加工区海关查验放行后，出口加工区海关分别向区外企业核发出口货物报关单出口收汇证明联，向区内企业核发"出口加工区进境货物备案清单"进口付汇证明联。

（3）出口加工区出区深加工结转货物的报关。出口加工区货物出区深加工结转，是指区内企业按照我国《海关对出口加工区监管的暂行办法》和《海关出口加工区货物出区深加工结转管理办法》的有关规定办理报关手续，将本企业加工生产的产品直接或者通过保税仓库企业转入其他出口加工区、保税区等海关特殊监管区域内及区外加工贸易企业进一步加工后复出口的经营活动。

出口加工区企业开展深加工结转时，转出企业凭出口加工区管委会批复，向转出企业主管海关备案；对转入其他出口加工区、保税区等海关特殊监管区域的，转入企业凭其所在区管委会的批复办理结转手续，对转入特殊监管区域外加工贸易企业的，转入企业凭商务主管部门的批复办理结转手续；对转入特殊监管区域的，转出、转入企业分别在自己的主管海关办理结转手续，对转入特殊监管区域外加工贸易企业的，转出、转入企业在转出地主管海关办理结转手续。

（四）出口加工区货物报关应注意的事项

（1）加工区与境外之间的进出口货物，除易制毒化学品、监控化学品、消耗臭氧层物质外，不实行进出口许可证管理。

国家禁止进出口的货物，不得进出加工区。因国内技术无法达到产品要求，须将国家禁止出口或统一经营商品运至加工区内进行某项加工的货物，不予签发出口退税报关单。

（2）出口加工区区内企业开展加工贸易业务，不实行加工贸易银行保证金台账制度，但适用电子账册管理，实行备案电子账册的滚动累加、核扣，每6个月核销一次。

（3）对加工区运往境内区外的货物，按进口货物报关，属许可证件管理的，出具有效的进口许可证件，缴纳进口关税、增值税、消费税。

（4）从境内区外运进加工区，供区内企业使用的国产机器、设备、原材料、零部件、元器件、包装物料、基础设施、加工企业和行政管理部门生产、办公用房所需合理数量的基建物资等，按照出口货物的管理规定办理出口报关手续，海关签发出口退税报关单。境内区外企业凭报关单出口退税联向税务部门申请办理出口退（免）税手续。

（5）出口加工区区内加工企业，不得将未经实质性加工的进口原材料、零部件销往区外。区内从事仓储服务的企业，其仓储目的是为区内加工的贸易服务，因此，不得将从境外进口的仓储原材料、零部件提供给区外企业。

（6）出口加工区区内企业经主管海关批准，可在境内区外进行产品的测试、检验和展示活动。测试、检验和展示的产品，应比照海关对暂时进口货物的管理规定办理出区手续。

表3-1　加工贸易合同备案申请表
一、加工贸易合同概况表　　　　　　　　　　编号：

1. 经营单位名称：	2. 经营单位编码：
3. 经营单位地址：	
4. 联系人：	5. 联系电话：
6. 加工企业名称：	7. 加工企业编码：
8. 加工企业地址：	
9. 联系人：	10. 联系电话：
11. 外商公司名称：	12. 外商经理：
13. 贸易方式：	14. 征名性质：
15. 贸易国别：	16. 加工种类：
17. 内销比例：	18. 批准文号：
19. 协议号：	
20. 进口合同号：	
21. 进口总值：	22. 币制：
23. 出口合同号：	
24. 出口总值：	25. 币制：
26. 投资总额：	27. 币制：
28. 进口设备总额：	29. 币制：
30. 进出口岸：	
31. 进口期限：	32. 出口期限：
33. 申请人：	34. 申请日期：
35. 原产国：	36. 成交方式：
备注：	

经营单位（盖章）：　　　　　加工单位（盖单）：
　　年　月　日　　　　　　　　年　月　日

二、进口料件备案申请表

经营单位：　　　　　　　　　　　　进口合同：

序号	商品编码	商品名称	规格型号	数量	单位	单价	总价（币制）	原产国

三、加工成品备案申请表

经营单位：　　　　　　　　　　　　出口合同：

序号	商品编码	商品名称	规格型号	数量	单位	单价	总价（币制）	消费国

四、单耗备案申请表

经营单位：

成品序号	成品名称	对应料件序号	单耗量	损耗率

第四章
其他进出口货物的报关

第一节　特定减免税货物的报关

一、特定减免税货物的含义

（一）含义

特定减免税货物是指海关根据国家的政策规定准予减免税进境，使用于特定地区、特定企业、特定用途的货物。

特定地区是指我国关境内由行政法规规定的某一特别限定区域，享受减免税优惠的进口货物只能在这一特别限定的区域内使用。

特定企业是指由行政法规专门规定的企业，享受减免税优惠待遇的进口货物只能由这些专门规定的企业使用。

特定用途是指行政法规专门规定的，享受减免税优惠待遇的进口货物可以且只能用于该类用途。

（二）特定减免税货物的范围

1. 特定地区的减免税货物
（1）保税区减免税货物。
（2）出口加工区减免税货物。
2. 特定企业的减免税货物
特定企业的减免税货物主要是指外商投资企业减免税货物，我国目前的外商投资企业包括中外合资经营企业、中外合作经营企业和外商独资企业。
3. 特定用途的减免税货物
（1）国内投资项目减免税货物。
（2）利用外资项目减免税货物。
（3）科教用品减免税货物。

（4）残疾人专用品减免税货物。

（5）其他用途。

二、特定减免税货物的特征

（1）特定条件下减免进口关税和进口环节增值税。

（2）除非另有规定，若进口货物需要提交许可证件的，提交许可证件的义务不能免除。

（3）进口后在特定的海关监管期限内接受海关监管。

不同的特定减免税货物，海关监管的期限不同。船舶、飞机、建筑材料（包括钢材、木材、胶合板、人造板、玻璃等），海关监管期限为8年；机动车辆（特种车辆）、家用电器，海关监管期限为6年；机器设备、其他设备、材料，海关监管期限为5年。

实例： 一日商在我国境内设立的某外商投资公司享受特定减免税优惠进口的机器设备自进口之日起超过了5年，该公司欲向海关申请解除监管。

分析： 该公司可以向海关申请解除监管。因为海关对特定减免税进口的机器设备的监管期限为5年。海关监管期限到期时，特定减免税的收货人（本例中该公司）应当向海关申请解除对特定减免税进口的机器设备的监管。

（4）特定减免税货物应在特定的范围内使用。

三、特定减免税货物的报关程序

特定减免税货物的报关程序包括三大阶段：

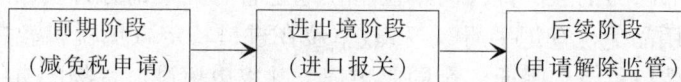

前期阶段 （减免税申请）	→	进出境阶段 （进口报关）	→	后续阶段 （申请解除监管）

（一）减免税申请

1. 特定地区减免税申请

（1）备案登记。保税区企业向保税区海关办理减免税备案登记时，应当提交企业批准证书、营业执照、企业合同、章程等，并将企业的有关情况输入海关的计算机系统。海关审核后准予备案即签发企业征免税登记手册，企业凭以办理货物减免税申请手续。

出口加工区企业向出口加工区海关办理减免税备案登记时，应当提交出口加工区管理委员会的批准文件、营业执照等，并将企业的有关情况输入海关的计算机系统。海关审核后即批准建立企业设备电子账册，企业凭以办理货物减免税申请手续。

（2）"进出口货物征免税证明"的申领。保税区企业在进口特定减免税机器设备等货物以前，向保税区海关提交企业征免税登记手册、发票、装箱单等，并将申请进口货物的有关数据输入海关的计算机系统，海关核准后签发"进出口货物征免税证明"给申请企业。出口加工区企业在进口特定减免税机器设备等货物以前，向出口加工区海关提交发票、装箱单等，海关核准后在企业设备电子账册中进行登记，不签发"进出口货物征免税证明"给申请企业。

2. 特定企业减免税申请

（1）备案登记。特定企业主要是指外商投资企业。外商投资企业向企业主管海关办理减免税备案登记时，应当提交商务主管部门的批准文件、营业执照、企业合同、章程等，并将企业的有关情况输入海关的计算机系统。海关审核后准予备案即签发外商投资企业征免税登记手册，企业凭以办理货物减免税申请手续。

（2）"进出口货物征免税证明"的申领。外商投资企业在进口特定减免税机器设备等货物以前，向主管海关提交外商投资企业征免税登记手册、发票、装箱单等，并将申请进口货物的有关数据输入海关的计算机系统，海关核准后签发"进出口货物征免税证明"给申请企业。

3. 特定用途货物减免税申请

（1）国内投资项目减免税申请。国内投资项目经批准后，减免税货物进口企业应当持国务院有关部门或省、市人民政府签发的"国家鼓励发展的内外资项目确认书"、发票、装箱单等单证向项目主管直属海关提出减免税申请，海关审核后签发"进出口货物征免税证明"给申请企业。

（2）利用外资项目减免税申请。利用外资项目经批准后，减免税货物进口企业应当持国务院有关部门或省、市人民政府签发的"国家鼓励发展的内外资项目确认书"、发票、装箱单等单证向项目主管直属海关提出减免税申请，海关审核后签发"进出口货物征免税证明"给申请企业。

（3）科教用品减免税进口申请。科教单位办理科学研究和教学用品免税进口申请时，应当持有关主管部门的批准文件，向单位所在地主管海关申请办理资格认定手续，海关审批后签发"科教用品免税登记手册"。科教单位在进口特定减免税科教用品以前，向主管海关提交科教用品免税登记手册、合同等单证，并将申请进口货物的有关数据输入海关的计算机系统，海关核准后签发"进出口货物征免税证明"给申请单位。

（4）残疾人专用品减免税进口申请。残疾人在进口特定减免税专用品以前，向主管海关提交民政部门的批准文件，海关核准后签发"进出口货物征免税证明"。

民政部门或中国残疾人联合会所属单位批量进口残疾人专用品，应当向所在地直属海关申请，提交民政部门（包括省、自治区、直辖市的民政部门）或中国残疾人联合会（包括省、自治区、直辖市的残疾人联合会）出具的证明函，海关核准后签发"进出口货物征免税证明"。

4. "进出口货物征免税证明"的使用

"进出口货物征免税证明"的有效期为 6 个月，实行"一批一证""一证一关"制。如果一批特定减免税货物需要分两个口岸进口或者分两次进口，应当事先分别申领征免税证明。

（二）进口报关

除下述手续外，特定减免税货物进口报关程序与一般进出口货物的报关程序基本相同：

（1）特定减免税货物进口报关时，进口货物的收货人或其代理人除了向海关提交报关单及随附的基本单证外，还应当向海关提交"进出口货物征免税证明"。海关在审单时从计算机系统中调阅征免税证明的电子数据，核对纸质的"进出口货物征免税证明"。

（2）特定减免税货物一般应提交进口许可证件，但对某些企业和某些许可证件种类，国家规定有特殊优惠政策的可以豁免进口许可证件。

（3）填制特定减免税货物进口报关单时，报关员应当特别注意报关单上"备案号"栏目的填写，"备案号"栏内应正确填写"进出口货物征免税证明"上的12位编号。

（三）申请解除监管

1. 监管期限届满解除海关监管

特定减免税货物限于特定区域、特定企业、特定用途使用，一般情况下解除海关监管的前提是特定减免税货物监管期限届满，经过有关企业的申请，海关核准后签发"减免税进口货物解除监管证明"，解除对货物的监管。

2. 在监管期内解除海关监管

报海关核准，提交单证、缴纳税费后，海关签发"减免税进口货物解除监管证明"，企业即可在境内出售或转让原特定减免税货物。

退运出境的特定减免税货物，应办理退运出境申报手续，在货物出境后，海关签发出口货物报关单。企业凭该报关单及其他有关单证向主管海关申领"减免税进口货物解除监管证明"。

放弃的特定减免税货物交海关处理，海关将货物拍卖后签发收据，企业凭以向主管海关申领"减免税进口货物解除监管证明"。

实例： 某外商投资企业因故宣告破产，企业清算过程中决定将仍在海关监管年限内的减免税进口的机动车辆转给合营中方公司所有。

分析： 该外商投资公司的处理不符合海关规定。因为外商投资企业享受减免税优惠进口的机器设备和其他物资，属于海关监管物资，其中机动车辆的海关监管年限为6年。在监管期内的货物限于企业自用，未经海关许可，不得擅自出售、转让、抵押或移作他用。该企业因进入法律程序清算，企业应当向主管海关申请，经主管海关审批同意并按规定补缴税款，解除海关监管后处理。

表4-1 进出口货物征免税证明

编号：

申请单位：				项目名称：				
发证日期： 年 月 日				有效期： 年 月 日止				
到货口岸：				合同号：				
序号	货名	规格	数量	单位	金额	币制	主管海关审批征免意见	
1								
2								
3								
4								
备注								

注意事项：
1. 本表使用一次有效。如同一合同货物分口岸进口的，应分别填写，一份合同内货物分期到货的，应向审批海关申明，并按到货期分填此表。
2. 此表中"项目名称"栏应按减免税项目填写，如技术改造、世行贷款等。
3. 货物进口时应向海关交验本表，复印件无效。
4. 自签发之日起半年内有效，逾期应向原审批海关申请展期或退单。
5. 经批准进口的货物，如拟移作他用、转让或出售，原申请免税单位应事先报请原批准海关核准，并应依法补税；否则，海关将依法处理。

审批海关签章：

负责人：

年 月 日

核放海关批注：

负责人：

年 月 日

第二节　暂准进出境货物的报关

一、暂准进出境货物的含义

（一）含义

暂准进出境货物是指为了特定目的，经海关批准暂时进境或暂时出境，并在规定的期限内复运出境或复运进境的货物。

（二）暂准进出境货物的范围

1. 第一类

经海关批准暂时进境或暂时出境，在进境或出境时向海关缴纳相当于应纳税款的保证金或提供其他担保可以暂不缴纳税款，并在规定的期限内复运出境或复运进境的货物。这些货物包括以下几种：

（1）在展览会、交易会、会议及类似活动中展示或者使用的货物。

（2）文化、体育交流活动中使用的表演、比赛用品。

（3）进行新闻报道或者摄制电影、电视节目使用的仪器、设备及用品。

（4）开展科研、教学、医疗活动使用的仪器、设备及用品。

（5）上述四项所列活动中使用的交通工具及特种车辆。

（6）暂时进出境的货样。

（7）供安装、调试、检测设备时使用的仪器、工具。

（8）盛装货物的容器。

（9）其他暂时进出境用于非商业目的的货物。

本节介绍的暂准进出境货物指的就是第一类暂准进出境货物。

2. 第二类

按照货物的完税价格和其在境内滞留时间与折旧时间的比例计算，按月或者在规定期限内货物复运出境或复运进境时征收进出口税的货物。第二类包括除第一类以外的其他暂准进出境货物。

二、暂准进出境货物的特征

（1）有条件地暂免进出口税费。暂准进出境货物在向海关申报进出境时，不必缴纳进出口税费，但收发货人须向海关提供担保。

（2）除另有规定外，免交进出口许可证件。除因涉及公共道德、公共安全、公共卫生等实施外贸管制的暂准进出境货物应当凭许可证件进出境外，其他暂准进出境货物可以免交进出口许可证件。

（3）规定期限内原状复运进出境。暂准进出境货物应当自进境或出境之日起 6 个月内复运出境或复运进境，经申请可以延长复运出境或复运进境的时间。

（4）按货物实际使用情况办理核销结关手续。所有的暂准进出境货物都必须在规定期限内，由货物的收发货人或其代理人根据货物的实际使用情况向海关办理核销结关手续。

三、暂准进出境货物的海关监管

上述第一类暂准进出境货物按照我国海关的监管可以分为以下四种：

（1）适用 ATA 单证册报关的暂准进出境货物。

（2）展览品。

（3）集装箱箱体。

（4）暂时进出口货物。

四、暂准进出境货物的报关程序

（一）适用 ATA 单证册报关的暂准进出境货物的报关

1. ATA 单证册制度

（1）ATA 单证册的含义。ATA 由法文 "Admission Temporaire" 与英文 "Temporary Admission" 的首字母复合组成，表示暂准进口，即货物在进口后一定时间内除正常损耗外按原状复出口。

暂准进口单证册，简称 ATA 单证册，是世界海关组织（WCO）通过的《货物暂准进口公约》及其附约和《ATA 公约》中规定使用的，用于替代各缔约方海关暂准进出境货物的报关单和税费担保的国际性通关文件。ATA 单证册既是国际通用的暂准进出口的报关单证，也是一份国际担保文书。

ATA 单证册制度的目的在于通过在缔约方之间适用 ATA 单证册以替代各国国内报关文件和税款担保文件来简化和统一海关手续。目前，世界上已有 59 个国家实施了 ATA 单证册制度，大部分发达国家都已加入了《ATA 公约》。

（2）ATA 单证册所提供的便利。

①简化通关手续。持证人使用 ATA 单证册，无须填写各国国内报关文件，并免交货物进口各税的担保，从而极大地简化了货物通关手续。

②节约通关费用和时间。ATA 单证册由持证人在本国申请，从而使持证人在出国前就预先安排好去一个或多个国家的海关手续，无须向外国海关提交担保，并可以确保快捷通关。

③ATA 单证册可以重复使用。ATA 单证册的有效期为 1 年，其项下的货物可以在有效期内多次进出口。

④适用对象广泛。从事商务活动人员、各行专业人士以及从事贸易、教育、科学技

术、文化体育交流活动的机构，均可受益于 ATA 单证册。会议代表、销售人员、参展厂家、广播电视台、演艺团体、记者、医生、科研人员、旅游者等各界人士及相关机构均可为其所使用的货品申办 ATA 单证册。

（3）ATA 单证册的格式。一份 ATA 单证册由若干页 ATA 单证组成，单证的具体数目根据国家的数量而定。一般由以下 8 页组成：一页绿色封面单证、一页黄色出口单证、一页白色进口单证、一页白色复出口单证、两页蓝色过境单证、一页黄色复进口单证、一页绿色封底。

（4）ATA 单证册在我国的适用范围。在我国，目前使用 ATA 单证册的范围仅限于展览会、交易会、会议及类似活动中展示或使用的货物。对超出该范围的 ATA 单证册，我国海关不予接受。

（5）适用我国暂准进出境货物的 ATA 单证册的有效期。国际公约规定 ATA 单证册有效期最长为 1 年。但我国海关只接受展览会、交易会、会议及类似活动中展示或使用的货物使用 ATA 单证册报关，我国规定 ATA 单证册项下货物暂时进出境期限为自货物进出境之日起 6 个月。超过 6 个月须经直属海关批准，有特殊情况超过 1 年的须经海关总署批准。

（6）ATA 单证册的印刷文字和申报文字。ATA 单证册必须使用英语或法语，如果需要也可以同时使用第三种语言印刷。我国海关接受中文或英文填写的 ATA 单证册的申报，用英文填写的 ATA 单证册，海关可以要求提供中文译本，用其他文字填写的 ATA 单证册则必须随附忠实原文的中文或英文译本。

（7）ATA 单证册的使用。ATA 单证册的担保协会和出证协会一般是国际商会国际局和各国海关批准的各国国际商会，中国国际商会是我国 ATA 单证册的担保和出证机构。

①ATA 单证册的正常使用。ATA 单证册的正常使用过程是：持证人向出证协会提出申请，缴纳手续费并按出证协会的规定提供担保，出证协会审核后签发 ATA 单证册；持证人凭 ATA 单证册将货物在出境国（地区）暂时出境，又暂时进境到进境国（地区），进境国（地区）海关查验后签章放行；货物完成暂时进境的特定使用目的后，从进境国（地区）复运出境，又复运进境到原出境国（地区）；持证人将使用过的、经各海关签注的 ATA 单证册交还给原出证协会。

②ATA 单证册未正常使用。ATA 单证册未正常使用一般有两种情况：一是货物未在规定的期限内复运出境，产生了暂时进境国（地区）海关对货物征税的问题；二是 ATA 单证册持证人未遵守暂时进境国（地区）海关的规定，产生了暂时进境国（地区）海关对持证人罚款的问题。出现这两种情况时，暂时进境国（地区）海关可以向本国担保协会提出索赔；暂时进境国（地区）担保协会代持证人垫付税款、罚款等后，可以向暂时出境国（地区）担保协会追偿；暂时出境国（地区）担保协会垫付款项后，若该国担保协会和出证协会不是同一单位，则该国担保协会可以向出证协会追偿，若该国担保协会和出证协会是同一单位，则该国担保协会向持证人追偿。

2. 适用 ATA 单证册报关的暂准进出境货物的申报

（1）进境申报。进境货物收货人或其代理人先在海关核准的出证协会即中国国际商会将 ATA 单证册的内容预录入海关与商会联网的 ATA 单证册电子核销系统，然后持 ATA 单证册向海关申报，提交纸质 ATA 单证册、提货单等单证。

海关在白色进口单证上签注，留存白色进口单证正联，存根联随 ATA 单证册其他各联退进境货物收货人或其代理人。

（2）出境申报。出境货物发货人或其代理人向海关提交国家主管部门的批准文件、纸质 ATA 单证册、装货单等单证。

海关在绿色封面单证和黄色出口单证上签注，留存黄色出口单证正联，存根联随 ATA 单证册其他各联退出境货物发货人或其代理人。

（3）过境申报。过境货物承运人或其代理人持 ATA 单证册向海关申报，海关在两份蓝色过境单证上分别签注后，留存蓝色过境单证正联，存根联随 ATA 单证册其他各联退过境货物承运人或其代理人。

（4）担保和许可证件。持 ATA 单证册向海关申报时，不需向海关提交进出口许可证件，也不需再另外提供担保。但 ATA 单证册项下货物涉及公共道德、公共安全、公共卫生等限制的，则应当向海关提交进出口许可证件。

（5）核销结关。持证人在规定期限内将 ATA 单证册项下货物复运出境或复运进境，海关在白色复出口单证或黄色复进口单证上签注，留存单证正联，存根联随 ATA 单证册其他各联退持证人，则正式核销结关。

（二）展览品的报关

暂准进出境展览品的海关监管有使用 ATA 单证册的，也有不使用 ATA 单证册直接按展览品监管的，以下介绍的是后一种情况。

1. 暂准进出境展览品范围

（1）进境展览品。包括在展览会中展示或示范用的货物、物品，为示范展出的机器或器具所需用的物品，展览者设置临时展台的建筑材料及装饰材料，供展览品做示范宣传用的电影片、幻灯片、录像带、录音带、说明书、广告等。

以下与展出活动有关的物品也可以按展览品申报进境：

①在操作示范展出的机器或器具的过程中被消耗或损坏的物料。

②展览者为修建、布置或装饰展台而进口的一次性廉价物品，如油漆、涂料、壁纸等。

③展览者在展览中免费散发的与展览活动有关的宣传印刷品、商业目录、说明书、价目表、广告招贴、广告日历等。

④供各种国际会议使用或有关的档案、记录、表格及其他文件。

以下货物虽然在展览活动中使用，但不是展览品：

①展览会期间出售的小卖品属于一般进口货物。

②展览会期间使用的含酒精饮料、烟叶制品、燃料虽然不属于一般进口货物，但海关对这些商品一律征收关税。

实例：某企业为参加在国内举办的国际博览会，从境外进口供散发的纪念品、在展览会期间使用的烟酒以及为布置和装饰展台所使用的壁纸。

分析：该企业进口的在展览会上散发的纪念品以及为布置、装饰展台的壁纸，予以免税进口，展览会期间使用的烟酒不属于免税进口范畴，海关对此一律征收关税。

（2）出境展览品。包括国内单位赴境外举办展览会或参加境外博览会、展览会而运出的展览品，以及与展览活动有关的宣传品、布置品、招待品及其他公用物品。与展览活动有关的小卖品、展卖品属于一般出口货物。

2. 展览品暂准进出境期限

进境展览品的暂准进境期限是 6 个月，自展览品进境之日起 6 个月内复运出境。该期限经主管海关批准可以延长，延长期限最长不超过 6 个月。出境展览品的暂准出境期限是 6 个月，延长期限要向主管海关申请。

3. 暂准进出境展览品报关

（1）进境申报。展览品进境之前，展览会主办单位应当将举办展览会的批准文件连同展览品清单送展出地海关，办理备案手续并提供担保。展览品进境申报时，展览会主办单位或其代理人应当向展出地海关提交报关单、展览品清单、提货单、发票、装箱单等，展览品中涉及检验检疫等管制的，还应当向海关提交许可证件。展览品进境后，海关一般在展览会举办地对展览品开箱查验，查验时展览品所有人或其代理人应当到场，并负责搬移、开拆、重封货物包装等。展览会展出或使用的印刷品、音像制品及其他需要审查的物品，在展出或使用前，要经过海关的审查。

（2）出境申报。展览品出境申报时，在境外举办展览会或参加境外展览会的企业应当向出境地海关提交国家主管部门的批准文件、报关单、展览品清单一式两份等单证。海关对展览品开箱查验，核对展览品清单，查验完毕后，海关留存一份清单，另一份交还给企业，凭此办理展览品复运进境申报手续。

（3）核销结关。

①复运进出境。展览品在期限届满复运进出境后，海关签发报关单证明联，即可凭此向主管海关办理核销结关。

②转为正式进出口。进境展览品在展览期间被购买的，由展览会主办单位或其代理人向海关办理进口手续，属于许可证件管理的，还应当提交进口许可证件。出境展览品在境外展览期间被购买的，由海关核对展览品清单后要求企业补办出口手续。

③放弃或赠送。展览品放弃给海关的，由海关拍卖后将款项上缴国库；有单位接受放弃展览品的，应当向海关办理进口手续。展览品赠送的，受赠人应当按照进口礼品或经贸往来赠送品的规定办理进口手续。

④毁坏、丢失、被窃。展览品因毁坏、丢失、被窃不能复运进出境的，应当向海关报告。展览品毁坏的，海关根据毁坏程度估计征税。因不可抗力造成损毁或灭失的，减征或免征关税。展览品丢失或被窃的，海关按同类货物征税。

（三）集装箱箱体的报关

1. 集装箱箱体的含义

集装箱箱体既是一种运输设备，也是一种货物。当货物用集装箱装载进出口时，集装箱箱体就作为一种运输设备；当企业购买进口或销售出口集装箱时，集装箱箱体就与普通进出口货物一样了。集装箱箱体在一般情况下是作为运输设备暂时进出境的，以下介绍的就是这种情况。

2. 暂准进出境集装箱箱体报关

（1）境内集装箱箱体暂准进出境。境内生产的集装箱及我国营运人购买进口的集装箱在投入国际运输前，营运人应当向所在地海关办理登记手续。无论是否装载货物，海关准予登记并符合规定的集装箱箱体暂准进出境时无须办理报关手续，进出境也没有期限限制。

（2）境外集装箱箱体暂准进境。无论是否装载货物，境外集装箱箱体暂准进境时应向海关申报，并应自进境之日起 6 个月内复运出境。特殊情况经海关批准可以延期，但延长期最长不得超过 3 个月。

（四）暂时进出口货物的报关

1. 暂时进出口货物的范围

上述第一类 9 种暂准进出境货物中，除使用 ATA 单证册报关的货物、不使用 ATA 单证册报关的展览品及集装箱箱体外，其余均属于暂时进出口货物。

2. 暂时进出口货物的期限

暂时进出口货物应当自进出境之日起 6 个月内复运出入境。特殊情况经海关批准可以延期，延长期最长不能超过 6 个月。

3. 暂时进出口货物的报关

（1）暂时进口货物进境申报。暂时进口货物进境申报时，收货人或其代理人应当向海关提交主管部门的批准文件、进口货物报关单、商业及货运单据等。暂时进口货物除涉及公共安全、公共卫生等原因而实施对外贸易管制外，一般无须提交进口货物许可证件。暂时进口货物免缴进口税，但收货人或其代理人必须向海关提供担保。

（2）暂时出口货物出境申报。暂时出口货物出境申报时，发货人或其代理人应当向海关提交主管部门的批准文件、出口货物报关单、商业及货运单据等。除涉及公共安全、公共卫生等原因、国家实施对外贸易管制的暂时出口货物外，暂时出口货物一般无须提交出口货物许可证件。

（3）核销结关。

①复运出入境。暂时进出口货物复运出入境后，收发货人或其代理人凭海关签章的复运出入境报关单向海关报核，申请结关。海关经审核，退还保证金或办理其他担保销案手续，予以结关。

②转为正式进口。暂时进口货物转为正式进口的，收货人或其代理人应当向海关提出申请，办理货物正式进口的报关手续，再凭海关签章的进口报关单向海关报核，申请结关。海关经审核，退还保证金或办理其他担保销案手续，予以结关。

③放弃。暂时进口货物放弃给海关处理的，收货人或其代理人凭海关签发的处理放弃货物的收据向海关报核，申请结关。海关经审核，退还保证金或办理其他担保销案手续，予以结关。

第三节　特别进出境货物的报关

一、过境、转运、通运货物的报关

（一）过境货物的报关

1. 过境货物的含义

过境货物是指从境外起运，在我国境内无论是否换装运输工具，通过陆路运输，继续运往境外的货物。

2. 过境货物的范围

（1）与我国签有过境货物协定的国家的过境货物。

（2）与我国签有铁路联运协定的国家收发的过境货物。

（3）与我国没有上述协定的国家收发的货物，经我国经贸、运输主管部门批准，并向入境地海关备案后准予过境的货物。

以下货物禁止过境：

（1）来自或运往我国停止或禁止贸易的国家和地区的货物。

（2）各种武器、弹药、爆炸物及军需品（通过军事途径运输的除外）。

（3）各种烈性毒药、麻醉品和毒品。

（4）我国法律法规禁止过境的其他货物。

3. 过境货物的期限

过境货物的期限为6个月，特殊情况可以向海关申请延期，经海关同意可延期3个月。过境货物超过规定期限3个月仍未过境的，海关按规定依法拍卖。

4. 海关对过境货物的监管

（1）海关对过境货物的监管目的。海关对过境货物的监管目的是为了防止过境货物滞留国内，或将我国货物混入过境货物出境，防止我国禁止的过境货物从我国过境。

（2）海关对过境货物的监管要求。

①装载过境货物的运输工具应当具有海关认可的加封条件或装置，海关认为有必要时，可以对过境货物及其装载装置进行加封。

②运输部门和过境货物经营人应当负责保护海关封志的完整，任何人不得擅自开启和损毁。

③过境货物经营人应当持主管部门的批准文件和工商行政管理部门颁发的营业执照，向海关主管部门申请办理注册登记手续。

④海关可以对过境货物进行查验，查验时，过境货物经营人或承运人应当到场，负责搬移货物、开拆和重封货物的包装。

⑤民用爆炸品、医用麻醉品等的过境运输，应当经海关总署会商有关部门批准后才可过境。

⑥过境货物进境因换装运输工具等原因需卸下储存时，应当经海关批准并在海关监管下存入海关指定或同意的仓库或场所。

⑦过境货物进境后出境前，应当按照运输部门规定的线路运输，运输部门没有规定的，由海关指定。海关可根据情况派人押运过境货物。

⑧有伪报货名和国名运输我国禁止过境货物的，以及其他违反我国法律、法规的，海关可以依法将货物扣留处理。

⑨过境货物在境内发生损毁或灭失（除不可抗力原因外），经营人应当负责向出境地海关补办进口纳税手续。

5. 过境货物的报关

（1）进境报关。过境货物进境时，经营人或其代理人应当向进境地海关提交过境货物报关单及其他规定单证。进境地海关查验审核后，在提运单上加盖"海关监管货物"的戳记，并将过境货物报关单和过境货物清单制造关封后加盖"海关监管货物"专用章，连同提运单一起交经营人或其代理人。

（2）出境报关。过境货物出境时，经营人或其代理人应当向出境地海关提交进境地海关签发的关封和其他单证。出境地海关审核无误后，加盖放行章出境。

（二）转运货物的报关

1. 转运货物的含义

转运货物是指由境外起运，通过我国境内设立海关的地点换装运输工具，但不通过我国境内的陆路运输，继续运往境外的货物。

2. 转运货物的条件

进境运输工具载运的货物必须具备以下条件之一，方可办理转运手续：

（1）持有转运或联运提货单的。

（2）进口载货清单上注明是转运货物的。

（3）持有普通提货单，但在起卸前向海关声明转运的。

（4）误卸的进口货物，经运输工具经理人提供确实证件的。

（5）因特殊原因申请转运，经海关批准的。

3. 海关对转运货物的监管

海关对转运货物进行监管，主要是防止货物在口岸换装过程中混卸进口或混装出口。

（1）转运货物在中国口岸存放期间，不得开拆、换包装或进行加工。

（2）海关有权对转运货物进行查验。

（3）转运货物必须在 3 个月内转运出境，超过 3 个月仍未转运出境或办理其他海关手续的，海关将依法处理。

4. 转运货物的报关

载有转运货物的运输工具进境后，承运人应当在进口载货清单上列明转运货物的名称、数量、起运地和到达地，向海关申报进境。申报经海关同意后，在海关指定的地点换装运输工具，并在规定的时间内出境。

（三）通运货物的报关

1. 通运货物的含义

通运货物是指从境外起运，由船舶、飞机等载运进境，并由原运输工具载运出境的货物。

2. 通运货物的报关

运输工具进境向海关申报时，运输工具的负责人应提交注明通运货物名称和数量的船舶进口报告书或国际民航机使用的进口载货舱单，进境地海关在运输工具抵达和离境时对申报的货物进行核查。运输工具因装卸需搬运或倒装货物时，应向海关申请并在海关关员的监管下进行。

二、进出境快件的报关

1. 进出境快件的含义

进出境快件是指进出境快件经营人以向客户承诺的快速商业运作方式承揽、承运的进出境的货物、物品。

2. 进出境快件的分类

进出境快件分为文件类、个人物品类和货物类。

（1）文件类进出境快件是指《海关法》规定免税而且没有商业价值的文件、单证、单据和资料。

（2）个人物品类进出境快件是指进出境旅客自用合理数量范围内的与旅客分离运输的行李物品、亲友间相互馈赠的物品和其他个人物品。

（3）货物类进出境快件是指除文件类、个人物品类以外的进出境快件。

3. 进出境快件的报关

进境快件应当自运输工具申报进境之日起 14 日内，向海关申报。出境快件应当在运输工具出境 3 小时之前，向海关申报。

（1）文件类进出境快件报关时，经营人应当向海关提交"中华人民共和国进出境快件 KJ1 报关单"、总运单副本和其他所需单证。

（2）个人物品类进出境快件报关时，经营人应当向海关提交"中华人民共和国进出境快件个人物品报关单"、每一进出境快件的分运单、进境快件收件人或出境快件发件人身份证复印件和其他所需单证。

（3）货物类进境快件报关分为以下三种情况：

①关税税额在人民币 50 元以下的货物和海关规定免税的货样、广告品报关时，提交"中华人民共和国进出境快件 KJ2 报关单"、每一进境快件的分运单、发票和其他所需单证。

②应征税的货样、广告品（法律、法规规定实行许可证件管理和需进口付汇的除外）报关时，提交"中华人民共和国进出境快件 KJ3 报关单"、每一进境快件的分运单、发票和其他所需单证。

③其他货物类进境快件一律按进口货物报关。

（4）货物类出境快件报关分为以下两种情况：

①货样、广告品（法律、法规规定实行许可证件管理的、应征出口税的、需出口收汇的、需出口退税的除外）报关时，提交"中华人民共和国进出境快件 KJ2 报关单"、每一出境快件的分运单、发票和其他所需单证。

②其他货物类出境快件一律按出口货物报关。

三、租赁货物的报关

（一）租赁货物的含义

1. 租赁货物的含义

租赁是指由资产所有者（出租人）按合同规定将租赁物品租给使用人（承租人），使用人（承租人）在规定期限内支付租金并享有对租赁物品的使用权的一种经济行为。跨越国（地区）境的租赁就是国际租赁。以国际租赁方式进出境的货物即为租赁进出口货物。根据我国的实际情况，以下介绍的主要是租赁进口货物。

2. 租赁货物的范围

国际租赁主要有两种：一种是金融租赁，带有融资性质；另一种是经营租赁，带有服务性质。租赁进口货物也就包括金融租赁进口货物和经营租赁进口货物。

金融租赁是出租人按承租人设定的条件，向承租人指定的供货人购买实物财产（一般为大型机械设备），并以摊提该财产的全部或大部分购置成本为基础，向承租人收取租金的一种交易。以金融租赁方式进口的货物为金融租赁进口货物。金融租赁进口货物期满一般不复运出境，而是以很低的价格转让给承租人。经营租赁是一种以提供租赁物品的短期使用权为特点的租赁形式，通常适用于一些需要专门技术进行维修保养、技术更新较快的设备。经营租赁进口货物一般在合同期满后复运出境。

（二）租赁货物的报关

1. 金融租赁进口货物的报关

金融租赁进口货物的租金总额一般大于货价，纳税义务人可以选择一次性按货物完税价格缴纳税款或选择按租金分期缴纳税款。

（1）一次性按货物完税价格缴纳税款。收货人或其代理人在租赁货物进口申报时应当向海关提供租赁合同、进口许可证件和其他单证，按货物完税价格缴纳进口税款。

（2）按租金分期缴纳税款。收货人或其代理人在租赁货物进口申报时，应当按照第一期支付的租金缴纳税款；在其后每次支付租金后 15 日内（含第 15 日）按支付租金缴纳税款，直到最后一期为止，滞纳金为 0.5‰。

金融租赁进口货物租期届满之日起 30 日内，纳税义务人应当申请办结海关手续，将货物复运出境；如不复运出境以残值转让的，应当按转让价格确定完税价格后缴纳进口税款。

2. 经营租赁进口货物的报关

经营租赁进口货物的租金小于货价，纳税义务人会选择按租金分期缴纳税款的方式。收货人或其代理人在租赁货物进口申报时，应当按照第一期支付的租金缴纳税款；在其后每次支付租金后 15 日内（含第 15 日）按支付租金缴纳税款，直到最后一期为止，滞纳金为 0.5‰。

经营租赁进口货物租期届满之日起 30 日内，纳税义务人应当申请办结海关手续，将货物复运出境或者办理留购、续租的申报手续。

四、无代价抵偿货物的报关

（一）无代价抵偿货物的含义

无代价抵偿货物是指进出口货物在海关放行后，因残损、短少、品质不良或规格不符等原因，由发货人、承运人或保险公司免费补偿或更换的与原货物相同或与合同规定相符的货物。无代价抵偿货物免交进出口许可证件和免税。

收发货人申报进出口的免费补偿或更换的货物，税则税目与原进出口货物的税则税目不一致的，属于一般进出口货物，不属于无代价抵偿货物。

实例： 华威进出口集团从马来西亚某公司以 CIF 广州 USD26/台的条件进口 10 000 台简易型电动可调气泵。该批货物于 11 月 12 日载运进境，华威公司当日向海关申报进口。海关验放后，华威公司发现其中有 500 台损坏，于是与马来西亚公司交涉，马来西亚公司同意另免费补偿同数量、同品牌、同规格的货物。补偿货物于 11 月 27 日运达。

分析： 该批免费补偿货物属于无代价抵偿货物。该批货物进口时，应以无代价抵偿方式向海关申报，进口报关单的贸易方式栏应填报"无代价抵偿"。

（二）无代价抵偿货物的报关

无代价抵偿货物可分为两类：一类是短少抵偿，另一类是残损、品质不良或规格不符抵偿。残损、品质不良或规格不符引起的抵偿在进出口前，应当先办理被更换的原进出口货物中残损、品质不良或规格不符货物的海关手续，主要包括退运进出境、放弃、不退运出境也不放弃或不退运进境三种不同的处理情况。

1. **无代价抵偿货物的报关期限**

向海关申报进出口无代价抵偿货物，应当在原进出口合同规定的索赔期内，且不超过原货物进出口之日起 3 年。

2. **无代价抵偿货物报关应提交的单证**

无代价抵偿货物报关时，应提交无代价抵偿货物的进出口报关单、原进出口报关单、原进出口货物退运进出境的进出口货物报关单或原进口货物交由海关处理的放弃处理证明或已经办理纳税手续的单证（短少抵偿的除外）、原进出口货物税款缴纳书或"进出口货物征免税证明"、买卖双方签订的索赔协议等。海关认为需要时，还应当提交原进出口货物残损、短少、品质不良或规格不符的商检证明及其他所需单证。

五、溢卸、误卸进境货物的报关

（一）溢卸、误卸进境货物的含义

溢卸进境货物是指未列入进口载货清单、运单的货物，或者多于进口载货清单、运单所列数量的货物。

误卸进境货物是指本应运往境外港口、车站或境内其他港口、车站但却在本港（站）卸下的货物。

（二）溢卸、误卸进境货物的报关

溢卸、误卸进境货物经海关审定确认后，由载运该货物的运输工具负责人或收发货人，自卸货之日起 3 个月内（经海关批准可延期 3 个月），向海关办理退运或进口手续，逾期海关将依法拍卖处理。运输工具负责人要求在国内销售处理的，由购货单位办理进口手续。

运输工具负责人或其代理人要求以溢卸进境货物抵补短卸货物的，限于同一运输工具、同一发货人、同一品种的货物，而且应填报进口货物报关单向海关申报。

误卸进境货物如属于应运往境外的，经海关核实后可退运至境外；如属于应运往境内其他口岸的，可由收货人或其代理人向进境地海关办理进口手续，也可经进境地海关同意办理转关手续。

溢卸、误卸进境货物属于危险品或鲜活、易腐易烂、易变质、易贬值等不宜长期保存的货物，海关可以根据实际情况，进行提前提取、依法变卖的处理。

六、退运、退关货物的报关

（一）退运货物的报关

1. 一般退运货物的报关

（1）一般退运货物的含义。一般退运货物是指因质量不良或交货时间延误等原因被国内外买方拒收退运，或因错发错运造成的溢装、漏装而退运的货物。

（2）一般退运货物的报关。原出口货物被退运进境向海关申报时，原发货人或其代理人应提交进口货物报关单，并随附原货物的出口报关单、外汇核销单、报关单出口退税联，如已收汇核销还需提供国税局"出口商品退运已补税证明"、保险公司证明、承运人溢装、漏卸证明等。原出口货物在 1 年内被退运进境的，经海关核实后，免征进口税。原出口货物出口时已征出口税的，只要重新缴纳因出口而退还的国内环节税，自缴纳出口税之日起 1 年内可以退还出口税。

实例： 上海某公司于某年9月出口一批货物往美国，因交货时间延误即被美方拒收。该批出口货物需退运进境。

分析： 该公司须向进境地海关申报进境，提交进口货物报关单、原货物出口报关单、出口退税报关单、承运人证明等有关单证。经海关核实后，免征进口税。

原进口货物被退运出境向海关申报时，原收货人或其代理人应提交出口货物报关单，并随附原货物的进口报关单、保险公司证明、承运人溢装、漏卸证明等。原进口货物在1年内被退运出境的，经海关核实后，免征出口税。原进口货物进口时已征进口税的，自缴纳进口税之日起1年内可以退还进口税。

2. 直接退运货物的报关

（1）直接退运货物的含义和范围。直接退运货物是指进口货物进境后向海关申报，但由于特殊原因无法继续办理进口手续，经主管海关批准将货物全部退运境外的货物。

直接退运货物包括以下情况：

①海关按国家规定责令直接退运的货物。

②货物进境后正式向海关申报进口前，由于下列原因之一，可以由收发货人向海关申请办理直接退运手续，经海关审核真实无误且无走私违规嫌疑的，准予直接退运：

——合同执行期间国家对外贸易管制政策调整，收货人无法补办有关审批手续，并能提供证明的；

——收货人因故不能支付进口税费，或收货人未按时支付货款导致货物所有权已发生转移，并能提供发货人同意退运的书面证明的；

——属错发、误卸货物，并能提供发货人或承运人书面证明的；

——发生贸易纠纷，未能办理报关进口手续，并能提供法院判决书、贸易仲裁机构仲裁决定书或无争议的有效货权凭证的。

③已正式向海关申报进口但海关尚未放行的货物，收货人可向海关提出撤销原申报的申请，经海关批准准予直接退运。

需提交各类许可证件进口的货物，若属无证到货，除海关责令直接退运外，不得办理直接退运手续。

（2）直接退运货物的报关。直接退运应自载运的运输工具申报进境之日起或自运输工具卸货之日起3个月内，由货物所有人或其代理人向进境地海关提交"直接退运货物审批表"。直接退运一般要先申报出口，再申报进口。在出口报关单"备注"栏内注明进口报关单编号和海关审批件编号，在进口报关单"备注"栏内注明出口报关单编号和海关审批件编号。属承运人责任造成的错发、误卸，海关批准退运的，可免填报关单。

（二）退关货物的报关

1. 退关货物的含义

退关货物又称出口退关货物，是指出口货物在向海关申报出口后已被海关放行，但因故未能装上运输工具，发货人请求将货物退运出海关监管区域不再出口的货物。

2. 退关货物的报关

出口货物的发货人或其代理人应当在知道货物未能装上运输工具并决定不再出口之日

起 3 日内，向海关申请退关；在海关批准后才能将货物运出海关监管场所。已缴纳出口税的退关货物，可以在缴纳税款之日起 1 年内向海关申请退税。

七、放弃进口货物、超期未报关货物的处理

（一）放弃进口货物的处理

放弃进口货物是指进口货物的收货人或其所有人声明放弃，由海关提取依法处理的货物。

放弃进口货物一般包括没有办结海关手续的一般进口货物、保税货物、在监管期内的特定减免税货物、暂准进境货物、其他没有办结海关手续的进境货物。国家禁止或限制进口的废物、对环境造成污染的货物不得声明放弃。

由海关提取依法变卖处理的放弃进口货物的所得价款，优先拨付变卖处理实际支出的费用后，再扣除运输、装卸、储存等费用。所得价款不足以支付运输、装卸、储存等费用的，按比例支付。变卖所得价款扣除相关费用后尚有余款的，上缴国库。

（二）超期未报关货物的处理

超期未报关货物是指在规定的期限内未办结海关手续的海关监管货物。超期未报关货物由海关提取依法变卖处理。

超期未报关货物包括以下几种：

（1）自运输工具申报进境之日起，超过 3 个月未向海关申报的进口货物。

（2）超过规定期限 3 个月未向海关办理复运出境或其他海关手续的保税货物。

（3）超过规定期限 3 个月未向海关办理复运出境或其他海关手续的暂准进境货物。

（4）超过规定期限 3 个月未运输出境的过境、转运和通运货物。

（5）在海关批准的延长期届满仍未办结海关手续的溢卸、误卸进境货物。

由海关提取依法变卖处理的超期未报关货物的所得价款，优先拨付变卖处理实际支出的费用后，再按顺序扣除运输、装卸、储存等费用和进口关税、进口环节税、滞报金等。所得价款不足以支付同一顺序的相关费用的，按比例支付。变卖所得价款扣除相关税费后尚有余款的，自变卖之日起 1 年内，可申请发还给收货人；属应提交许可证件但不能提交的，不予发还；逾期无人申请发还的，上缴国库。

第四节　转关运输货物的报关

一、转关运输的含义

转关运输是指进出口货物在海关的监管下，从一个海关运到另一个海关办理海关手续

的行为，包括货物从进境地入境，向海关申请转关，运往另一设关地点报关进口；货物在起运地报关出口，运往出境地，由出境地海关监管出境；海关监管货物从境内一个设关地点运往另一个设关地点报关。

二、转关运输的条件

1. 办理转关运输应符合的条件

（1）转关的起运地和指运地必须设有海关。

（2）转关的起运地和指运地设有海关批准的监管场所。

（3）转关承运人应当在海关注册登记，承运工具符合海关监管要求，并承诺按海关对转关路线范围和途中运输时间所作的限定将货物运往指定的场所。

2. 不得办理转关运输的货物

（1）废物类（不包括经海关批准的废纸）。

（2）易制毒化学品、监控化学品、消耗臭氧层物质、氯化钠。

（3）汽车类，包括成套散件和二类底盘。

三、转关运输的方式

1. 提前报关转关

提前报关转关是指进口货物在指运地先申报，再到进境地办理进口转关手续；出口货物在货物未运抵起运地监管场所前先申报，运抵起运地监管场所后再办理出口转关手续。

2. 直转转关

直转转关是指进口货物在进境地海关办理转关手续，货物运抵指运地再在指运地海关办理报关手续；出口货物在货物运抵起运地监管场所报关后，在起运地海关办理出口转关手续。

3. 中转转关

中转转关是指货物的收发货人或其代理人向指运地或起运地海关办理进出口报关手续后，由境内承运人或其代理人向进境地或起运地海关办理进出口转关手续。

四、转关运输的报关

（一）提前报关转关申报

进口货物的收货人或其代理人在货物未运抵指运地前，先向指运地海关录入"进口货物报关单"电子数据。指运地海关在进口货物未运抵本海关监管区前，提前受理电子申报，同时由计算机自动生成"进口转关货物申报单"，传输到进境地海关。在电子申报之日起5日内，进口货物的收货人或其代理人向进境地海关提供"进口转关货物申报单"编号，并提交"进口转关货物核放单"（广东省内公路运输的提交"进境汽车载货清单"）"汽车载货登记簿"或"船舶监管簿"、提货单，办理转关手续。货物运抵指运地海关监管场所后，由指运地海关办理查验、征税、放行等手续。

出口货物的发货人或其代理人在货物未运抵起运地监管场所前，先向起运地海关录入"出口货物报关单"电子数据。起运地海关提前接受电子申报，生成"出口转关货物申报单"，传输到出境地海关。在电子申报之日起 5 日内，货物运抵起运地监管场所后，出口货物的发货人或其代理人向起运地海关申报出口时提交"出口货物报关单""汽车载货登记簿"或"船舶监管簿"，广东省内公路运输的提交"出境汽车载货清单"。起运地海关查验、征税、放行后，货物在海关监管下运到出境地，凭起运地海关签发的"出口货物报关单""汽车载货登记簿"或"船舶监管簿""出口转关货物申报单"（广东省内公路运输的提交"出境汽车载货清单"）向出境地海关办理出境手续。

（二）直转转关申报

进口货物的收货人或其代理人于运输工具进境申报之日起 14 日内，向进境地海关录入申请转关数据，持"进口转关货物申报单"（广东省内公路运输的提交"进境汽车载货清单"）"汽车载货登记簿"或"船舶监管簿"办理转关手续。进境地海关同意转关后，货物应当在海关规定的时间内运抵指运地。自货物运抵指运地之日起 14 日内，进口货物的收货人或其代理人应提交"进口货物报关单"等向指运地海关报关出口。

货物运抵起运地监管场所后，出口货物的发货人或其代理人向起运地海关录入"出口货物报关单"电子数据。起运地海关接受电子申报，生成"出口转关货物申报单"，传输到出境地海关。出口货物的发货人或其代理人提交"出口货物报关单""汽车载货登记簿"或"船舶监管簿"，广东省内公路运输的提交"出境汽车载货清单"，向起运地海关办理转关手续。出口转关货物到达出境地后，出口货物的发货人或其代理人凭起运地海关签发的"出口货物报关单""汽车载货登记簿"或"船舶监管簿""出口转关货物申报单"（广东省内公路运输的提交"出境汽车载货清单"）向出境地海关报关出口。

（三）中转转关申报

进口中转转关是提前在指运地报关后，再由承运人办理转关。一般情况下，具有全程提运单需换装境内运输工具的进口中转货物，在收货人或其代理人向指运地海关办理了电子申报 5 日内，由境内承运人持"进口转关货物申报单""进口货物中转通知书"、按目的港指运地分列的纸质舱单（空运方式提交联程运单）等单证向进境地海关办理进口转关手续。

具有全程提运单需换装境内运输工具的出口中转货物，在发货人或其代理人向起运地海关办理了电子申报 5 日内，由境内承运人向起运地海关提交"出口转关货物申报单"、按运输工具分列的电子或纸质舱单、"汽车载货登记簿"或"船舶监管簿"等单证向起运地海关办理出口转关手续。

第五章
报关与进出口商品归类

海关进出口商品归类是海关监管、征税及统计的基础，归类的正确与否直接影响到进出口货物的顺利通关，因此，报关员必须熟悉掌握进出口商品归类。

第一节　商品名称及编码协调制度

一、《协调制度》的含义

《商品名称及编码协调制度》（简称 HS）（以下简称《协调制度》）是指原海关合作理事会在《海关合作理事会商品分类目录》（CCCN）和联合国的《国际贸易标准分类目录》（SITC）的基础上，参照国际上主要国家的税则、统计、运输等分类目录而制定的一个多用途的国际贸易商品分类目录。

二、《协调制度》的产生和发展

商品分类是海关税则的基础。多年来，国际贸易的商品名称及分类曾一直存在着海关合作理事会（1995 年更名为世界海关组织）制定的《海关合作理事会商品分类目录》和联合国统计委员会制定的《国际贸易标准分类目录》两种分类标准。由于这两种分类标准在国际贸易活动中并行，因此，在国际贸易实际活动中带来许多困难和不便。

为此，联合国统计委员会和海关合作理事会早在 1951 年就开始编制双向编码索引以便互相检索。到了 20 世纪 60 年代，随着国际贸易的迅速发展，国际贸易中的商品种类越来越多，各国政府、海关及贸易机构要求对国际贸易商品进行详尽、科学、准确的分类和编码，并在更大的范围内使用，统一协调各个国家规定，用于海关、统计、运输、保险等各个有关方面。因此，在 1979 年，海关合作理事会从便利国际贸易的长远利益出发，成立了研究组，调查编制一套新的商品分类的"商品分类和编码协调制度"。1973 年，海关合作理事会会议同意成立"协调方案委员会"进行规划实施。近 60 个国家、20 多个国际组织和国家机构参加了该委员会及其工作组的工作。协调方案委员会于 1981 年初完成了方案的编制工作，1983 年 6 月在布鲁塞尔举行的海关合作理事会第 61、62 届会议上批准了"协调商品名称和编码国际公约"草案。经过多年的努力，终于在 1983 年 6 月通过了《商品名称及编码协调制度国际公约》及其附件《协调制度》，以 HS 编码"协调"涵盖了 CCCN 和 SITC 两部编码体系，这便是今天广泛采用的《商品名称及编码协调制度》的产生。

这一制度于 1988 年 1 月 1 日起在国际上正式实施，使得世界各国在国际贸易领域中采用的商品分类和编码体系得到了统一，以后相继修订出版了 1996 年版、2002 年版的《协调制度》。

《协调制度》是一个完整、系统、通用、准确的国际贸易商品分类体系，具有严密的逻辑性和科学性。目前，世界上大多数国家的税则都是根据《协调制度》的商品分类目录制定的，世界贸易组织（WTO）贸易总量的 90% 以上的货物是以协调制度目录分类的。我国海关也根据《协调制度》目录的分类原则和内容，于 1992 年 1 月 1 日起正式实施海关进出口税则和统计商品目录。

三、《协调制度》的基本结构

《协调制度》商品分类目录将国际贸易商品按照生产部类、自然属性和不同功能用途等分为 21 类、97 章（其中 77 章空）、5 000 多个 6 位数级商品编码。整个分类体系具有法律效力，文本由归类总规则、注释（类注释、章注释、子目注释）和商品名称及编码表三部分组成。

（1）归类总规则。对于涉及到整个《协调制度》各类、章商品分类的一些规则，《协调制度》把它们专门列出，称为归类总规则，它是指《协调制度》中商品分类的总原则，共 6 条。

（2）类注释、章注释和子目注释。它们分别设在各类（Section）、章（Chapter）、子目（Sub-heading）的前面，对有关商品的范围、界限加以精确的说明。使各个项目和子目之间的界限不出现交叉归类的情况，它在许多类、章下加有注释，有的注释是专对子目的，叫子目注释。

（3）商品名称及编码表。它们是各类之下各章中所包含的具体的各种商品编码和名称排列表。

《协调制度》中的商品编码主要由税目（品目）和子目构成，采用 6 位编码。商品编码中第 1～4 位称为税目（品目），第 5 位开始成为子目。凡采用 HS 的国家，商品编码的前 6 位数都是统一的，6 位数之后是各国增加的本国子目。

四、《协调制度》的编排规律

《协调制度》是一部系统的国际贸易商品分类表，所列商品名称的分类和编排是有一定规律的。

从类来看，基本上是按社会生产的分工（生产部类）分类的，将属于同一生产部类的产品归在同一类里。如农业产品在第 1 类、第 2 类；化学工业产品在第 6 类；纺织工业产品在第 11 类；冶金工业产品在第 15 类；机电制造业产品在第 16 类。

从章来看，基本上是按商品的自然属性或用途（功能）来划分的。第 1 ~ 83 章（第 64 章至第 66 章除外）基本上是按商品的自然属性来分章的，而每章的前后顺序是按照动、植、矿物质和先天然后人造的顺序排列的。如第 1 ~ 5 章是活动物和动物产品；第 6 ~ 14 章是活植物和植物产品；第 25 ~ 27 章是矿产品。又如第 11 类包括了动、植、矿物质的纺织原料及其产品，第 50 和 51 章是蚕丝、羊毛及其他动物毛；第 52 和 53 章是棉花、其他植物纺织纤维和纸纱线；商品之所以按自然属性分类，是因为其种类、成分或原料比较容易区分，同时也因为商品价值的高低往往取决于构成商品本身的原材料。第 64 ~ 66 章和第 84 ~ 97 章都是按货物的作用或功能来分章的，如第 64 章是鞋，第 65 章是帽，第 84 章是机械设备，第 85 章是电气设备，第 87 章是汽车等，第 89 章是船舶。这样分类的原因，一是因为这些物品由各种材料或多种材料构成，难以将这些物品作为哪一种材料制成的物品来分类。如鞋、帽，有可能是皮的、布的或塑料的，鞋面是帆布的等。二是因为商品的价值主要体现在生产该物品的社会必要劳动时间上。如一台机器，其价值一般主要看生产这台机器所耗费的社会必要劳动时间，而不是看生产这台机器用了多少贱金属等。

从品目的排列来看，一般也是按动、植、矿物质顺序排列的，而且更为明显的是原材料先于成品，加工程度低的产品先于加工程度高的产品，列名具体的品种先于列名一般的品种。如在第 44 章内，从原木、简单加工的木材、木的半制品到木制品依次排列，税目号 4403 是原木；4404—4408 是经简单加工的木材；4409—4413 是木的半制成品；4414—4421 是木制品。

第二节　《协调制度》归类总规则

《协调制度》归类总规则位于协调制度文本的卷首，是指导整个协调制度商品归类的总原则。归类总规则共有 6 条，是商品具有法律效力的归类依据，是《协调制度》中所规定的最为基本的商品归类规则。为了使各种繁多复杂的商品都能准确地归入恰当的税目，不发生交叉重复，在商品归类时必须遵守归类总规则。

一、规则一

（一）条文

种类、章及分章的标题仅供查阅方便。具有法律效力的归类，应按税目条文和有关类注或章注确定，并在税目、类注或章注无其他规定条件下，按以下规则确定。

（二）对规则的解释及运用说明

规则一有三层含义：

（1）它指出类、章及分章的标题仅是对类、章的内容作的大概描述，是为了便于有关商品查找而设立的。由于一类或一章商品很难准确加以概括，所以类、章及分章的标题不一定准确，不是进行归类的法律依据。标题对商品归类不具有法律效力，也就是说，这些标题对商品归类没有法定约束力。

例如，第15类的类标题为"贱金属及其制品"，但许多贱金属制品如"铜扣"并没有包括在内，而是归入96.06。不能据此将所有贱金属制品都归入第15类，因为相当一部分贱金属制品，如机器、汽车、飞机、船舶等，是不归入第15类而归入第16类、第17类或第18类的。

（2）它说明具有法律效力的归类依据是税目本身的条文和类或章的注释，在商品归类时，要严格按照税目和类注、章注的规定办理。

例如，税目号05.03的税目条文是"马毛及废马毛"，因此，进出口的马毛都应归入这一税目。但第5章注释四还规定，"本目录所称'马毛'是指马科、牛科动物的鬃毛和尾毛"，据此，牛毛也应归入税目05.03。

类或章的注释通常用以下四种方法来说明和限定税目范围：

①定义法：列出技术指标或以定义形式划分税目范围及对某些货品的含义作出解释，对税目中的特定商品通过技术指标加以限定。例如，在第72章注释一（五）中，对该章的不锈钢用"按重量计含碳量在1.2%及以下，含铬量在10.5%及以上的合金钢，不论是否含有其他元素"这一技术指标来限定该章所列的不锈钢。这一指标与我国大百科全书"机械工程"手册中规定的不锈钢含铬量不小于12%的指标显然不同，但我们在税则归类时应按以上注释的规定办理。

②列举法：即用列举出有代表性的商品来说明类、章或税号的商品范围。也就是说列举典型例子说明商品范围。例如，第39章注释二说明第39章不包括塑料制的属于第90章的物品（如光学元件、眼镜架及绘图仪器）。第12章的注释一规定，税号12.07主要包括油棕仁、棉籽、蓖麻子、芝麻、芥子、红花子、罂粟子、牛油果。但以上所列仅仅是一些常见的含油子仁，另外一些没在该注释列出的含油子仁，如木棉子、油桐子等，也同样归入税号12.07。

③排他法：或称排除法。许多类、章的注释都列举了本类、本章不包括的商品或不能归入某一税号的商品，这种情况在注释中出现得最多。即列出类、章或税号所不包括的商品。例如，第11类注释一在一开始就列出了该类不包括的19项商品。

排他条款在《协调制度》的注释中是极为常见的。

④阐述归类规定或称详尽列名法：即列出某些商品的归类规则，或者用详列具体商品名称来限定税目的商品范围。例如，第30章注释三，规定了税号30.06仅适用于无菌外科肠线等八项药品。第16类注释二、三、四，就分别对机器零件、组合机器或多功能机器、功能机组的归类原则作了明确的规定。

（3）它说明税目、类注和章注与其他归类原则的关系。即商品归类时要首先遵循税目、类注和章注的规定。只有在税目、类注和章注无专门规定，而商品的归类又不能确定的情况下，才可按照归类总规则的其他规则归类。规则一说明归类时应按顺序运用归类依据，即首先是项目条文，其次是注释，最后是归类总原则。也就是说只有在前级依据无法解决该商品归类时，才能使用下级依据，各级依据矛盾时，应以前级为准。例如，机器的套装零件，税目没有条文规定，经查类注、章注也无专门规定，它的归类不能确定，因此就需按其他归类原则进行归类。

章注或类注与税目条文不一致时，应以税目条文为准。例如，第62章非针织或非钩编的服装及衣着附件，不包括针织品及钩编织品，但针织的或钩编的妇女紧身胸衣、紧身束带、吊袜带、胸罩、吊裤带则归税号62.12，因该税目已明确列目，应遵循税目条文规定。

在运用类注释时，应注意有些类注释不仅对本类货品的归类具有法律效力，而且对全税则的货品均具有法律效力。

二、规则二

（一）条文

（1）税目所列货品，应包括该项货品的不完整品或未制成品，只要在进口或出口时该项不完整品或未制成品具有完整品或制成品的基本特征，还应该视为包括该货品的完整品或制成品（或按本款可作为完整品或制成品归类的货品）在进口或出口时的未组装件或拆散件。

（2）项目中所列材料或物质，应视为包括该种材料或物质与其他材料或物质混合或组合的物品。项目所列某种材料或物质构成的货品，应视为包括全部或部分由该种材料或物质构成的货品，由一种以上材料或物质构成的货品，应按规则三归类。

（二）对规则的解释及运用说明

规则二（1）：

（1）规则二（1）是扩大整体的范围，有条件的将不完整品、未制成品和坯件也包括在税目所列货品之内，这些条件是：

①不完整品、未制成品必须具有整机特征。

②拆散件必须是为了便于包装、装卸或运输。

③"报验时未组装件或拆散件"是指其零件仅经简单加工（简单紧固、铆接、焊接）便可装配起来的物品。

（2）规则二（1）不适用税则第1~6类货品。第1~6类的产品为活动物和动物产品、植物产品、动植物油脂及其分解制品、食用油脂、动植物蜡、矿产品和化学工业及相关工业品、食品、饮料、酒及醋、烟草。

例如，装有驾驶室的机动车底盘，应归税号87.02—87.04，而不归87.06号。

注意：在运用规则二（1）时，首先要明确什么是具有整机特征的不完整品和未制成品，什么是简单加工。如果货品具有整机特征，又仅仅经过简单加工即可成为整机的，就可以归入该税目规定的范围内，两个条件缺一不可。进口零件、部件是否构成整机特征，在运用这一规则时还要根据具体商品分析，下列几种商品，如其进口零件、部件中包括下列各个部分，即视同整机，按整机归类：

①电冰箱的箱体、压缩机、蒸发器、冷凝器。

②洗衣机的内胆、外壳、电动机。

③托车的动力部分、承载部分。

④照相机的机壳、快门、取景器、镜头。

⑤汽车发动机总成、驱动桥总成、车身总成、前后桥总成、变速箱总成、车架总成（进口其中四部分即视同整机）。

⑥空调器的压缩机、热交换器、电动机、风扇。

⑦汽车起重机的上车、下车。

对上述七种机电产品，如所列零部件未全部进口，但进口的零部件价格总和达到同型号整机到岸价格的 60% 及以上的，也视同构成整机特征，按整机归类。对其他机电产品进口零件、部件构成整机特征的确定原则，可参照上述原则办理。

还须注意：只有在品目条文或类、章注释未另行规定时，才援用此规则（即规则二（1）款的第二部分——未装配的或拆卸的商品只有在具有其完整品和制成品的基本特征时，才能归于其成品的品目）。

例如，品目 87.06，该品目包括发动机的汽车底盘。该品目所包括的范围扩大到没有发动机的底盘或发动机未装好的底盘。

品目 91.08，该品目条文明确规定应为完整的和已装好的钟表部件，因此，品目 91.08 不能包括未制成的或未装配的钟表部件。

规则二（2）：

（1）该款的作用是将保持原商品特征的某种材料或物质构成的混合物品或组合物品，等同于某单一材料或物质构成的货品，即有条件地将单一材料或物质构成货品的范围扩大到添加辅助材料混合或组合材料制品。

（2）该款涉及的是材料或物质的混合物或结合物以及由两种或两种以上材料或物质与其他物质构成的混合物或结合物。根据规则二（2）款的规定，某一材料或物质的品目也包括由该材料或物质与其他材料或物质构成的混合物或结合物。

（3）该条规则有两层意思。①税号所列某种材料或物质包括了这种材料的混合物或组合物，从这个意义上讲也是商品范围的扩大；②其适用条件是加进去的东西或组合起来的东西不能失去原来商品的特征。也就是说不存在看起来或归入两个以上的问题。

例如，在牛奶中加入白糖，这时牛奶已不是纯牛奶，而是一种混合物，但它并未实质性改变牛奶的基本特征和性质，不会产生是不是牛奶的疑问，等同于牛奶，所以应按牛奶归类。

另外，某一特定材料或物质制成的商品的品目也适用于不是全部由该材料或物质构成的商品。例如，软木塞归在 45.03 项下（天然软木制品），即使该软木塞子已涂了层石蜡，不论垫有或夹有其他材料均归该税号。

三、规则三

（一）条文

当货品按规则二（2）或由于其他原因看起来可归入两个或两个以上税目时，应按以下规则归类：

（1）列名比较具体的税目，优先于列名一般的税目。但是，如果两个或两个以上税目都仅述及混合或组合货品所含的某部分材料或物质，或零售的成套货品中的某些货品，即使其中某个税目对该货品描述得更为全面、详细，这些货品在有关税目的列名应视为同样具体。

（2）混合物、不同材料构成或不同部件组成的组合物以及零售的成套货品，如果不能按照规则三（1）归类时，在本款可适用的条件下，应按构成货品基本特征的材料或部件归类。

（3）货品不能按照规则三（1）或三（2）归类时，应按税号顺序归入其可归入的最末一个税目。

（二）对规则的解释及运用说明

（1）规则三首先提出了适用本规则的条件，即"当货品按规则二（2）或由于其他原因看起来可归入两个或两个以上税目"。对于明显只能归入某个品目号的，就不能引用本条规则，而应引用第一条或第二条的规则。

"看起来可以归入两个或两个以上税目"的情况指的是以下两种情况：①在进行该商品的归类时，在税则中可能有多个税目可供选择，看起来可能归入多个税号；②在归类时，遇有混合物、组合物以及零售成套商品，因由不同物质、不同材料、不同部件构成，可能表现为多个特征而看起来可能归入多个税号。

但是，作为一种商品，在税则中只能有一个唯一的税号，也就是说，要在该种商品可能归入的若干税号中确定一个，这就要使用归类总规则三。

（2）规则三有三条规定，应按规定的先后次序加以运用。即只有不能按照规则三（1）归类时，才能运用规则三（2），不能按照规则三（1）、三（2）归类时，才能运用规则三（3）。因此，它们的优先次序也即规则三的归类有三个标准：①具体列名，即描述最具体的；②基本特征，即赋予基本特征的；③从后归类，即品目排在最后面的。这三个标准必须按照其在本规则的先后次序加以应用。

（3）在规则二（1）和二（2）规定的情况下，假如有关品目条文或类、章注释未另行规定时，规则三才适用。

规则三在下列情况下不能援用：农用水泵，似乎可归在品目84.13（水泵）和品目84.36（其他农用机械）。但是，第84章注释二规定：符合品目84.25—84.80中的一个或多个品目的机械产品应归在前者相应品目内而不是后者。由于该注释的规定，农用水泵必须归在品目84.13。这样，规则三不适用。

因此，即使商品初看可归入几个品目，也不能总是借助规则三归类。然而，许多情况必须采用规则三。

（4）具体解释和运用说明。

规则三（1）：

规则三（1）列名具体的税目优先于列名一般的税目。一般可理解为：与类别名称相比，商品的品种名称更具体。当一种商品似乎在两个或更多的税目中都涉及的情况下，应该比较一下哪个税目的描述更为详细，更为接近要归类的商品。一般原则为：

①同一类商品的比较，商品具体名称与商品类别名称相比，商品的具体名称要具体些。

例如，紧身胸衣是一种女内衣，看起来既可归入 62.08 女内衣项目下，又可归入 62.12 妇女紧身胸衣项目下，比较两个名称，女内衣是类名称，属一般列名，妇女紧身胸衣是商品品种名称，是具体列名，故本商品应归 62.12。

②不同类商品名称的比较，如果一个税目所列名称更为明确地包括某一货品，则该税目要比所列名称不完全包括该货品的其他税目更为具体。

例如，汽车用的小地毯，看起来可归入 8708 "机动车辆的零件、附件"，也可归入 5705 "其他地毯"，相比之下 "其他地毯" 要比 "机动车辆的零件、附件" 更为明确，所以归入后者更为合适。

规则三（2）：

规则三（2）是指不能按上述规则归类的混合物、不同材料和不同零件构成的组合物和成套出售货品的归类原则，即按构成该项货品基本特征的材料或部件归类。

规则三（2）规定了归类的第二种方法，即有关：①混合物；②不同材料构成的结合物；③不同部件构成的组合物以及配成套，供零售的商品的归类方法。

不同货品确定其基本特征的因素有所不同，一般来说，确定货品的主要特征可根据商品的外形、使用方式、主要用途、购买目的、价值比例、贸易习惯、商业习惯、生活习惯等诸因素进行综合考虑分析来确定。确定商品基本特征的因素随商品而异，例如，材料或部件（元件）的特征，材料或部件的体积、数量、重量或价值，材料或部件对其成品用途所起的作用等，都会成为确定商品基本特征的因素。

例如，由电子表和贱金属链制成的组合物，可归入 7117.1900 仿首饰和 9102.9100 电子表两个税号，由于显示时间是其主要特征，因此归入 9102.9100。

注意：在应用规则三（2）时，往往出现不同人从不同角度出发对混合物、组合物、成套货品的主要特征得出不同结论的情形。如果发生这种情况，各国通常的做法是由各国海关最高当局予以统一，我国是由海关总署作最终解释。

规则三（3）：

只适用于不能按规则三（1）、三（2）归类的货品。它规定在此种情况下，货品应归入看起来可归入诸多有关项目中居于商品编码表最末位置的项目（它规定将货品似乎可以归去的所有品目加以比较，并按排列在最后的品目号归类），即从后归类原则。

这是个让步条款，目的为解决归类时因没有一个品目可认为描述得最具体或没有一种材料（部件）可认为给予制成品基本特征而出现的困难。

例如，按重量各占 50% 的涤棉梭织布，有关税号为 52.11 的棉布和 55.14 的聚酯机织物，按从后归类原则应归税号 55.14。

在运用这一规则时，要注意类注、章注的例外规定，例外的规定是优先于总规则的。

例如，第 84 章章注三规定：某种机器或器具，既可归入税号 84.02—84.24，又可归入 84.25—84.08，应从前归类，归入 84.02—84.24 中适当税号。

在应用规则三（3）时如出现争议，各国海关通常的做法是由本国海关最高当局予以统一。

四、规则四

（一）条文

根据上述规则无法归类的货品，应归入与其最相类似的货品的项目。

（二）对规则的解释及运用说明

当今科学技术发展日新月异，新产品层出不穷。任何商品目录都会因形势的发展出现与实际不尽适应的情况。因此，当一个新产品出现时，《协调制度》所列的商品不一定已经将其包括进去。为了增强《协调制度》的适应能力，有利于解决各类疑难问题，本条规定了新产品按最相类似的货品归类。我国采用《协调制度》时，每个税目都下设了"其他"子目，不少章单独列出"未列名货品的税目"来收容未考虑的商品。

因《协调制度》多设有"其他"子目，多数章单独列出"未列名货品"项目以收容特殊货品，并且规则四只适用于项目条文、注释均无规定，且无法使用归类总规则一、二、三解决商品归类的场合，所以此项规定很少使用。鉴于规则四未明确指出商品最相类似之处是指名称、特征，还是指功能、用途、结构，因此，使用此规定难度较大。

使用本规定时的归类程序如下：待归商品——详列最相类似货品编码——从中选出一个最合适的编码——如无法判断最合适的编码，依从后原则选择最末位的商品编码。

这条规则起初是为了对在海关合作理事会分类目录中无对应品目的新产品而设置的。实际上，这种归类法在海关合作理事会税则目录中很少使用，因为绝大多数章节都有一条子目（即"其他"），该子目将他处未列明的产品包括在里面。《协调制度》也存在类似情况。

一般来说，这条规则不常使用，只有在税目条文、类注和章注均无规定并且按总规则前三条亦无法解决时，方可应用。不能稍遇困难就轻率地运用此条规则。

五、规则五

（一）条文

除上述规则外，本规则适用于下列货品的归类：

（1）制成特殊形状仅适用于盛装某个或某套物品并适合长期使用的照相机套、乐器盒、枪套、绘图仪器盒、项链盒及类似容器，如果与所装物品同时进口或出口，并通常与所装物品一同出售的，应与所装物品一并归类。但本款不适用于本身构成整个货品基本特征的容器。

（2）除规则五（1）规定的以外，与所装货品同时进口或出口的包装材料或包装容器，如果通常是用来包装这类货品的，应与所装货品一并归类。但明显可重复使用的包装材料和包装容器可不受本款限制。

（二）对规则的解释及运用说明

（1）规则五（1）：

规则五（1）仅适用于同时符合以下五条规定的容器的归类：

①制成特定形状或形式，专门盛装某一物品或某套物品的容器，即专门按所要装的物品进行设计的（经定做或适于盛装某一特定物品或某一套特定物品的容器）。

②适合长期使用的容器，其使用期限与盛装物品的作用期限相称，在物品不使用时，容器可起保护物品的作用。

③必须与所装物品同时进出口，为运输方便可与所盛物品分开包装。与所装物品一同报验的容器，不论其是否为便于运输而分开包装。

④通常与所装物品一同出售的。

⑤本身并不构成整个货品基本特征的，容器本身只是物品的包装物，无论是从价值或是从作用来看，它都是附属于物品的。例如，装有茶叶的银质茶叶缸，银缸价值昂贵，已构成整个货品的基本特征，应按银制品归入税号 71.14。

下列与所装物品一起呈验的容器，可按本规则归类：

高级香皂塑料盒（品目 34.01）

珠宝盒（品目 31.13）

电动剃须刀套（品目 85.10）

显微镜盒、望远镜套（品目 90.05）

乐器套、盒、袋（品目 92.02）

枪套（品目 93.03）

装有小提琴的提琴箱应归入税号 92.02。

上述容器与所装物品分开呈验时，归类于它们自身的品目（如品目 39.24 或 42.02）。这条规则不适用于某些特定的容器，如价值高于所装物品，因而通常不与所装物品一起销售的容器；不适用于使整个商品或整套商品具有其基本特征的容器，即使这些容器通常是与所装物品一起销售的，如盛食糖的观赏瓷缸等。

（2）规则五（2）：

该条款实际上是对规则五（1）的补充。适用于明显不能重复使用的包装材料和容器。这类包装材料或容器都是货物的一次性包装，向海关报验时，它们必须是包装着货物的。当货物开拆后，包装材料和容器一般不能再作原用途使用。例如，包装大型机器设备的木板箱、装着玻璃器皿的纸板箱等。

但如果包装材料或包装容器明显可以重复使用，就不能按此规则归类。例如，装压缩或液化气的钢铁容器，不能按压缩或液化气归类。

六、规 则 六

（一）条文

货品在某一品目项下各子目的法定归类，应按子目条文或有关的子目注释以及以上各条规则来确定，但子目的比较只能在同一数级上进行。除本税则目录另有规定的以外，有关的类注、章注也适用于本规则。

（二）对规则的解释及运用说明

该规则中所称"同一数级"子目，是指五位数级子目或六位数级子目。只有属同一级别的子目才能比较。

本条是专门为商品在《协调制度》子目中的归类而制定的，即为解决某一项目下各级子目的法定归类而设。它有两层含义：

（1）它规定商品在子目上归类的法律依据首先是子目条文和子目注释，在子目条文和子目注释没有规定的情况下，则可按类注或章注的规定办理。即类注或章注与子目条文或子目注释不相一致时，应采用子目注释或子目条文。

例如，第71章注释四（2）所规定"铂"的范围大，子目注释二所规定"铂"的范围小，因此，在解释子目号711011及711019的商品范围时，应采用子目注释二而不应考虑该章注释四（2）。

也就是说，它规定五位数级子目的商品范围不得超出所属四位数级项目的商品范围，六位数级子目的商品范围必须在所属五位数级子目的商品范围之内。即在确定了商品的四位数级编码后，才可确定五位数级编码，再进一步确定六位数级编码。

要明确说明的是，任何商品只有在协调制度四位数级品目中适当归类之后，才能考虑其他子目归类问题。必须尽力避免对商品的四位数级归类正确与否尚未确定之前，即直接将其归入看上去似乎正确的子目。比如，要找到某房间中的盒子，必须首先找到这个房间一样，品目与子目的关系也是这样。

规则六规定，品目下面子目的归类，必须符合在细节已作必要修正的四位数级品目归类的原则，当然，子目条文和子目注释应优先考虑。规则六还规定，为了正确归类，只有属于同一级的子目才是可比的。即在一个品目中，一级子目号（以五位数表示，且第五个数字不是"0"）只能在相应的一级子目条文的基础上加以选定。同样，二级子目号，只有在参照与其相应的一级子目下的分目条文（又称二级子目）之后，才能选定。

例如，要将女用棉衬裙归于相应的子目，首先要确定其四位数级品目号，然后，第一步应确定其相应的一级子目号，第二步在该一级子目内确定相应的二级子目号，对于其他的一级子目则不必查看了。

为正确确定子目号，有时需援用规则二（2）和规则三。

例如，要将木头与金属的厨房家具归于相应的子目，初看时，有两个品目似乎值得考虑，即 940320 其他金属家具、940340 厨房用木制家具。这时，必须援用规则三。对这件由不同材料合制成的家具，可能认为子目 940340 比子目 940320 描述得更具体。然而，规则二 (1) 规定中的最后一句话，说明这两个子目都不能作较明确的描述，因为它们各自只提及了制作厨房家具所用原材料的一种，尽管 940340 描述得较详细。所以，在这两个子目中，究竟选定哪一个更合适，必须援用规则三 (2)，或者，如果不能确定何种原材料能使这件家具获得其主要特征，则援用规则三 (3) 处理。

它还规定规则一至五在必要的地方加以修改，可适用于确定商品在同一级项目下各级子目的归类。在确定了商品四位数级编码后具体操作时，各归类依据的优先级别依次为五位数级子目条文、子目注释、章注、类注、作适当修改后归类总规则一至五。以相同程序确定商品的六位数级子目。依此操作优先级别，当类注、章注与子目条文或子目注释相矛盾时，应服从于子目条文或子目注释。

(2) 在比较哪一个子目更为具体时，只能在同一个品目项下的一级子目之间或同一个一级子目项下的二级子目之间进行比较，而不能用不同品目上的一级子目或不同一级子目项下的二级子目来进行比较。简单地说，在将某一商品归类时，应首先考虑归入哪个品目，然后是该品目项下的哪一个一级子目，最后才是该一级子目项下的二级子目，以此类推。

第三节　我国海关进出口商品分类目录

一、产生和发展

我国海关自 1992 年起采用《协调制度》，以 1992 年版的《协调制度》为基础，结合我国实际进出口货物情况，编制了《中华人民共和国海关进出口税则》和《中华人民共和国海关统计商品目录》。

根据《协调制度国际公约》对缔约国权利、义务的规定，我国海关进出口税则和统计目录于 2002 年 1 月 1 日起根据 2002 年版《协调制度》编制了 2002 年版《中华人民共和国海关进出口税则》和《中华人民共和国海关统计商品目录》。

2005 年版进出口税则税目为 7 550 个。上述目录第 1~97 章（其中第 77 章是空章）的前 6 位数码及其商品名称与《协调制度》完全一致。为适应关税、统计和贸易管理的需要，我国海关进出口税则号列增设了第七、八位数码，分别代表第三、四级子目注释，新子目的增设体现了我国的关税政策和产业政策，有利于统计进出口量较大的产品及新技术产品。无三、四级的税则号列，第七、八位数码为 0。其中一级、二级、三级、四级子目又可简称为一杠、二杠、三杠、四杠子目。

海关进出口商品分类目录是进出口商品归类的基本依据。

二、编排规律和表示方法

我国《海关进出口税则》中的商品号列称为税目，为征税需要，每项税号后列出了该商品的税率。《海关统计商品目录》中的商品号列称为商品编号，为统计需要，每项商品编号后列出了该商品的计量单位，并增加了第 23 类"特殊交易品及未分类商品"（内分第 98、第 99 章）。

目录的商品分类和编排规律与《协调制度》相同。即从类来看，基本上是按社会生产的分工（生产部类）分类的，将属于同一生产部类的产品归在同一类里。从章来看，基本上是按商品的自然属性或用途（功能）来划分的。从品目的排列来看，一般也是按动、植、矿物质或原材料、半制成品、制成品的顺序排列的。

目录采用结构性号列，即税目的号列不是简单的顺序号，而是有一定含义的编码。进出口商品编码的表示方法如下例所示：

税则号列：	01	05	9	9	9	1
	12	34	5	6	7	8
	章	税目	五位数级子目	六位数级子目	七位数级子目	八位数级子目

从本例可以看出，一个商品编码的前两位数字为章目，三、四位数字为税目，后四位数字为子目，其中第 7、8 位数字为我国税则在协调制度编码的基础上增加的两级子目。

三、各类简要内容及类、章结构

（1）第一类：活动物；动物产品（第 1~5 章）。

（2）第二类：植物产品（第 6~14 章）。

（3）第三类：动、植物油脂及其分解产品；精制的食用油脂；动、植物蜡（第 15 章）。

（4）第四类：食品；饮料、酒及醋；烟草及烟草代用品的制品（第 16~24 章）。

（5）第五类：矿产品（第 25~27 章）。

（6）第六类：化学工业及其相关工业的产品（第 28~38 章）。

（7）第七类：塑料及其制品；橡胶及其制品（第 39~40 章）。

（8）第八类：生皮、皮革、毛皮及其制品；鞍具及挽具；旅行用品、手提包及类似容器；动物肠线（蚕胶丝除外）制品（第 41~43 章）。

（9）第九类：木及木制品；木炭；软木制品；稻草、秸秆、针茅或其他编织材料制品；篮筐及柳条编结品（第 44~46 章）。

（10）第十类：木浆及其他纤维状纤维素浆；回收（废碎）纸或纸板；纸、纸板及其制品（第 47~49 章）。

（11）第十一类：纺织原料及纺织制品（第 50~63 章）。

（12）第十二类：鞋、帽、伞、杖、鞭及其零件；已加工的羽毛及其制品；人造花；人发制品（第 64~67 章）。

（13）第十三类：石料、石膏、水泥、石棉、云母及类似材料的制品；陶瓷产品；玻璃及其制品（第 68~70 章）。

（14）第十四类：天然或养殖珍珠、宝石或半宝石、贵金属、包贵金属及其制品；仿首饰；硬币（第 71 章）。

（15）第十五类：贱金属及其制品（第 72~83 章）。

（16）第十六类：机器、机械器具、电气设备及其零件；录音机及放音机、电视图像、声音的录制和重放设备及其零件、附件（第 84~85 章）。

（17）第十七类：车辆、航空器、船舶及有关运输设备（第 86~89 章）。

（18）第十八类：光学、照相、电影、计量、检验、医疗及外科用仪器及设备、精密仪器及设备；钟表；乐器；上述物品的零件、附件（第 90~92 章）。

（19）第十九类：武器、弹药及其零件、附件（第 93 章）。

（20）第二十类：杂项制品（第 94~96 章）

（21）第二十一类：艺术品、收藏品及古物（第 97 章）。

第四节　进出口商品归类的报关要求

商品归类是海关执行国家关税政策、贸易管制措施和编制海关进出口统计的基础。因此，正确进行商品归类在进出口货物的通关中具有十分重要的意义。

一、进出口商品归类的依据

《海关法》规定："进出口货物的商品归类按照国家有关商品归类的规定确定。"《关税条例》规定："纳税义务人应当按照《税则》规定的目录条文和归类总规则、类注、章注、子目注释以及其他归类注释，对其申报的进出口货物进行商品归类，并归入相应的税则号列。"具体来说，对进出口货物进行商品归类的依据主要应包括以下两个方面：

1. 主要依据

（1）《中华人民共和国海关法》、《中华人民共和国进出口关税条例》、《中华人民共和国海关进出口货物征税管理办法》。

（2）《中华人民共和国进出口税则》（《中华人民共和国海关统计商品目录》），包括协调制度归类总规则、类注、章注、子目注释、目录条文。

（3）海关部署公布下发的关于商品归类的有关规定，包括部署的文件、归类决定、归类行政裁定、归类技术委员会决议以及部署转发的世界海关组织归类决定等。

（4）《海关进出口税则——统计目录商品及品目注释》。

（5）《中华人民共和国海关进出口税则——统计目录本国子目注释》。

（6）国家其他有关商品归类的公开规定。

2. 其他依据

在进出口商品归类过程中，海关可以要求进出口货物的收发货人提供商品归类所需的有关资料并将其作为商品归类的依据；必要时，海关可以组织化验、检验，并将海关认定的化验、检验结果作为商品归类的依据。

二、进出口货物的归类申报要求

《关税条例》规定："纳税义务人应当依法如实向海关申报，并按照海关的规定提供进行商品归类所需的资料。"具体来说，报关人员在归类申报时应当注意以下几点：

1. 如实申报

《中华人民共和国海关进出口货物征税管理办法》规定："纳税义务人应当按照法律、行政法规和海关规章关于商品归类的有关规定，如实申报进出口货物的商品名称、税则号列（商品编号）、规格型号等。"如实申报是归类申报的最基本要求，纳税义务人及报关人员如被发现有归类申报不实的情况，则应依法承担因此而引发的补税、行政处罚等各类相应的法律责任。

2. 提供归类所需的资料

《中华人民共和国海关进出口货物征税管理办法》规定："纳税义务人应当依法向海关办理申报手续，按照规定提交有关单证。海关认为必要时，纳税义务人还应当提供确定商品归类所需的相关资料。"商品归类是一项技术性很强的工作，因此，申报的货物品名、规格、型号等必须能够满足归类的要求，报关人员应向海关详细提供归类所需的货物的形态、性质、成分、加工程度、结构原理、功能、用途等技术指标和技术参数等，尤其要提供以下资料：

（1）农产品、未列名化工品等的成分和用途。

（2）材料性商品的成分和加工方法、加工工艺。

（3）机电仪产品的结构、原理和功能。

3. 补充申报

《中华人民共和国海关进出口货物征税管理办法》规定："为审核确定进出口货物的商品归类，海关可以要求纳税义务人按照有关规定进行补充申报。纳税义务人认为必要时，也可以主动要求进行补充申报。"由于报关单本身可填写的申报内容有限，对一些较为复杂、需要较多资料说明才能够满足归类需要的商品，则需要通过补充申报的方式来确保归类申报的完整性和准确性。

4. 进出口货物的报验状态

海关对进出口货物的归类是按照货物报验时的状态予以确定的，因此，进出口货物报验状态的确定十分重要。根据海关总署2002年第37号公告的规定，进出口货物的报验状态应根据以下几点确定：

（1）进出口货物的收发货人或其代理人向海关申报进出口时的实际状态称为报验状

态，对于进出口货物的同一收货人使用同一运输工具同时运抵的货品，应同时申报，并视为同一天报验状态的货物，据此确定其归类。

（2）申请减免税的进口货物，或将申请人向海关申请减免税时所提交的进口货物清单所列货品视为同一报验状态，并按据此确定的归类审核其减免税性质，但这些货品在实际进口时仍按上述第一条的规定确定归类。

（3）加工贸易保税料件及成品经批准内销的，仍按原进口料件归类，但生产加工所产生的边角料应按内销时的状态确定归类；出口加工区、保税区内开展的加工贸易，其制成品或料件运往区外的，仍按现行规定执行。

此外，对于货物的进出口报验状态，还应注意根据《中华人民共和国海关进出口税则》的有关规定，对于多功能机电产品的不完整品，如在报验时具有完整品的基本特征，海关应按照其设计功能来确定商品的税则归类，即对能够确定其主要设计功能的，则应根据归类总规则三（2）按其主要设计功能归类；对无法确定主要设计功能的，则应根据归类总规则三（3）按税则号列顺序归入其可归入的最末一个税号。

三、约束性商品预归类

（一）约束性预归类的含义

在办理进出口货物通关业务中，通常都要依照《中华人民共和国进出口税则》的规定填制商品的编码，简称税号，这一过程称作商品归类。

当前，中国海关实行的是一种约束性预归类制度。之所以称之为约束性预归类，是因为确定预归类税号是对海关和当事人具有双向约束力的归类行为，受法律保护。它的好处在于可以有效地提高海关归类的准确性和时效性，加速货物通关，增强政策法规的透明度，方便合法进出。

我国海关规定，约束性预归类是指一般进出口货物在实际进出口前，申请人以海关规定的书面形式向海关提出申请并提供商品归类所需要的资料，必要时提供样品，海关依法作出具有法律效力的商品归类决定的行为。

（二）办理约束性商品预归类的条件

办理约束性商品预归类应符合以下两个条件：

（1）申请人资格是在海关注册的进出口货物的经营单位或其代理人。

（2）申请商品为一般贸易范围进出口货物。

（三）办理约束性商品预归类手续的步骤

1. 商品预归类申请

符合条件的申请人先向海关领取并填写海关进出口商品预归类申请书（以下简称申请书），以书面形式提交进出口地直属海关（一般为关税归类部门）受理。

申请书应载明下列内容：

（1）申请人名称、地址、在海关注册的企业代码、联系人姓名及电话等。

（2）申请预归类商品的中英文名称（其他名称）。

（3）申请预归类商品的详细描述，包括商品的规格、型号、结构原理、性能指标、功能、用途、成分、加工方法、分析方法等。

（4）预计进出口日期及进出口口岸。

申请书一式两份，申请人和作决定的海关各执一份。申请书必须加盖申请单位印章，所提供资料与申请书必须加盖骑缝章。

2. 海关受理，作出预归类决定

受理海关作出预归类决定后，以海关进出口商品预归类决定书（以下简称决定书）的形式通知申请人。

决定书的内容包括：

（1）申请人名称、地址、在海关注册的企业代码等。

（2）申请日期。

（3）商品中英文名称。

（4）商品详细描述。

（5）海关商品归类编码。

（6）签发日期及海关签章。

决定书一式两份，一份交申请人持有（可凭此办理报关归类），另一份由作出预归类决定的海关留存。

四、办理约束性商品预归类手续的注意事项

（1）申请人应对其所提供资料的真实性负责，不得向海关隐瞒或提供影响预归类准确性的倾向性资料，可申请对其进出口货物所涉及的商业秘密进行保密。如对海关作出的预归类决定持有异议，还可直接向作出决定的海关提出复核。

（2）一份预归类申请书只允许填写一项商品，如需对多项商品申请预归类，应逐项提出。但申请人不得就同一种商品向两个或两个以上海关提出申请。

（3）根据规定，直属海关作出的预归类决定在本关区范围内有效，海关总署作出的预归类决定在全国范围内有效，有效期限均为1年，到期可再次申请。

（4）海关在作出预归类决定后，不得随意更改，若因海关原因，需要改变已经作出的预归类决定的，需向申请人发出变更通知书，原决定书自变更通知书送达之日起失效。

如因国家政策调整、法律法规变化而引起预归类决定改变的，申请人可持原决定书到原申请地海关换发新的决定书。

表 5 - 1　海关进出口商品预归类申请书

申请人：
企业代码：
通讯地址：
联系电话：
商品名称（中、英文）：
其他名称：
商品详细描述（规格、型号、结构原理、性能指标、功能、用途、成分、加工方法、分析方法等）：
进出口计划（进出口日期、口岸、数量等）：
随附资料清单：
此前如就相同商品向海关申请预归类，请写明海关预归类决定书编码：

	海关（章）：
	预归类申字_____号
	接受日期：　　年　月　日
申请人（章）： 　　年　月　日	签收人：

注：1. 填写此申请书前应阅读《预归类暂行办法》。

　　2. 本申请书一式两份，申请人和海关各执一份。

　　3. 本表加盖申请人和海关印章方为有效。

第六章
进出口税费计算与缴纳

第一节　进出口货物完税价格的审定

一、完税价格的含义

海关对实行从价税的进出口货物征收关税时，必须依法确定货物应缴纳税款的价格，即经海关依法审定的完税价格。

完税价格是指海关按照《海关法》和《进出口关税条例》的有关规定，对进出口货物征收从价税时审查估定的应税价格，也是经海关审定作为课税标准凭以计征关税的货物价格。

二、审定完税价格的法律依据

审定进出口货物的完税价格是贯彻关税政策的重要环节，也是海关依法行政的重要体现。海关应当遵循客观、公平、统一的估价原则，依据《中华人民共和国海关法》《中华人民共和国进出口关税条例》和《中华人民共和国海关审定进出口货物完税价格办法》（以下简称《审价办法》）审定进出口货物的完税价格。

进出口货物的收发货人应当向海关如实申报进出口货物的成交价格，提供包括发票、合同、装箱清单及其他证明申报价格真实完整的单证、书面材料和电子数据。海关认为必要时，收发货人还应向海关补充申报反映买卖双方关系和成交活动的情况以及其他与成交价格有关的资料，对此，收发货人不得拒绝、拖延和隐瞒。

三、进口货物完税价格的审定和相关计算

（一）进口货物完税价格的审定原则

进口货物的完税价格，由海关以该货物的成交价格为基础审查确定。成交价格不能确定时由海关依法估定。进口货物的完税价格还应包括货物的货价、货物运抵我国境内输入

地点起卸前的运输及其相关费用、保险费。"相关费用"主要是指与运输有关的费用，如装卸费、搬运费等属于广义的运费范畴内的费用。因此，进口货物以海关审定的成交价格为基础的到岸价格（CIF 中国口岸）为完税价格。

（二）确定进口货物完税价格的估价方法

海关确定进口货物完税价格有六种估价方法：成交价格方法、相同货物成交价格方法、类似货物成交价格方法、倒扣价格方法、计算价格方法和合理方法。这六种估价方法必须依次使用，即只有在不能使用前一种估价方法的情况下，才可以顺延使用其他估价方法。如果进口货物收货人提出要求并提供相关资料，经海关同意，可以颠倒倒扣价格方法和计算价格方法的适用次序。

1. 成交价格方法

成交价格方法是第一种估价方法，它是建立在进口货物实际发票或合同价格的基础上的，在海关估价实践中使用率最高。

（1）成交价格的含义。成交价格是指进口货物的买方为购买该货物，并按《关税条例》及《审价办法》的相关规定调整后的实付或应付价格。这里的"成交价格"有特定的含义，它已经不完全等同于贸易中实际发生的发票或合同价格。"成交价格"必须是调整后的实付或应付价格并满足这一条件。贸易上的发票或合同价格的定价取决于买卖双方的约定，有可能是实付或应付价格，也有可能已经包括某些应调整的因素，还有可能已包括运保费。

（2）成交价格的条件。成交价格必须满足以下四个条件，否则不能适用成交价格方法：

①买方对进口货物的处置和使用不受限制，但国内法律及行政法规规定的限制、对货物转售地域的限制、对货物价格无实质影响的限制除外。

②货物的价格不应受到导致该货物成交价格无法确定的条件或因素的影响。

③卖方不得直接或间接从买方获得因转售、处置或使用进口货物而产生的任何收益，除非按照《关税条例》及《审价办法》的相关规定作出调整。

④买卖双方之间没有特殊关系，如果有特殊关系，应当符合《审价办法》的相关规定。

有以下情形之一的，应当认定买卖双方有特殊关系：买卖双方为同一家族成员；买卖双方互为商业上的高级职员或董事；一方直接或间接地受另一方控制；买卖双方都直接或间接地受第三方控制；买卖双方共同直接或间接地控制第三方；一方直接或间接地拥有、控制或持有对方5%或以上公开发行的有表决权的股票或股份；一方是另一方的雇员、高级职员或董事；买卖双方是合伙的成员。

2. 相同或类似货物成交价格方法

成交价格方法是海关估价中使用频率最高的一种估价方法，但由于种种原因，并不是所有的进口货物都能采用这一方法。如不存在买卖关系的进口货物以及不符合成交价格条件的进口货物，就不能采用成交价格方法，而应按照顺序考虑采用相同或类似进口货物的成交价格方法。

（1）相同货物和类似货物。相同货物是指与进口货物在同一国家或地区生产的，在物理性质、质量和信誉等所有方面都相同的货物，但表面的微小差异允许存在。

类似货物是指与进口货物在同一国家或地区生产的，虽然不是在所有方面都相同，但却具有类似的特征、类似的组成材料、同样的功能，并且在商业中可以互换的货物。

（2）相同或类似货物的五要素。相同或类似进口货物的成交价格方法，除了货物本身有区别以外，在其他方面的适用条件均与成交价格方法一样。

据以比照的相同或类似货物应共同具备五个要素：①需与进口货物相同或类似；②需与进口货物在同一国家或地区生产；③需与进口货物同时或大约同时进口；④商业水平和进口数量需与进口货物相同或大致相同；⑤当存在两个或更多的价格时，选择最低的价格。

3. 倒扣价格方法

倒扣价格方法是以被估价的进口货物、相同或类似的进口货物在境内销售的批发价格为基础，扣除相应的费用而估定的价格作为完税价格。

（1）以倒扣的价格销售的货物应同时符合以下条件：

①在被估货物进口时或大约同时销售。

②按照进口时的状态销售。

③在境内第一环节销售。

④合计的货物销售总量最大。

⑤向境内无特殊关系方销售。

（2）倒扣价格方法应扣除的费用：

①该货物的同等级或同种类货物在境内销售时的利润和一般费用及通常支付的佣金。

②货物运抵境内输入地点之后的运费、保险费、装卸费及相关的其他费用。

③进口关税、进口环节税和其他与进口或销售该货物有关的国内税。

④加工增值额，主要是指以使用经过加工后在境内转售的价格作为倒扣的基础，必须扣除的这部分价值。

4. 计算价格方法

计算价格方法与前四种方法有很大的区别，它既不是以成交价格，也不是以在境内的转售价格作为基础，它是以发生在生产国或地区的生产成本作为基础的价格。因此，使用这种方法必须依据境外的生产商提供的成本方面的资料。此方法也是使用率最低的一种方法。

采用计算价格方法的进口货物的完税价格由下列各项的总和构成：

（1）生产该货物所使用的原材料价值和进行装配或其他加工的费用。

（2）与向我国境内出口销售同级或同类货物相符的利润和一般费用。

（3）货物运抵中华人民共和国境内输入地点起卸前的运输及其相关费用、保险费。

5. 合理方法

合理的估价方法，实际上不是一种具体的估价方法，而是规定了使用方法的范围和原则，即运用合理方法，必须符合《关税条例》《审价办法》的公平、统一、客观的估价原则，必须以境内可以获得的数据资料为基础。

在使用合理方法估价时，禁止使用以下六种价格：

（1）境内生产的货物在境内销售的价格，也就是国内生产的商品在国内的价格。

（2）在备选价格中选择高的价格。

（3）依据货物在出口地市场的销售价格，也就是出口地境内的市场价格。

（4）依据《关税条例》《审价办法》规定之外的生产成本价格。

（5）依据出口到第三国或地区的货物的销售价格。

（6）依据最低限价或武断、虚构的价格。

（三）进口货物完税价格中的运输及其相关费用、保险费的计算

（1）进口货物的运输及其相关费用、保险费应当按照下列方法计算：

①海运进口货物，计算至该货物运抵境内的卸货口岸。如果该货物的卸货口岸是内河（江）口岸，则应当计算至内河（江）口岸。

②陆运进口货物，计算至该货物运抵境内的第一口岸。如果运输及其相关费用、保险费支付至目的地口岸，则计算至目的地口岸。

③空运进口货物，计算至该货物运抵境内的第一口岸。如果该货物的目的地为境内的第一口岸外的其他口岸，则计算至目的地口岸。

（2）陆运、空运和海运进口货物的运费，应当按照实际支付的费用计算。如果进口货物的运费无法确定或未实际发生，海关应当按照该货物进口同期运输行业公布的运费率（额）计算。

（3）陆运、空运和海运进口货物的保险费，应当按照实际支付的费用计算。如果进口货物的保险费无法确定或未实际发生，海关应当按照"货价加运费"两者总额的3‰计算保险费。

（4）邮运的进口货物，应当以邮费作为运输及其相关费用、保险费。

（5）以境外边境口岸价格条件成交的铁路或公路运输进口货物，海关应当按照货价的1%计算运输及其相关费用、保险费。

（6）作为进口货物的自驾进口的运输工具，海关在审定完税价格时，可以不另行计入运费。

（四）进口货物完税价格的计算公式

如上所述，从价进口货物的完税价格是以海关审定的成交价为基础的到岸价格（CIF中国口岸）计算的。如果以其他贸易术语成交的进口货物确定其完税价格时，应按规定调整为CIF价格。

进口货物完税价格的计算公式为：

进口货物完税价格 = CIF

$$进口完税价格 = \frac{FOB价格 + 运费}{1 - 保险费率}$$

$$进口完税价格 = \frac{CFR}{1 - 保险费率}$$

四、出口货物完税价格的审定和相关计算

（一）出口货物完税价格的审定原则

我国《关税条例》规定对出口货物完税价格的审定原则是：出口货物的完税价格由海关以该货物的成交价格以及该货物运至中华人民共和国境内输出地点装载前的运输及其相关费用、保险费为基础审查确定，但其中包含的出口关税税额应当扣除。

（二）出口货物的成交价格

出口货物的成交价格，是指该货物出口时卖方为出口该货物应当向买方直接收取和间接收取的价款总额。出口货物的成交价格中含有支付给境外的佣金的，如果单独列明，应当扣除。

（三）出口货物完税价格的估定方法

出口货物的成交价格不能确定时，完税价格由海关依次使用下列方法估定：
（1）与该货物同时或大约同时向同一国家或地区出口的相同货物的成交价格。
（2）与该货物同时或大约同时向同一国家或地区出口的类似货物的成交价格。
（3）按照境内生产相同或类似货物的料件成本、加工费用、通常的利润和一般费用、境内发生的运输及其相关费用、保险费各项总和计算所得的价格。
（4）以合理方法估定的价格。

（四）出口货物完税价格的相关计算

1. 费用扣除

出口货物的销售价格如果包括离境口岸至境外口岸之间的运费、保险费的，该运费、保险费应当扣除。

2. 出口货物完税价格的计算公式

如上所述，出口货物的完税价格是基于海关审定的成交价格为基础的离岸价格（FOB中国口岸）计算的。以其他贸易术语成交的出口货物，确定其完税价格时应按规定调整为 FOB 价格。

出口货物完税价格的计算公式为：

$$出口完税价格 = FOB - 出口关税 = \frac{FOB}{1 + 出口关税税率}$$

第二节　进出口税率的适用与原产地规则

一、进出口税率的适用

（一）进出口税率的适用原则

2005 年的海关进口税则分设最惠国税率、协定税率、特惠税率、普通税率、关税配额税率等税率。对进口货物在一定期限内可以实行暂定税率。2005 年进口税则的税目总数共计 7 550 个。

2005 年海关出口税则的税率栏仅设一个栏目，对 37 个税目的商品征收出口关税。对出口货物在一定期限内可以实行暂定税率。适用出口税率的出口货物有暂定税率的，应当适用暂定税率。

（1）最惠国税率的适用。原产于共同适用最惠国待遇条款的世界贸易组织成员的进口货物，原产于与中华人民共和国签订含有相互给予最惠国待遇条款的双边贸易协定的国家或者地区的进口货物，以及原产于中华人民共和国境内的进口货物，适用最惠国税率。适用最惠国税率的进口货物有暂定税率的，应当适用暂定税率。

（2）协定税率的适用。原产于与中华人民共和国签订含有关税优惠条款的区域性贸易协定的国家或者地区的进口货物，适用协定税率。适用协定税率的进口货物有暂定税率的，应当从低适用税率。

（3）特惠税率的适用。原产于与中华人民共和国签订含有特殊关税优惠条款的贸易协定的国家或者地区的进口货物，适用特惠税率。适用特惠税率的进口货物有暂定税率的，应当从低适用税率。

（4）普通税率的适用。除上述之外的国家或者地区的进口货物，以及原产地不明的进口货物，适用普通税率。适用普通税率的进口货物，不适用暂定税率。

（5）关税配额税率的适用。按照国家规定实行关税配额管理的进口货物，关税配额内的，适用关税配额税率；关税配额外的，其税率的适用按照上述（1）、（2）、（3）、（4）的相关规定执行。

（6）按照有关法律、行政法规的规定对进口货物采取反倾销、反补贴、保障措施的，其税率的适用按照《中华人民共和国反倾销条例》《中华人民共和国反补贴条例》和《中华人民共和国保障措施条例》的有关规定执行。

（7）任何国家和地区违反与中华人民共和国签订或者共同参加的贸易协定及相关协定的，对中华人民共和国在贸易方面采取禁止、限制、加征关税或者其他影响正常贸易的措施的，对原产于该国家和地区的进口货物可以征收报复性关税的，适用报复性关税税率。征收报复性关税的货物、适用国别、税率、期限和征收办法，由国务院关税税则委员会决定并公布。

（8）执行国家有关进出口关税减征政策时，首先应当在最惠国税率基础上计算有关税目的减征税率，然后根据进口货物的原产地及各种税率形式的适用范围，将这一税率与同一税目的特惠税率、协定税率、进口暂定最惠国税率进行比较，税率从低执行，但不得在暂定最惠国税率基础上再进行减免。

（二）进出口税率的适用时间

《关税条例》规定，进出口货物应当适用海关接受该货物申报进口或者出口之日实施的税率。

在实际运用时应区分以下不同情况：

（1）进口货物到达前，经海关核准先行申报的，应当适用装载该货物的运输工具申报进境之日实施的税率。

（2）进口转关运输的货物，应当适用指运地海关接受该货物申报进口之日实施的税率，货物运抵指运地前，经海关核准先行申报的，应当适用装载该货物的运输工具抵达指运地之日实施的税率。

（3）出口转关运输的货物，应当适用起运地海关接受该货物申报出口之日实施的税率。

（4）经海关批准，实行集中申报的进出口货物，应当适用每次货物进出口时海关接受该货物申报之日实施的税率。

（5）因超过规定期限未申报而由海关依法变卖的进口货物，其税款计征应当适用装载该货物的运输工具申报进境之日实施的税率。

（6）因纳税义务人违反规定需要追征税款的进出口货物，应当适用违反规定的行为发生之日实施的税率；行为发生之日不能确定的，适用海关发现该行为之日实施的税率。

（7）已申报进境并放行的保税货物、减免税货物、租赁货物或者已申报进出境并放行的暂时进出境货物，有下列情形之一需缴纳税款的，应当适用海关接受纳税义务人再次填写报关单申报办理纳税及有关手续之日实施的税率：

①保税货物经批准不复运出境的。

②保税仓储货物转入国内市场销售的。

③减免税货物经批准转让或者移作他用的。

④可暂不缴纳税款的暂时进出境货物，经批准不复运出境或者进境的。

⑤租赁进口货物，分期缴纳税款的。

进出口货物关税的补征和退还，按照上述规定确定适用的税率。

二、原产地规则

（一）原产地规则的含义与分类

1. 原产地规则的含义

进出口商品的原产地是指作为商品而进入国际贸易流通的货物来源，即商品的产生地、生产地、制造或产生实质性改变的加工地。各国为了适应国际贸易的需要，并为执行本国关税及非关税方面的国别歧视性贸易措施，必须对进出口商品的原产地进行认定。但是，货物原产地的认定需要以一定的标准为依据。为此，各国以本国立法形式制定出其鉴别货物"国籍"的标准，这就是原产地规则。

世界大多数国家根据进口产品的不同来源，分别给予不同的待遇。进口货物的原产地是决定其是否享受一定的关税优惠待遇的重要依据之一。

2. 原产地规则的分类

从适用目的的角度划分，原产地规则分为优惠原产地规则和非优惠原产地规则。

（1）优惠原产地规则。

优惠原产地规则是指一国为了实施国别优惠政策而制定的原产地规则，优惠范围以原产地为受惠国进口产品为限。它是出于某些优惠措施规定的需要，根据受惠国的情况和限定的优惠范围，制定的一些特殊原产地认定标准，而这些标准是给惠国和受惠国之间通过多边或双边协定形式制定的，所以又称为"协定原产地规则"。

目前，我国执行的优惠原产地规则主要有《曼谷协定》规则、《东盟协议》规则、CEPA香港规则、CEPA澳门规则和《中华人民共和国给予非洲最不发达国家特别优惠关税待遇的货物原产地规则》等。

"CEPA"的英文表述为"Closer Economic Partnership Arrangement"（"更紧密经贸关系的安排"）。《内地与香港关于建立更紧密经贸关系的安排》和《内地与澳门关于建立更紧密经贸关系的安排》是中央政府与我国香港、澳门特别行政区政府分别签署的两个内容基本相似的协议。我国香港、澳门实施CEPA是中央政府根据"一国两制"方针，在世界贸易组织规则基础上，就处理内地与港澳经贸关系所作出的一项重大战略决策。

CEPA原产地规则，是为有效实施CEPA优惠关税措施，通过我国内地与香港、澳门磋商制定的用以正确确定从我国香港、澳门进口货物的原产地的标准与方法。

（2）非优惠原产地规则。

非优惠原产地规则是指一国根据实施其海关税则和其他贸易措施的需要，由本国立法自主制定的原产地规则，故也称为"自主原产地规则"。其实施必须遵守最惠国待遇原则，即必须普遍地、无差别地适用于所有原产地为最惠国的进口货物。

我国现行非优惠原产地规则适用于除了上述协定框架以外的其他进口商品的原产地认定，如判断进口货物是否适用最惠国税率、反倾销反补贴税率、保障措施等非双边、非多边优惠的贸易政策。

（二）我国海关对进口产品原产地的规定

由于原产地规则分为优惠原产地规则和非优惠原产地规则，因此我国海关对进口产品原产地的规定分为优惠原产地认定标准和非优惠原产地认定标准。

1. 优惠原产地认定标准

（1）完全获得标准。

①在该国（地区）领土或领海开采的矿产品。

②在该国（地区）领土或领海收获或采集的植物产品。

③在该国（地区）领土出生和饲养的活动物及从其所得的产品。

④在该国（地区）领土或领海狩猎或捕捞所得的产品。

⑤由该国（地区）船只在公海捕捞的水产品和其他海洋产品。

⑥该国（地区）加工船加工的上述第⑤项所列物品所得的产品。

⑦在该国（地区）收集的仅适用于原材料回收的废旧物品。

⑧该国（地区）加工制造过程中产生的废碎料。

⑨该国（地区）利用上述①～⑧项所列产品加工所得的产品。

（2）增值标准。

对于非完全在某一受惠国获得或生产的货物，满足以下条件时，应以进行最后加工制造的受惠国视为有关货物的原产国（地区）：

①货物的最后加工制造工序在受惠国完成。

②用于加工制造的非原产于受惠国及产地不明的原材料、零部件等成分的价值占进口货物 FOB 的比例，在不同的协定框架下增值标准各有不同。《曼谷协定》规则要求增值部分不超过 50%，原产于最不发达受惠国（即孟加拉国）产品的以上比例不超过 60%；《东盟协议》规则增值标准为原产于任一东盟国家的中国—东盟自由贸易区（以下简称"自由贸易区"）成分不少于 40% 的，原产于非自由贸易区的材料、零件或者产物的总价值不超过所生产或者获得产品 FOB 的 60%，并且最后生产工序在东盟国家境内完成；CEPA 项下港澳产品的原产地增值标准为 30%。

（3）直接运输标准。

不同协定框架下的优惠原产地规则中的直接运输标准各有不同。

例如，《曼谷协定》规则的"直接运输"是指：

①货物运输未经非受惠国关境。

②货物虽经一个或多个非受惠国关境，但其有充分理由证明过境运输完全是出于地理原因或商业运输的要求，并能证明货物在运输过程中未在非受惠国关境内使用、交易或消费，以及除装卸和为保持货物良好状态而接受的简单处理外，未经任何其他处理。经非受惠国运输进口的货物适用曼谷协定税率时，应进口地海关要求，进口货物收货人应提交过境海关签发的对上述事项的证明或其他证明材料。对于非直接运输进境的货物，不能适用曼谷协定税率，海关依法确定进口货物的原产地，并据以确定适用税率。

例如，CEPA 香港项下的进口货物应当从香港直接运输至内地口岸；CFPA 澳门项下的进口货物不能从香港以外的地区和国家转运。

又如，《东盟协议》规则的"直接运输"是指：《东盟协议》项下的进口货物从某一东盟国家直接运输至我国境内，或者从某一东盟国家经过其他自由贸易区成员国（地区）境内运输至我国，但途中没有经过任何非自由贸易区成员国（地区）境内。进口货物运输途中经过非自由贸易区成员国（地区）境内（包括转换运输工具或者作临时储存）运输至我国，并且同时符合下列条件的，视为从东盟国家直接运输：

①仅是由于地理原因或者运输需要。

②产品经过上述国家时未进行贸易或者消费。

③除装卸或者为保持产品良好状态而进行的加工外，产品在上述国家未经过任何其他加工。

2. 非优惠原产地认定标准

完全在一个国家（地区）获得的货物，以该国（地区）为原产地；两个以上国家（地区）参与生产的货物，以最后完成实质性改变的国家（地区）为原产地。

（1）以下产品视为在一国（地区）"完全获得"：

①在该国（地区）出生并饲养的活的动物。

②在该国（地区）野外捕捉、捕捞、搜集的动物。

③从该国（地区）的活的动物获得的未经加工的物品。

④在该国（地区）收获的植物和植物产品。

⑤在该国（地区）采掘的矿物。

⑥在该国（地区）获得的除上述①～⑤项范围之外的其他天然生成的物品。

⑦在该国（地区）生产过程中产生的只能弃置或者回收用作材料的废碎料。

⑧在该国（地区）收集的不能修复或者修理的物品，或者从该物品中回收的零件或者材料。

⑨由合法悬挂该国旗帜的船舶从其领海以外海域获得的海洋捕捞物和其他物品。

⑩在合法悬挂该国旗帜的加工船上加工上述第⑨项所列物品获得的产品。

⑪从该国领海以外享有专有开采权的海床或者海床底土获得的物品。

⑫在该国（地区）完全从上述①～⑪项所列物品中生产的产品。

在确定货物是否在一个国家（地区）完全获得时，不考虑下列微小加工或者处理：

①为运输、贮存期间保存货物而作的加工或者处理。

②为货物便于装卸而作的加工或者处理。

③为货物销售而作的包装等加工或者处理。

（2）实质性改变的确定标准，以税则归类改变为基本标准；税则归类改变不能反映实质性改变的，以从价百分比、制造或者加工工序等为补充标准。

税则归类改变是指在某一国家（地区）对非该国（地区）原产材料进行制造、加工后，所得货物在《中华人民共和国进出口税则》中某一级的税目归类发生了变化。

从价百分比是指在某一国家（地区）对非该国（地区）原产材料进行制造、加工后的增值部分，超过所得货物价值一定的百分比。

制造或者加工工序，是指在某一国家（地区）进行的赋予制造、加工后所得货物基本特征的主要工序。

实例：我国境内某加工区企业从香港购进台湾产的薄型尼龙一批，加工成女式服装后，经批准运往区外内销。

分析：本例中，薄型尼龙已经经过加工成为女式服装，税则归类已经改变，因此，该批服装向海关申报出区时，其原产国应申报为中国。

（三）我国出口货物原产地证明的颁发

1. 原产地证明的含义

原产地证明书（Certificate of Origin，简称 C/O）是证明产品原产于某地的书面文件。它是受惠国的原产品出口到给惠国时享受关税优惠的凭证，同时也是进口货物是否适用反倾销、反补贴税率、保障措施等贸易政策的参考凭证。进口国要求出口国提供C/O，并以此作为支付货款并保证货物顺利通过进口国海关的前提条件之一。这种做法已成为国际上的通行惯例，在国际贸易中广泛应用。

2. 原产地证明的颁发

出口货物发货人可以向国家质量监督检验检疫总局所属的各地出入境检验检疫机构、中国国际贸易促进委员会及其分会（以下简称签证机构），申请领取出口货物原产地证书。

（1）一般原产地证明书的颁发。

一般原产地证明书由国家质量监督检验检疫总局设在地方的出入境检验检疫局和中国国际贸易促进委员会及其分会负责签发。合同、信用证等要求由官方机构出具的一般原产地证由出入境检验检疫机构签发，合同、信用证等要求由民间机构出具的一般原产地证由贸促会签发。

（2）普惠制原产地证明书（FORM A）的颁发。

普惠制原产地证明书（FORM A），适用于发达国家对发展中国家的一种单方面的、非互惠的、非歧视的、普遍的关税减免制度。目前，世界上有29个国家对中国给惠，它是单向的。FORM A由国家质量监督检验检疫总局负责统一管理，由国家质检总局设在各地的出入境检验检疫局及其分支机构负责签发。

（3）中国—东盟自由贸易区优惠原产地证明书（FORM E）的颁发。

为使我国出口到东盟的《东盟协议》项下的产品享受东盟给予的关税优惠待遇，自2004年1月1日起，国家质检总局设在各地的出入境检验检疫机构开始签发中国—东盟自由贸易区优惠原产地证明书（FORM E）。

第三节　进出口税费的计算

进出口税费是指在进出口环节中由海关依法征收的关税、消费税、增值税、船舶吨税等税费。依法缴纳税费是有关纳税义务人的基本义务，进出口税费的计算是报关员必备的报关技能。

一、进出口税费的种类

（一）关税

关税是国家税收的重要组成部分，是由海关代表国家，按照国家制定的关税政策和公布实施的税法及进出口税则，对进出关境的货物和物品向纳税义务人征收的一种流转税。

关税是一种国家税收。关税的征税主体是国家由海关代表国家向纳税义务人征收。其课税对象是进出关境的货物和物品。

1. 进口关税

进口关税是指一国海关以进境货物和物品为课税对象所征收的关税。在国际贸易中，它一直被各国公认为是一种重要的经济保护手段。

目前，我国进口关税可分为从价税、从量税、复合税。

（1）从价税。从价关税是以进口货物的完税价格作为计税依据，以应征税额占货物完税价格的百分比作为税率，货物进口时，以此税率和实际完税价格相乘计算应征税额。包括我国在内的大多数国家采用这一计税方法。

（2）从量税。从量关税是以进口商品的数量、体积、重量等计量单位计征关税的方法。计税时以货物的计量单位乘以每单位应纳税金额即可得出该货物的关税税额。我国目前对原油、啤酒、胶卷和冻鸡等进口商品征收从量关税。

（3）复合税。复合税是在海关税则中，一个税目中的商品同时使用从价、从量两种标准计税，计税时按两种标准合并计征的一种关税。我国从 1997 年 10 月 1 日起对录像机、放像机等 4 类进口商品使用复合税。

进口关税还有正税和附加税之分。进口附加税是对进口货物除征收正税之外另行征收的进口关税。它一般具有临时性，包括反倾销税、反补贴税、特别关税（报复性关税）等。

2. 出口关税

出口关税是一国海关以出境货物和物品为课税对象所征收的关税。

为鼓励出口，世界各国一般不征收出口税或仅对少数商品征收出口税。征收出口关税的主要目的是限制、调控某些商品的过度、无序出口，特别是防止本国的一些重要自然资源和原材料的无序出口。2005 年我国海关对鲤鱼苗、铅矿砂、锌矿砂等 37 个税目的出口商品按法定出口税率征收出口税。

（二）进口环节税

进口货物和物品在办理海关手续放行后，进入国内流通领域，与国内货物同等对待，所以应缴纳应征的国内税。进口货物和物品的一些国内税依法由海关在进口环节征收。目前，由海关征收的国内税费主要有增值税、消费税两种。按规定，船舶吨税也由海关征收。

1. 增值税

增值税是以商品的生产、流通和劳务服务各个环节所创造的新增价值为课税对象的一种流转税。

我国自 1994 年全面推行并采用国际通行的增值税制。这有利于促进专业分工与协作，体现税赋的公平合理，稳定国家财政收入，同时也有利于出口退税的规范操作。

2. 消费税

消费税是以消费品或消费行为的流转额作为课税对象而征收的一种流转税。

我国自 1994 年税制改革以后开始实施《消费税暂行条例》。我国消费税的立法宗旨和原则是调节我国的消费结构、引导消费方向、确保国家财政收入。我国的消费税是在对货物普遍征收增值税的基础上选择少数消费品再予以征收的税。我国消费税采用价内税的计税方法，即计税价格的组成中包括了消费税税额。

（三）船舶吨税

船舶吨税是由海关在设关口岸对进出、停靠我国港口的国际航行船舶征收的一种使用税。征收船舶吨税的目的是用于航道设施的建设。

（四）滞纳金和滞报金

1. 滞纳金

滞纳金是指应纳关税的单位或个人因在规定期限内未向海关缴纳税款而依法应缴纳的款项。滞纳金是海关税收管理中的一种行政强制措施。按照规定，关税、进口环节增值税、消费税、船舶吨税等的纳税义务人或其代理人，应当自海关填发税款缴款书之日起15 日内向指定银行缴纳税款，逾期缴纳的，海关依法在原应纳税款的基础上，按日加收滞纳税款 0.5% 的滞纳金。

征收滞纳金，其目的在于使纳税义务人承担增加的经济制裁责任，促使其尽早履行纳税义务。

2. 滞报金

滞报金是指海关对未在法定申报期限内向海关申报进口货物的收货人采取的依法加收的属经济制裁性的款项。征收滞报金的目的是为了加速门岸疏运加强海关对进口货物的通关管理，促使进口货物收货人按规定时限申报。

进口货物的申报期限为：

（1）邮运进口货物为邮局送达领取通知单之日内（申报期限届满遇星期六、星期日等休息日或者法定节假日的，则顺延至其后第一个工作日，下同）。

（2）转关货物自运输工具申报进境之日内向进境地海关办理转关手续，逾期征收滞报金；货物在海关限定期限内运抵指运地之日起 14 日内，向指运地海关办理报关手续，逾期征收滞报金。

（3）其他运输方式的货物均为载运进口货物运输工具申报进境之日起 14 日内。

进口货物的收货人或其代理人未在规定的申报期限内向海关申报，由海关按照规定的比例征收滞报金。

海关征收的关税、进口环节税、滞纳金、滞报金等一律以人民币计征，采用四舍五入法计算至分，完税价格、税额采用四舍五入法计算至分，分以下四舍五入。税款的起征点为人民币 50 元。

进出口货物的成交价格及有关费用以外币计价的，计算税款前海关按照该货物适用税率之日所适用的计征汇率折合为人民币计算完税价格。

海关每月使用的计征汇率为上一个月的第三个星期三（第三个星期三为法定节假日的，顺延采用第四个星期三）中国人民银行公布的基准汇率，以基准汇率以外的外币计价的，采用同一时间中国银行公布的现汇买入价和现汇卖出价的中间值（人民币元后采用四舍五入法，保留 4 位小数）。如上述汇率发生重大波动，海关总署认为必要时，可发布公告，另行规定计征汇率。

二、进口关税税款的计算

（一）从价关税的计算

1. 计算公式

应征进口关税税额 ＝ 完税价格×法定进口关税税率

减税征收的进口关税税额 ＝ 完税价格×减收进口关税税率

进口完税价格＝CIF

$$进口完税价格 = \frac{FOB 价格 + 运费}{1 - 保险费率}$$

$$进口完税价格 = \frac{CFR}{1 - 保险费率}$$

2. 计算方法

将应税货物归入恰当的税目税号→确定应税货物所适用的税率→确定完税价格→将外币折算成人民币→计算应征税款。

实例： 国内某公司从德国进口奔驰牌豪华小轿车 1 辆，成交价格为 CIF 天津新港 25 000 美元。已知汽车的规格为 5 座位，汽缸容量为 3 000ml，外汇折算率 1 美元 ＝ 人民币 8.07 元，计算应征进口关税。

解： 计算过程：

（1）确定税则归类，汽缸容量为 3 000ml 的小轿车归入税目税号 8703.2430。

（2）原产国德国适用最惠国税率 30%。

（3）审定完税价格为 25 000 美元。

（4）将外币价格折算成人民币为 25 000 × 8.07 ＝ 201 750.00（元）。

（5）应征进口关税税额 ＝ 完税价格×法定进口关税税率

$$= 201\ 750.00 \times 30\%$$

$$= 60\ 525.00（元）$$

（二）从量关税的计算

1. 计算公式

应征进口关税税额 ＝ 货物数量×单位税额

2. 计算方法

将应税货物归入恰当的税目税号→确定应税货物所适用的税率→确定实际进口量→确定完税价格（计征进口环节增值税时需要）→将外币（完税价格）折算成人民币（计征进口环节增值税时需要）→计算应征税款。

　　实例：广东某公司从香港购进柯达牌彩色胶卷 8 000 卷（宽度 = 35 毫米，长度不超 2 米），成交价格合计为 CIF 广州 10 港币/卷，已知：外币折算率 1 港币 = 人民币 1.03 元，计算应征进口关税。

　　解：计算过程：

　　（1）确定税则归类，彩色胶卷归入税目税号 3702.5410。

　　（2）原产地香港适用最惠国税率为 96 元/平方米。

　　（3）确定其实际进口量 8 000 卷 × 0.057 75 平方米/卷（以规定单位换算表折算，规格"135/36"1 卷 = 0.057 75 平方米）= 462 平方米。

　　（4）审定完税价格为 80 000 港币。

　　（5）将外币总价格折算成人民币为 82 400.00 元（计征进口环节增值税时需要）。

　　（6）应征进口关税税额 = 货物数量 × 单位税额

$$= 462 \text{ 米} \times 96 \text{ 元/平方米}$$

$$= 44\ 352.00 \text{ 元}$$

（三）复合税的计算

1. 计算公式

应征进口关税税额 = 货物数量 × 单位税额 + 完税价格 × 关税税率

2. 计算方法

　　将应税货物归入恰当的税目税号→确定应税货物所适用的税率→确定实际进口量→确定完税价格→将外币折算成人民币→计算应征税款。

　　实例：国内某一公司从日本购进广播级电视摄像机 50 台，其中 20 台成交价格为 CIF 境内某口岸 4 000 美元/台，其余 30 台成交价格为 CIF 境内某口岸 5 200 美元/台，已知外币折算率 1 美元 = 人民币 8.045 元，计算应征进口关税。

　　解：计算过程：

　　（1）确定税则归类，该批摄像机归入税目税号 8525.3091。

　　（2）原产国日本关税税率适用最惠国税率，其中 CIF 境内某口岸 4 000 美元/台的关税税率为单一从价税 35%；CIF 境内某口岸 5 200 元/台的关税税率为 13 280 元从量税再加 3% 的从价关税。

　　（3）确定成交价格合计为 80 000 美元和 156 000 美元。

　　（4）将外币价格折算成人民币为 643 600.00 元和 1 255 020.00 元。

　　（5）按照计算公式分别计算进口关税税额：

单一从价进口关税税额 = 完税价格 × 进口关税税率

$$= 643\ 600.00 \times 35\%$$

$$= 225\ 260.00 \text{（元）}$$

复合进口关税税额 = 货物数量 × 单位税额 + 完税价格 × 进口关税税率

$$= 30 \times 13\ 280 + 1\ 255\ 020.00 \times 3\%$$

$$= 398\ 400.00 + 37\ 650.60$$

$$= 436\ 050.60 \text{（元）}$$

合计进口关税税额 = 从价进口关税税额 + 复合进口关税税额

　　　　　　　　　 = 225 260.00 + 436 050.60

　　　　　　　　　 = 661 310.60（元）

三、出口关税税款的计算

（一）实行从价计征标准的出口关税的计算

1. 计算公式

应征出口关税税额 = 完税价格×法定出口关税税率

出口完税价格 = FOB - 出口关税 = $\dfrac{FOB}{1 + 出口关税税率}$

2. 计算方法

将应税货物归入恰当的税目税号→确定应税货物所适用的税率→确定货物的 FOB 价格→将外币折算成人民币→计算应征税款。

实例：广州某企业从黄埔港出口合金生铁一批，申报出口量为 100 吨，每吨价格为 FOB 黄埔 105 美元。已知外币折算率 1 美元 = 人民币 8.025 元，计算应征出口关税。

解：计算过程：

（1）确定税则归类，合金生铁归入税目税号 7201.5000。

（2）所适用的税率为 20%。

（3）确定货物的 FOB 价格为 10 500.00 美元。

（4）将外币折算成人民币为 84 262.5 元。

（5）应征出口关税税额 = FOB 价格÷（1 + 出口关税税率）× 法定出口关税税率

　　　　　　　　　　 = 84 262.5 ÷（1 + 20%）× 20%

　　　　　　　　　　 = 70 218.75 × 20%

　　　　　　　　　　 = 14 043.75（元）

（二）实行从量计征标准的出口关税的计算

1. 计算公式

应征出口关税税额 = 货品数量×单位税额

2. 计算方法

将应税货物归入恰当的税目税号→确定应税货物所适用的单位税额→确定实际出口量→计算应征税款。

实例：国内某公司向韩国出口 2 000 件棉制针织男衬衫，成交价格合计为 CIF 釜山 80 000.00 美元，计算应征出口关税。

解：计算过程：

（1）确定税则归类，棉制针织男衬衫归入税目税号 6105.1000。

（2）棉制针织男衬衫所适用的单位税额为 0.2 元/件。

（3）确定实际出口量为 2 000 件。

（4）应征出口关税税额 ＝ 货物数量×单位税额

$$= 2000 \times 0.2$$

$$= 400.00 \text{（元）}$$

四、反倾销税的计算

进口关税还有正税和附加税之分。反倾销税是为抵制外国商品倾销进口，保护国内生产而征收的一种进口附加税，即在倾销商品进口时除征收进口关税外，再征收反倾销税。

计算公式为：

反倾销税税额 ＝ 海关完税价格×反倾销税税率

实例：国内某公司于 2005 年 10 月从俄罗斯乌苏里耶化工有限责任公司购买 20 吨三氯乙烯，成交价格为 CIF 天津 873 美元/吨。外币兑换率为 1 美元 ＝ 人民币 8.05 元，计算应征反倾销税税款。

解：计算过程：

（1）确定税则归类，三氯乙烯归入税目税号 2903.2200。

（2）据《中华人民共和国反倾销条例》的规定，国务院关税税则委员会决定对原产于俄罗斯和日本的进口三氯乙烯征收反倾销税，征税时间从 2005 年 7 月 22 日开始，期限为 5 年。其中对俄罗斯乌苏里耶化工有限责任公司（Usoliekhimprom LLC）的反倾销税率为 3%。

（3）确定货物的 CIF 价格为 17 460.00 美元。

（4）将外币折算成人民币为 140 553.00 元。

（5）应征反倾销税税额 ＝ 海关完税价格×反倾销税税率

$$= 140\ 553.00 \times 3\%$$

$$= 4\ 216.59 \text{（元）}$$

五、进口环节税的计算

（一）增值税的计算

进口环节的增值税以组成价格作为计税价格，征税时不得抵扣任何税额。其组成价格由关税完税价格加上关税组成；对于应征消费税的品种，其组成价格还要加上消费税。

现行增值税的组成价格和应纳税额计算公式为：

组成价格 ＝ 关税完税价格＋关税税额＋消费税税额

应纳增值税税额 ＝ 组成价格×增值税税率

实例：国内某公司进口一批唇用化妆品，经海关审核其成交价格总额为 CIF 上海 20 000.00美元。外币兑换率为 1 美元 ＝ 人民币 8.02 元，计算应征增值税税额。

解：计算方法：

（1）确定税则归类，唇用化妆品归入税目税号 3304.1000。

（2）所适用的关税税率为 10%，消费税率为 30%，增值税税率为 17%。

（3）将审定的完税价 20 000.00 美元折算成人民币为 160 400.00 元。

（4）关税税额 ＝ 完税价格 × 关税税率

$$= 160\ 400.00 × 10\% = 16\ 040.00（元）$$

（5）应征进口环节消费税税额 ＝（关税完税价格 ＋ 关税税额）÷（1 － 消费税税率）× 消费税税率

$$=（160\ 400.00 ＋ 16\ 040.00）÷（1 － 30\%）× 30\%$$

$$= 252\ 057.14 × 30\%$$

$$= 75\ 617.14（元）$$

（6）应纳增值税税额 ＝（关税完税价格 ＋ 关税税额 ＋ 消费税税额）× 增值税税率

$$=（160\ 400.00 ＋ 16\ 040.00 ＋ 75\ 617.14）× 17\%$$

$$= 42\ 849.71（元）$$

（二）消费税的计算

我国消费税采用从价、从量的方法计征。

（1）从价征收的消费税按照组成的计税价格计算。

计算公式为：

应纳税额 ＝ 组成计税价格 × 消费税税率

组成计税价格 ＝（关税完税价格 ＋ 关税税额）÷（1 － 消费税税率）

（2）从量征收的消费税的计算公式为：

应纳税额 ＝ 应征消费税消费品数量 × 单位税额

（3）同时实行从量、从价征收的消费税是上述两种征税方法之和。

计算公式为：

应纳税额 ＝ 应征消费税消费品数量 × 单位税额 ＋ 组成计税价格 × 消费税税率

实例：国内某公司进口挪威葡萄汽酒 5 000 升，经海关审核其成交价格总额为 CIF 广州 10 000.00 美元。外币兑换率为 1 美元 ＝ 人民币 8.023 元，计算应征进口环节消费税。

解：计算过程：

（1）确定税则归类，葡萄汽酒归入税目税号 2204.1000。

（2）所适用的关税税率为 14%，消费税率为 10%。

（3）确定货物的 CIF 价格为 10 000.00 美元。

（4）将外币折算成人民币为 80 230.00 元。

（5）应征进口环节消费税税额 ＝（关税完税价格 ＋ 关税税额）÷（1 － 消费税税率）× 消费税税率

$$=（80\ 230.00 ＋ 80\ 230.00 × 14\%）÷（1 － 10\%）× 10\%$$

$$= 101\ 624.67 × 10\%$$

$$= 10\ 162.47（元）$$

六、船舶吨税的计算

1. 船舶吨位的计算

目前，国际上丈量吨位按照船舱的结构是封闭式还是开放式来分别计算，有大、小吨位之分，封闭式为大吨位，开放式为小吨位。装货多时用大吨位，装货少时用小吨位。我国现行规定，凡同时持有大、小吨位两种吨位证书的船舶，不论实际装货情况，一律按大吨位计征吨税。

船舶吨税按净吨位计征。净吨位计算公式为：

净吨位 = 船舶的有效容积 × 吨 / 立方米

船舶净吨位的尾数，按四舍五入原则，半吨以下的免征尾数，半吨以上的按 1 吨计算。不及 1 吨的小型船舶，除经海关总署特准免征者外，一律按 1 吨计征。

2. 船舶吨税的征收和退补

船舶吨税起征日为"船舶直接抵口之日"，即进口船舶应自申报进口之日起征。如进境后驶达锚地的，以船舶抵达锚地之日起计算；进境后直接靠泊的，以靠泊之日起计算。

船舶抵港之日，船舶负责人或其代理人应向海关出具船舶停留时仍然有效的"船舶吨税执照"（以下简称执照）。如所领执照满期后尚未离开中国，则应自期满之次日起续征；如未能出具执照者，应按规定向海关申报，缴纳船舶吨税，并领取执照。

船舶吨税的征收方法分为 90 天期缴纳和 30 天期缴纳两种，并分别确定税额，缴纳期限由纳税义务人在申请完税时自行选择。

3. 船舶吨税的计算

计算公式为：

吨税 = 净吨位 × 吨税税率

实例：有一美国籍净吨位为 8 800 吨的"公主"号货轮，停靠在我国境内某港口装卸货物。纳税人自行选择 30 天期缴纳船舶吨税，计算应征的船舶吨税。

解：计算过程：

（1）确定税率，净吨位为 8 800 吨的货轮 30 天期的优惠税率为 3.00 元/净吨。

（2）应征的船舶吨税 = 净吨位 × 吨税税率（元/净吨）

$$= 8\ 800 \times 3.00$$
$$= 26\ 400.00（元）$$

七、滞纳金和滞报金的计算

（一）滞纳金的计算

滞纳金的起征额为人民币 50 元，不足人民币 50 元的免予征收。

计算公式为：

关税滞纳金金额 = 滞纳关税税额 × 0.5‰ × 滞纳天数

代征税滞纳金金额 = 滞纳代征税税额 × 0.5‰ × 滞纳天数

实例：国内某公司向香港购进日本皇冠牌轿车 10 辆，成交价格共为 CIF 境内某口岸 125 800.00 美元。已知该批货物应征关税税额为人民币 352 793.52 元，应征进口环节消费税为人民币 72 860.70 元，进口环节增值税税额为人民币 247 726.38 元。海关于 2005 年 10 月 10 日填发海关专用缴款书，该公司于 2005 年 11 月 8 日缴纳税额。计算应征的滞纳金。

解：计算过程：

（1）确定滞纳天数，税款缴款期限为 2005 年 10 月 25 日（星期二），10 月 26 日至 11 月 8 日为滞纳期，共滞纳 14 天。

（2）按照计算公式分别计算进口关税、进口环节消费税和进口环节增值税的滞纳金。

$$进口关税滞纳金 = 进口关税税额 \times 0.5‰ \times 滞纳天数$$
$$= 352\,793.52 \times 0.5‰ \times 14$$
$$= 2\,469.55（元）$$

$$进口环节消费税滞纳金 = 进口环节消费税税额 \times 0.5‰ \times 滞纳天数$$
$$= 72\,860.70 \times 0.5‰ \times 14$$
$$= 510.02（元）$$

$$进口环节增值税滞纳金 = 进口环节增值税税额 \times 0.5‰ \times 滞纳天数$$
$$= 247\,726.38 \times 0.5‰ \times 14$$
$$= 1\,734.08（元）$$

（二）滞报金的计算

滞报金按日征收进口完税价格的 0.5‰ 计征，起征日为规定的申报时限的次日，截止日为收货人向海关申报后，海关接受申报的日期。滞报金的起征额为人民币 50 元，不足人民币 50 元的可免予征收。

计算公式为：

$$进口货物滞报金金额 = 进口货物成交价格 \times 0.5‰ \times 滞报天数$$

实例：某一运输工具装载某进出口企业购买进口货物于 2005 年 11 月 21 日（星期一）申报进口，但该企业于 2005 年 12 月 10 日才向海关申报进口该批货物，该批货物的成交价格为 CIF 境内口岸 285 000 美元（兑换率为 1 美元 = 人民币 8.032 元）。计算应征滞报金。

解：计算过程：

（1）确定滞报天数，申报期限为 2005 年 12 月 05 日（星期一），12 月 06 日至 12 月 10 日为滞报期，共滞报 5 天。

（2）$$滞报金金额 = 进出口货物成交价格 \times 0.5‰ \times 滞报天数$$
$$= 285\,000 \times 8.032 \times 0.5‰ \times 5$$
$$= 5\,722.80（元）$$

第四节　进出口税费的缴纳、减免和退补

一、进出口税费的缴纳

（一）缴纳方式

缴纳方式是指纳税义务人在何时何地以何种方式向海关缴纳税款。目前，纳税义务人向海关缴纳税款的方式主要以进出口地纳税为主，也有部分企业经海关批准采取属地纳税方式。

进出口地纳税是指货物在设有海关的进出口地纳税。属地纳税是指进出口货物应缴纳的税款由纳税义务人所在地主管海关征收，纳税义务人在所在地缴纳税款。

纳税义务人向海关缴纳税款的方式主要有两种：一种是持缴款书向指定银行办理税费交付手续；另一种是向签有协议的银行办理电子税费交付手续。

（二）缴纳凭证

1. 进出口关税和进口环节税的缴纳凭证

海关征收进出口关税和进口环节税时，应向纳税义务人或其代理人填发海关专用缴款书（含关税、进口环节税）。纳税义务人或其代理人持凭海关专用缴款书向银行缴纳税款。

海关填发的海关专用缴款书第一联为"收据"，由国库收款签章后交缴款单位或缴纳人保存；第二联为"付款凭证"，由缴库单位开户作付出凭证；第三联为"收款凭证"，由收款国库作收入凭证；第四联为"回执"，由国库盖章后退回海关财务部门；第五联为"报查"，关税由国库收款后将退回海关，进口环节税送当地税务机关；第六联为"存根"，由填发单位存查。

进口货物收货人或其代理人缴纳税款后，应将盖有"收讫"章的海关专用缴款书第一联送签发海关验核，海关凭此办理有关手续。

2. 滞报金的缴纳凭证

海关征收进口货物的关税、进口环节增值税、消费税、船舶吨税等的滞纳金时，应向纳税义务人或其代理人填发海关专用缴款书。纳税义务人或代理人应持凭海关专用缴款书向银行缴纳滞纳金。

3. 滞报金的缴纳凭证

对应征收滞报金的进口货物，海关在收货人未缴纳滞报金之前不予放行。转关运输货物如在进境地产生滞报由进境地海关征收滞报金，如在指运地产生滞报则由指运地海关征收滞报金。

海关征收进口货物滞报金时，应向收货人填发海关行政事业收费专用票据。收货人持海关行政事业收费专用票据，到海关指定部门或指定银行办理缴款手续。

海关行政事业收费专用票据的第一联为"存根"，用于签发专用票据的部门与收款部门核对账目；第二联为"收据"，缴费后交缴款单位；第三联为"记账"，是收款部门记账；第四联为"经办部门存查"，由签发专用票据的部门存查。收货人持海关行政事业收费专用票据到海关指定的部门或指定的银行办理缴款手续。

进口货物收货人或其代理人缴纳滞报金后，应将盖有"收讫"章的海关行政事业收费专用票据交给货物申报进口的海关，海关凭此核销并办理有关手续。

二、进口税的减免

减免税费是指海关按照《海关法》《关税条例》和其他有关规定，对进出口货物的税费给予减免。

根据《海关法》的规定，关税的减免分为三大类，即法定减免税、特定减免税和临时减免税。

（一）法定减免税

法定减免税是指进出口货物按照《海关法》《关税条例》和其他法律、行政法规的规定可以享受的减免税优惠。海关对法定减免税货物一般不进行后续管理。

下列进口货物、进出境物品，减征或者免征关税：

（1）关税税额在人民币 50 元以下的一票货物。

（2）无商业价值的广告品和货样。

（3）外国政府、国际组织无偿赠送的物资。

（4）在海关放行前遭受损坏或者损失的货物。

（5）进出境运输工具装载的途中必需的燃料、物料和饮食用品。

（6）中华人民共和国缔结或者参加的国际条约规定减征、免征关税的货物、物品。

（7）法律规定减征、免征关税的其他货物、物品。

（二）特定减免税

特定减免税是指海关根据国家规定，对特定地区、特定用途和特定企业给予的减免关税的优惠，也称政策性减免税。特定减税或者免税的范围和办法由国务院规定，海关规定国务院的规定单独或会同其他中央主管部门制定出具体实施办法并加以贯彻执行。

申请特定减免税的单位或企业，应在货物进口前向海关提出申请，由海关按照规定的程序进行审理。符合规定的由海关发给一定形式的减免税证明，受惠单位或企业凭证明申报进口特定减免税货物。由于特定减免税货物有地区、企业和用途的限制，海关需要对其进行后续管理。

目前，实施特定减免税的主要有：

（1）外商投资企业部分进口物资。例如，属于国家鼓励发展产品的外商投资项目，在投资额内进口的自用设备，除《外商投资项目不予免税的进口商品目录》所列商品外，可以免征进口关税和进口环节增值税；按照合同随设备进口的技术及配套件、备件，免征进口关税和进口环节增值税。

（2）国内投资项目部分进口设备。例如，属国家重点鼓励发展产业的国内投资项目，在投资总额内进行的自用设备，除《国内投资项目不予免税的进口商品目录》所列商品外，可以免征进口关税和进口环节增值税。

（3）外国政府贷款和国际金融组织贷款项目部分进口物资。

（4）保税区、出口加工区等特定区域进口的部分物资。

（5）科教用品。

（6）残疾人专用品。

（7）国外救灾捐赠物资。

（8）扶贫慈善捐赠物资。

（9）其他。例如，"十五"期间对远洋渔业进口的船舶、船用关键设备和部件减征或免征进口关税和进口环节增值税；"十五"期间对生产国家纪委批准建造的内销远洋船所需进口的国内不能生产或性能不能满足要求的部分关键部件及设备减征进口关税。

三、进出口税费的退、补

（一）税款退还

退税是指纳税义务人或其代理人缴纳税款后，由于计征人员的疏忽、误解或国家政策变更等特定原因，将已入国库的税款退库和退付。

1. 退税的范围

以下情况经海关核准可予以办理退税手续：

（1）已缴纳税款的进口货物，因品质或者规格原因原状退货复运出境的。

（2）已缴纳出口关税的出口货物，因品质或者规格原因原状退货复运进境，并已重新缴纳因出口而退还的国内环节有关税收的。

（3）已缴纳出口关税的货物，因故未装运出口申报退关的。

（4）散装进出口货物发生短装、短卸并已征税放行的，如果该货物的收发货人、承运人或者保险公司已对短装部分退还或者赔偿相应货款的，纳税义务人可以向海关申请退还进口或者出口短装部分的相应税款。

（5）进出口货物因残损、品质不良、规格不符等原因，由进出口货物的发货人、承运人或者保险公司赔偿相应货款的，纳税义务人可以向海关申请退还赔偿货款部分的相应税款。

（6）因海关误征，致使纳税义务人多缴税款的。

2. 退税的期限及要求

海关发现多征税款的，应当立即通知纳税义务人办理退还手续。

纳税义务人发现多缴税款的，自缴纳税款之日起 1 年内，可以以书面形式要求海关退还多缴的税款并加算银行同期活期存款利息。所退利息按照海关填发收入退还书之日中国人民银行规定的活期储蓄存款利息计算，计算所退利息的期限自纳税义务人缴纳税款之日起至海关填发收入退还书之日止。

进口环节增值税已予抵缴的除国家另有规定外不予退还。已征收的滞纳金不予退还。海关应当自受理退税申请之日起 30 日内查实并通知纳税义务人办理退还手续。纳税义务人应当自收到通知之日起 3 个月内办理有关退税手续。

退税必须在原征税海关办理。办理退税时，纳税义务人应填写"退税申请表"并持原进口或出口报关单、原盖有银行收款章的税款缴纳收据正本及其他必要单证（合同、发票、协议、商检机构证明等）送海关审核，海关同意后，应按原征税或者补税之日所实施的税率计算退税额。

3. 退税凭证

海关退还已征收的关税和进口环节税时，应填发收入退还书（海关专用），同时通知原纳税义务人或其代理人。海关将收入退还书（海关专用）送交指定银行划拨款项。

收入退还书（海关专用）第一联为"收账通知"，交收款单位存查；第二联为"付款凭证"，由退款国库作付出凭证；第三联为"收款凭证"，由收款单位开户银行作收入凭证；第四联为"付款通知"，由国库随收入统计表送退库海关；第五联为"报查凭证"，由国库将进口环节税联送当地税务机关，关税联送退库海关；第六联为"存根"，由填发海关存查。

（二）税款追征和补征

1. 追征和补征税款的范围

（1）进出口货物放行后，海关发现少征或者漏征税款的。

（2）因纳税义务人违反规定造成少征或者漏征税款的。

（3）海关监管货物在海关监管期内因故改变用途按照规定需要补征税款的。

2. 追征、补征税款的期限和要求

（1）进出口货物放行后，海关发现少征或者漏征税款的，应当自缴纳或者货物放行之日起 1 年内，向纳税义务人补征税款。

（2）因纳税业务人违反规定造成少征或者漏征税款的，海关可以自缴纳税款或者货物放行之日起 3 年内追征税款，并从缴纳税款或者货物放行之日起至海关发现违规行为之日止按日加收少征或者漏征税款 0.5‰ 的滞纳金。

3. 追征、补征税款的凭证

海关追征或补征进出口货物关税和进口环节税时，应当向纳税义务人填发海关专用缴款书（含关税、进口环节税）。纳税义务人持凭海关专用缴款书向指定银行或开户银行缴纳税款。进口货物收货人或其代理人缴纳税款后，应将盖有"收讫"章的海关专用缴款书第一联送签发海关验核，海关凭此办理有关手续。

第七章
进出口货物报关单的填制

第一节 进出口货物报关单概述

一、进出口报关单的含义

进出口货物报关单是指进出口货物的收发货人或其代理人，按照海关规定的格式对进出口货物的实际情况作出书面申明，以此要求海关对其货物按适用的海关制度办理通关手续的法律文书。

二、进出口报关单的种类

按货物的流转状态、贸易性质和海关监管方式的不同，进出口货物报关单可分为以下几种类型：

1. **按进出口状态分**

（1）进口货物报关单。

（2）出口货物报关单。

2. **按表现形式分**

（1）纸质报关单。

（2）电子数据报关单。

3. **按使用性质分**

（1）进料加工进出口货物报关单（粉红色）。

（2）来料加工及补偿贸易进出口货物报关单（浅绿色）。

（3）外商投资企业进出口货物报关单（浅蓝色）。

（4）一般贸易及其他贸易进出口货物报关单（白色）。

（5）需国内退税的出口货物报关单（浅黄色）。

4. **按用途分**

（1）报关单录入凭单：指申报单位按海关规定的格式填写的凭单，用作报关单预录入的依据。

（2）预录入报关单：指预录入公司录入、打印，并联网将录入数据传送到海关，由申报单位向海关办理申报手续的报关单。

（3）电子数据报关单：指申报单位通过电子计算机系统，按照《中华人民共和国海关进出口货物报关单填制规范》的要求，向海关申报的电子报文形式的报关单及事后打印、补交备核的纸质报关单。

（4）报关单证明联：指海关在核实货物实际进出境后按报关单格式提供的证明，用作企业向税务、外汇管理部门办理有关手续的证明文件。其包括：

①出口货物报关单出口退税证明联。

②出口货物报关单收汇核销联。

③进口货物报关单付汇证明联。

三、进出口报关单各联的用途

纸质进口货物报关单一式五联，分别是海关作业联、海关留存联、企业留存联、海关核销联、进口付汇证明联。

纸质出口货物报关单一式六联，分别是海关作业联、海关留存联、企业留存联、海关核销联、出口收汇证明联、出口退税证明联。

（一）进出口货物报关单海关作业联和留存联

进出口货物报关单海关作业联和留存联是报关员配合海关查验、缴纳税费、提取或装运货物的重要单据，也是海关查验货物、征收税费、编制海关统计以及处理其他海关事务的重要凭证。

（二）进出口货物报关单收、付汇证明联

进口货物报关单付汇证明联和出口货物报关单收汇证明联，是海关对已实际进出境的货物所签发的证明文件，是银行和国家外汇管理部门办理售汇、付汇和收汇及核销手续的重要依据之一。

若有需要办理进口付汇核销或出口收汇核销的货物，进出口货物的收发货人或其代理人应当在海关放行货物或结关以后，向海关申领进口货物报关单进口付汇证明联或出口货物报关单出口收汇证明联。

（三）进出口货物报关单海关核销联

进出口货物报关单海关核销联，是指口岸海关对已实际申报进口或出口的货物所签发的证明文件，是海关办理加工贸易合同核销、结案手续的重要凭证。

加工贸易的货物进出口后，申报人应向海关领取进出口货物报关单海关核销联，并凭此向主管海关办理加工贸易合同核销手续。

（四）出口货物报关单出口退税证明联

出口货物报关单出口退税证明联是海关对已实际申报出口并已装运离境的货物所签发的证明文件，是国家税务部门办理出口货物退税手续的重要凭证之一。

对可办理出口退税的货物，出口货物发货人或其代理人应当在载运货物的运输工具实际离境，海关收到载货清单（俗称"清洁舱单"）、办理结关手续后，向海关申领出口货物报关单出口退税证明联。对不属于退税范围的货物，海关不予签发该联。

四、进出口货物报关单的法律效力

《中华人民共和国海关法》规定："进口货物的收货人、出口货物的发货人应当向海关如实申报，交验进出口许可证件和有关单证。"

进出口货物报关单及其他进出境报关单（证）在对外经济贸易活动中具有十分重要的法律效力，它是货物的收发货人向海关报告其进出口货物实际情况及适用海关业务制度，申请海关审查并放行货物的必备法律书证。它既是海关对进出口货物进行监管、征税、统计以及开展稽查、调查的重要依据，又是加工贸易核销、出口退税和外汇管理的重要凭证，也是海关处理进出口货物走私、违规案件以及税务、外汇管理部门查处骗税、套汇犯罪活动的重要书证。因此，申报人对所填报的进出口货物报关单的真实性和准确性应承担法律责任。

电子数据报关单与纸质报关单具有同等的法律效力。

第二节 进出口货物报关单填制规范

一、填制进出口货物报关单的法律责任

进出境货物的收发货人或其代理人向海关申报时，必须填写并向海关递交进出口货物报关单。申报人在填制报关单时，应当依法如实向海关申报，对申报内容的真实性、准确性、完整性和规范性承担相应的法律责任。

二、进出口货物报关单填制的一般要求

（1）报关员必须按照《中华人民共和国海关法》及《中华人民共和国海关进出口货物申报管理规定》和《中华人民共和国海关进出口货物报关单填制规范》的有关规定和要求，向海关如实申报。

（2）报关单的填报必须真实，做到"两个相符"：①单、证相符，即所填报关单各栏目的内容必须与合同、发票、装箱单、提单以及批文等随附单据相符；②单、货相符，即

所填报关单各栏目的内容必须与实际进出口货物情况相符，不得伪报、瞒报、虚报。

（3）报关单的填报要准确、齐全、完整、清楚，报关单各栏目内容要逐项详细准确填写，字迹清楚、整洁、端正，不得用铅笔或红色复写纸填写；若有更正，必须在更正项目上加盖校对章。

（4）不同批文或合同的货物、同一批货物中不同贸易方式的货物、不同运输方式或相同运输方式但不同航次的货物，均应分别填写报关单。

（5）已向海关申报的进出口货物报关单，如原填报内容与实际进出口货物不一致而又有正当理由的，申报人应向海关递交书面更正申请，经海关核准后，对原填报的内容进行更改或撤销。

三、进出口货物报关单的栏目指标及填制规范

1. 预录入编号

预录入编号指申报单位或预录入单位对该单位填制录入的报关单的编号，用于该单位与海关之间引用其申报后尚未批准放行的报关单。

报关单录入凭单的编号规则由申报单位自行决定。预录入关单及 EDI 报关单的预录入编号由接受申报的海关决定编号规则，计算机自动打印。

2. 海关编号

海关编号指海关接受申报时给予报关单的编号。

海关编号由各海关在接受申报环节确定，应标示在报关单的每一联上。

报关单海关编号为 9 位数码，由各直属海关统一管理。各直属海关对进口报关单和出口报关单应分别编号，并确保在同一公历年度内，能按进口和出口唯一地标示本关区的每一份报关单。

3. 进口口岸/出口口岸

进口口岸/出口口岸指货物实际进（出）口我国关境口岸海关的名称。

本栏目应根据货物实际进（出）口的口岸海关选择填报关区代码表中相应的口岸海关的名称及代码。

进口货物应填报货物进境后的第一个口岸海关名称及代码，出口则应填报货物出境前最后一个海关名称及代码，因此，进口转关运输货物应填报货物进境地海关名称及代码，出口转关运输货物应填报货物出境地海关名称及代码。

加工贸易货物填报货物指定进出口海关的名称与代码。深加工结转货物填报货物转入地海关或转出地海关的名称及代码。

在不同出口加工区之间转让的货物，填报对方出口加工区海关的名称及代码。

无法确定进出口口岸以及无实际进出口的报关单，填报接受申报的海关名称及代码。

4. 备案号

备案号指进出口企业在海关办理加工贸易合同备案或征、减、免税审批备案等手续时，海关给予进料加工登记手册、来料加工及中小型补偿贸易登记手册、外商投资企业履行产品出口合同进口料件及加工出口成品登记手册（以下均简称登记手册）、进出口货物征免税证明（以下简称征免税证明）或其他有关备案审批文件的编号。

具体填报要求如下：

（1）加工贸易报关单本栏目填报登记手册编号；少量低价值辅料按规定不使用登记手册，填报为"低值辅料"，不得为空。

（2）凡涉及减免税备案审批的报关单，本栏目填报"征免税证明"编号，不得为空。

（3）无备案审批文件的报关单，本栏目免于填报。

（4）一份报关单只能填报一个备案号。

备案号长度为 12 位，其中第 1 位是标记代码，登记手册的标记码为 A、B、C、D 四种，分别代表备料、来料加工、进料加工和设备。

备案号的标记代码必须与"贸易方式"及"征免性质"栏目相一致。出入出口加工区的保税货物，应填报标记代码为 H 的电子账册备案号；出入出口加工区的征免税货物、物品，应填报标记代码为 H、第 6 位为 D 的电子账册备案号。

5. 进口日期/出口日期

进口日期指运载所申报货物的运输工具申报进境的日期。本栏目填报的日期必须与相应的运输工具申报进境日期一致。

出口日期指运载所申报货物的运输工具办结出境手续的日期。本栏目供海关打印报关单证明联用，预录入报关单及 EDI 报关单均免于填报。

无实际进出口的报关单填报办理申报手续的日期。

本栏目为 6 位数，顺序为年、月、日各两位。例如，2005 年 6 月 25 日应填报为"05. 06. 25"。

6. 申报日期

申报日期指海关接受进（出）口货物的收发货人或其代理人申请办理货物进（出）口手续的日期。

预录入报关单及 EDI 报关单填报向海关申报的日期，与实际情况不符的，由审单关员按实际日期修改批注。

本栏目为 6 位数，顺序为年、月、日各两位。

7. 经营单位

经营单位指经商务部门授权，对外签订并执行进出口贸易合同的中国境内企业或单位。

本栏目应填报经营单位中文名称及经营单位 10 位编码。经营单位编码为 10 位数字，指进出口企业在所在地主管海关办理注册登记手续时，海关给企业设置的注册登记编码。经营单位编码主要由四个部分组成：

（1）第 1 位至第 4 位为经营单位所属地区的行政区划代码。

（2）第 5 位为经济区划代码，其中：

"1"表示经济特区。

"2"表示经济技术开发区和浦东新区、海南经济技术开发区。

"3"表示高新技术产业开发区。

"4"表示保税区。

"5"表示出口加工区。

"9"表示其他。

（3）第6位为企业经济类型代码，其中：

"1"表示有对外贸易经营权的国有企业。

"2"表示中外合作经营企业。

"3"表示中外合资经营企业。

"4"表示外商独资企业。

"5"表示有对外贸易经营权的集体企业。

"6"表示有对外贸易经营权的私营企业。

"7"表示有对外贸易经营权的个体工商户。

"8"表示有报关权而无对外贸易经营权的企业，如经海关批准的专业报关行、有报关权的国际货代或船代公司。

"9"表示其他，包括外商企业驻华机构、外国驻华使领馆和临时有对外贸易经营权的单位。

（4）第7位至第10位为顺序号，由企业主管海关负责管理，根据企业到海关注册登记的先后顺序确定。

特殊情况下，经营单位的确定原则如下：

①签订和执行合同如为两个单位，如加工贸易合同填报执行合同的单位。

②援助、赠送、捐赠的货物，填报直接接受货物的单位。

③进出口企业之间相互代理进出口，或没有进出口经营权的企业委托有进出口经营权的企业代理进出口的，以代理方为经营单位。

④外商投资企业委托外贸企业进口投资设备、物品的，外商投资企业为经营单位。

8. 运输方式

运输方式指载运货物进出关境所使用的运输工具的分类。

本栏目应根据实际运输方式按海关规定的运输方式代码表选择填报相应的运输方式。

特殊情况下，运输方式的填报原则如下：

（1）非邮政方式进出口的快递货物，按实际运输方式填报。

（2）进出境旅客随身携带的货物，按旅客所乘运输工具填报。

（3）进口转关运输货物根据载运货物抵达进境地的运输工具填报，出口转关运输货物根据载运货物驶离出境地的运输工具填报。

（4）无实际进出口的，根据实际情况选择填报运输方式代码表中运输方式"7"（保税区）、"8"（保税仓库）或"9"（其他运输）。

（5）出口加工区与区外之间进出的货物，填报"Z"；同一出口加工区内或不同出口加工区的企业之间相互结转（调拨）的货物，填报"9"（其他运输）。

表 7 - 1　运输方式代码表

运输方式代码	运输方式名称简称	运输方式名称全称
0	非保税区	非保税区运入保税区和保税区退区
1	监管仓库	境内存入保税仓库和出口监管仓库退仓
2*	江海运输*	江海运输*
3*	铁路运输*	铁路运输*
4*	汽车运输*	汽车运输*
5*	航空运输*	航空运输
6	邮件运输	邮件运输
7	保税区	保税区运往非保税区
8	保税仓库	保税仓库转内销
9	其他	其他运输（驮畜、输油管道、电网）
W	物流中心	从中心外运入保税物流中心或从保税物流中心运往中心外
Z	出口加工区	出口加工区运往区外和区外运入出口加工区

9. 运输工具名称

运输工具名称指载运货物进出境的运输工具的名称或运输工具编号。一份报关单只能填写一个运输工具名称。

本栏目填制内容应与运输部门向海关申报的载货清单一致。具体填报要求如下：

（1）江海运输填报船名及航次，或载货清单编号（注：按受理申报海关要求选填）。

（2）汽车运输填报该跨境运输车辆的国内行驶车牌号码。

（3）铁路运输填报车次或车厢号，以及进出境日期。

（4）航空运输填报分运单号，无分运单号的，本栏目为空。

（5）邮政运输填报邮政包裹单号。

（6）转关运输货物报关单填制要求如下。

进口转关运输货物报关单填报要求如下：

①江海运输进境货物：直转货物填报"@"+16位转关申报单预录入号（或13位载货清单号）；中转货物填报进境英文船名（必须与提单、转关单填写完全一致）+"/"+"@"+进境船舶航次。

②航空运输进境货物：直转货物填报"@"+16位转关申报单预录入号；国际空运联程货物填报8位分运单号，无分运单号的为空。

③铁路运输进境货物：直转货物填报"@"+16位转关申报单预录入号；中转货物填报车厢编号+"/"+"@"+8位进境日期（年年年年月月日日）。

④公路及其他运输方式进境货物：填报"@"+16位转关申报单预录入号（或13位载货清单号）。

⑤以上各种运输方式进境货物，在使用载货清单（广东地区）转关的提前报关货物

填报 "@" ＋13 位载货清单号；其他提前报关货物为空。

出口转关运输货物报关单填报要求如下：

①江海运输出境货物：出口非中转货物填报 "@" ＋16 位转关申报单预录入号（或 13 位载货清单号）；中转货物：境内江海运输填报 "驳船船名" ＋ "／" ＋ "驳船航次"，境内铁路运输填报车名（4 位关别代码＋TRAIN）＋ "／" ＋日期（6 位起运日期），境内公路运输填报车名（4 位关别代码＋TRUCK）＋ "／" ＋日期（6 位起运日期）。

上述 "驳船船名"、"驳船航次"、"车名"、"日期" 均须事先在海关备案。

②铁路运输出境货物：填报 "@" ＋16 位转关申报单预录入号；多张报关单需要通过一张转关单转关的，填报 "@"。

③其他运输方式出境货物：填报 "@" ＋16 位转关申报单预录入号（或 13 位载货清单号）。

（7）进出保税区（运输方式代码 "7"）填报保税区名称，进出保税仓库（运输方式代码 "8"）填报保税仓库（出口监管仓库）名称。

（8）其他运输填报具体运输方式名称，例如管道、驮畜等；无实际进出口的，本栏目为空。

10. 提运单号

提运单号指进出口货物提单或运单的编号。

本栏目填报的内容应与运输部门向海关申报的载货清单所列内容一致。

一票货物对应多个提运单时，应按接受申报的海关规定，或分单填报，或填报一个提运单号和多提运单标志 "＋" 及提运单数，其余提运单号填写打印在备注中或随附清单。

具体填报要求如下：

（1）江海运输填报进口提单号或出口运单号。

（2）铁路运输填报运单号。

（3）汽车运输免于填报。

（4）航空运输填报总运单号。

（5）邮政运输填报邮政包裹单号。

（6）无实际进出口的，本栏目为空。

（7）转关运输货物报关单填报要求如下。

进境转关运输货物报关单填报要求如下：

①江海运输进境货物：填报海运正本提单号；进口提前报关为空。

②航空运输进境货物：直转货物填报 11 位总运单号＋ "／" ＋8 位分运单号，无分运单号的填报 11 位总运单号；进口提前报关为空；国际空运联程货物填报 "@" ＋总运单号。

③铁路运输进境货物：填报铁路运单号；进口提前报关为空。

④其他运输方式进境的转关运输货物，本栏目为空。

⑤以上各种运输方式进境货物，在广东省内用公路运输转关的，填报车牌号。

出境转关运输货物报关单填报要求如下：

①江海运输出境货物：出口中转货物填报海运正本提单号；出口非中转货物为空；广东省内提前报关的转关货物填报车牌号。

②其他运输方式出境货物：广东省内提前报关的转关货物填报车牌号；其他地区为空。

11. 收货单位/发货单位

收货单位指进口货物在境内的最终消费、使用单位，包括：

（1）自行从境外进口货物的单位。

（2）委托有外贸进出口经营权的企业进口货物的单位。

本栏目应填报收发货单位的中文名称及其海关注册编码，无海关注册编码的，填报该企业的国家标准标志码。

加工贸易中，报关单的收发货单位应与登记手册的"货主单位"一致。

12. 贸易方式（监管方式）

贸易方式是指以国际货物买卖的成交方式为基础，结合海关对进出口货物的监管、征税、统计等各种条件综合设定的对进出口货物的管理方式。

本栏目应根据实际情况，按海关规定的监管方式代码表选择填报相应的监管方式简称或代码。

出口加工区内企业填制的出口加工区进（出）境货物备案清单，应选择填报适用于出口加工区货物的监管方式简称或代码。

一份报关单只允许填报一种贸易方式，否则应分单填报。

表 7-2 监管方式代码表

监管方式代码	监管方式简称	监管方式全称
0110*	一般贸易*	一般贸易
0130	易货贸易	易货贸易
0139	旅游购物商品	用于旅游者 5 万美元以下的出口小批量订货
0200	料件放弃	主动放弃交由海关处理的来料或进料加工料件
0214*	来料加工	来料加工装配贸易进口料件及加工出口货物
0245	来料料件内销	来料加工料件转内销
0255	来料深加工	来料深加工结转货物
0258	来料余料结转	来料加工余料结转
0265	来料料件复出	来料加工复运出境的原进口料件
0300	来料料件退换	来料加工料件退换
0314	加工专用油	加工专用油
0320	不作价设备	加工贸易外商提供的不作价进口设备
0345	来料成品减免	来料加工成品凭征免税证明转减免税

（续上表）

监管方式代码	监管方式简称	监管方式全称
0400	成品放弃	主动放弃交由海关处理的来料及进料加工成品
0420 *	加工贸易设备 *	加工贸易项下外商提供的进口设备
0444	保区进料成品	按成品征税的保税区进料加工成品转内销货物
0445	保区来料成品	按成品征税的保税区来料加工成品转内销货物
0446	加工设备内销	加工贸易免税进口设备转内销
0456	加工设备结转	加工贸易免税进口货物结转
0466	加工设备退运	加工贸易免税进口设备退运出境
0500	加工设备退运	用于监管年限内减免税设备的结转
0513	减免设备结转	补偿贸易
0544	补偿贸易	按料件征税的保税区进料加工成品转内销货物
0545	保区进料料件	按料件征税的保税区来料加工成品转内销货物
0615 *	进料加工 *	进料加工
0642	进料以产顶进	进料加工成品以产顶进
0644	进料料件内销	进料加工料件转内销
0654	进料深加工	近料深加工结转货物
0657	进料余料结转	近料加工余料结转
0664	进料料件复出	进料加工复运出境的原进口料件
0700	进料料件退换	进料加工料件退换
0744	进料成品减免	进料加工成品凭征免税证明转减免税
0815	低值辅料	低值辅料
0844	进料边角料内销	进料加工项下边角料转内销
0845	来料边角料内销	来料加工项下边角料转内销
0864	进料边角料复出	进料加工项下边角料复出口
0865	来料边角料复出	来料加工项下边角料复出口
1139	国轮油物料	中国籍运输工具境内添加的保税油料、物料
1200	保税间货物	保税区间及保税仓库间货物的转关
1215	保税工厂	保税工厂
1233	保税区仓库货物	保税仓库进出境货物
1234	保税区仓储转口	保税区进出境仓储转口货物
1300	修理物品	进出境修理物品
1427	出料加工	出料加工
1500	租赁不满 1 年	租期不满 1 年的租赁贸易货物
1523	租赁贸易	租期在 1 年及以上的租赁贸易货物

（续上表）

监管方式代码	监管方式简称	监管方式全称
1616	寄售代销	寄售、代销贸易
1741	免税品	免税品
1831	外汇商品	免税外汇商品
2025*	出资合作设备*	合资合作企业作为投资进口的设备物品
2225*	外资设备物品*	外资企业作为投资进口的设备物品
2400	外航公务货	外国航空公司进口的公务货
2439	常驻机构共用	外国常驻机构进口的办公用品
2600	暂时进出口货物	暂时进出口货物
2700	展览品	进出境的展览品
2939	陈列样品	驻华商业机构不复运出口的货样广告
3010*	货样广告品A*	有经营权单位的进出口货样广告品
3039	货样广告品B	无经营权单位的进出口货样广告品
3100*	无代价抵偿进出口*	无代价抵偿进出口货物
3339	其他进出口免费	其他进出口免费提供的货物
3410	承包工程进口	对外承包工程进口物资
3422	对外承包出口	对外承包工程进口物资
3511	援助物资	国家和国际组织无偿援助的物资
3611	无偿军援	无偿军援
3612	捐赠物资	华侨、港澳台同胞、外籍华人捐赠的物资
3910	有权军事装备	直接军事装备（有经营权）
3939	无权军事装备	直接军事装备（无经营权）
4019	边境小额	边境小额贸易（边民互市贸易除外）
4039	对台小额	对台小额贸易
4200	驻外机构运回	我驻外机构运回的旧公用物品
4239	驻外机构购进	我驻外机构境外购买运回国的公务用品
4400	来料成品退换	来料加工成品退换
4500	直接退运	直接退运
4539	进口溢、误卸	进口溢卸、误卸货物
4561	退运货物	因质量不符、延误交货等原因退运的进出境货物
4600	进料成品退换	进料成品退换
5000	料件进出区	用于区内外非实际进出境货物
5015	区内加工货物	加工区内企业从境外进口料件及加工出口成品
5033	区内仓储货物	加工区内仓储企业从境外进口的货物

（续上表）

监管方式代码	监管方式简称	监管方式全称
5100	成品进出区	用于区内外非实际进出境货物
5200	区内边角调出	用于区内外非实际进出境货物
5300	设备进出区	用于区内外非实际进出境货物
5335	境外设备进区	加工区内企业从境外进口的设备物资
5361	区内设备退运	加工区内设备退运境外
6033	物流中心进出境货物	保税物流中心与境外之间进出仓储的货物
9639	海关处理货物	海关变卖处理的超期未报货物、走私违规货物
9700	后续补税	无原始报关单的后续补税
9739 *	其他贸易 *	其他贸易
9800	租赁征税	租赁期 1 年及以上的租赁贸易货物的租金
9839	留赠转卖物品	外交机构转售境内或国际活动留赠的特批货
9900	其他	其他

13. 征免性质

征免性质指海关对进出口货物实施征、减、免税管理的性质类别。

本栏目应按照海关核发的征免税证明中批注的征免性质填报或根据实际情况按海关规定的征免性质代码表选择填报相应的征免性质简称或代码。

一份报关单只允许填报一种征免性质，否则应分单填报。

加工贸易中，报关单本栏目应按照海关核发的登记手册中批注的征免性质填报相应的征免性质或代码。

特殊情况下，填报的具体要求如下：

（1）保税工厂经营的加工贸易，根据登记手册填报"进料加工"或"来料加工"。

（2）三资企业按内外销比例为加工内销产品而进口料件，填报"一般征税"或其他相应的征免性质。

（3）加工贸易转内销的货物，按实际情况填报。

（4）料件退运出口、成品退运进口货物填报"其他法定"。

（5）加工贸易结转货物本栏为空。

表 7 - 3　征免性质代码表

代码	征免性质简称	征免性质全称
101 *	一般征税 *	一般征税进出口货物
201	无偿援助	无偿援助进出口物资
299	其他法定	其他法定减免税进出口货物
301	特定区域	特定区域进出口自用物资及出口货物

（续上表）

代码	征免性质简称	征免性质全称
307	保税区	保税区进出自用物资
399	其他地区	其他执行特殊政策地区出口货物
401	科教用品	大专院校及科研机构进口科教用品
403	技术改造	企业技术改造进口货物
406	重大项目	国家重大项目进口货物
412	基础设施	通信、港口、铁路、公路、机场建设进口设备
413	残疾人	残疾人组织和企业进出口货物
417	远洋渔业	远洋渔业自补水产品
418	国产化	国家定点生产小轿车和摄录机企业进口散件
501*	加工设备*	加工贸易外商提供的不作价进口设备
502*	来料加工*	来料加工装配和补偿贸易进口料件及出口成品
503*	进料加工*	进料加工贸易进口料件及出口成品
506	边境小额	边境小额贸易进出口货物
601*	中外合资*	中外合资经营企业进出口货物
602*	中外合作*	中外合作经营企业进出口货物
603*	外资企业*	外商独资企业进出口货物
606	海上石油	勘探、开发海上石油进口货物
608	陆地石油	勘探、开发陆地石油进口货物
609	贷款项目	利用贷款进口货物
611	贷款中标	利用国际金融组织贷款和外国政府贷款项目中标进口机电设备
789*	鼓励项目*	国家鼓励发展的内外资项目进口设备
799	自有资金	外商投资额度外利用自有资金进口设备、备件、配件
801	救灾捐赠	救灾捐赠进口物资
898	国批减免	国务院特准减免税进出口货物
998	内部暂定	享受内部暂定税率进出口货物
999	例外减免	例外减免税进出口货物

14. 征税比例/结汇方式

征税比例仅用于"非对口合同进料加工"贸易方式下（代码"0715"）进口料、件的进口报关单，填报海关规定的实际应征税比率。例如，5%填报5，15%填报15。

出口报关单应填报结汇方式，即出口货物的发货人或其代理人收结外汇的方式。本栏目应按海关规定的结汇方式代码表选择填报相应的结汇方式名称或代码。

表7-4　结汇方式代码表

代码	结汇方式	缩写	英文名称
1	信汇	M/T	Mail Transfer
2	电汇	T/T	Telegraphic Transfer
3	票汇	D/D	Remittance by Banker's Demand Drall
4	付款交单	D/P	Documents against Payment
5	承兑交单	D/A	Documents against Acceptance
6	信用证	L/C	Letter of Credit
7	先出后结		
8	先结后出		
9	其他		

15. 许可证号

本栏目用于应申领进（出）口许可证的货物，此类货物必须填报商务部及其授权发证机关签发的进（出）口货物许可证的编号，不得为空。

一份报关单只允许填报一个许可证号，否则应分单填报。

16. 起运国（地区）/运抵国（地区）

起运国（地区）指进口货物起始发出的国家（地区）。

运抵国（地区）指出口货物直接运抵的国家（地区）。

对发生运输中转的货物，如中转地未发生任何商业性交易，则起运地、运抵地不变，如中转地发生商业性交易，则以中转地作为起运/运抵国（地区）填报。

本栏目应按海关规定的国别（地区）代码表选择填报相应的起运国（地区）或运抵国（地区）的中文名称或代码。

无实际进出口的，本栏目填报"中国"（代码"142"）。

表 7 - 5　主要国别（地区）代码表

国别代码	中文名（简称）	国别代码	中文名（简称）
110*	中国香港*	307	意大利
116*	日本*	331	瑞士
121	中国澳门	344	俄罗斯联邦
132	新加坡	501	加拿大
133*	韩国*	502*	美国*
142*	中国	601	澳大利亚
143*	台湾金马关税区*	609	新西兰
303*	英国*	701*	国（地）别不详*
304*	德国*	702	联合国及机构和国际组织
305	法国	999	中性包装原产国别

17. 装货港/指运港

装货港指进口货物境外起始发出港。

指运港指出口货物运往境外的最终目的港；最终目的港不可预知的，可按尽可能预知的目的港填报。

本栏目应根据实际情况按海关规定的港口航线代码表选择填报相应的港口中文名称或代码。

进口报关单装货港所属国家（地区）应与起运国（地区）一致，出口报关单指运港所属国家（地区）应与运抵国（地区）一致。

在运输中转地换装运输工具但未发生商业性交易的货物，运输单证上的装货港可以与起运地不一致。

无实际进出口的，本栏目为空。

18. 境内目的地/境内货源地

境内目的地指进口货物在国内的消费、使用地或最终运抵地。

境内货源地指出口货物在国内的产地或原始发货地。

本栏目应根据进口货物的收货单位、出口货物的生产厂家或发货单位所属国内地区，按海关规定的国内地区代码表选择填报相应的国内地区名称或代码。

19. 批准文号

（1）批准文号是指进口付汇核销单和出口收汇核销单编号。

（2）进口报关单本栏目暂空。

（3）出口报关单本栏目填报出口收汇核销单编号。

20. 成交方式

本栏目应根据实际成交价格条款按海关规定的成交方式代码表选择填报相应的成交方式代码。

无实际进出口的，进口填报 CIF 价，出口填报 FOB 价。

表 7 - 6　成交方式代码表

成交方式代码	成交方式名称	成交方式代码	成交方式名称
1*	CIF*	4	C & I
2*	CFR/C & F*	5	市场价
3*	FOB*	6	垫仓

21. 运费

本栏目用于成交价格中不包含运费的进口货物或成交价格中含有运费的出口货物，应填报该份报关单所含全部货物的国际运输费用。可按运费单价、总价或运费率三种方式之一填报，同时注明运费标记，并按海关规定的货币代码表选择填报相应的币种代码。

（1）运保费合并计算的，运保费填报在本栏目。

（2）运费标记"1"表示运费率，"2"表示每吨货物的运费单价，"3"表示运费总价。例如，5%的运费率填报为5；24美元的运费单价填报为502/24/2；7 000美元的运费总价填报为502/7 000/3。

表 7 - 7　常用币制代码表

币制代码	币制符号	币制名称	币制代码	币制符号	币制名称	币制代码	币制符号	币制名称
110*	HKD*	港币*	116*	JPY*	日元*	121	MOP	澳门元
142*	CNY*	人民币	300*	EUR*	欧元*	302	DKK	丹麦克朗
303*	GBP*	英镑*	326	NOK	挪威克朗	330	SEK	瑞典克朗
331	CHF	瑞士法郎	344	SUB	俄罗斯卢布	501	CAD	加拿大元
502*	USD*	美元	601	AUD	澳大利亚元	609	NZD	新西兰元

22. 保费

本栏目用于成交价格不包含保险费的进口货物或成交价格中含有保险费的出口货物，应填报该份报关单所含全部货物国际运输的保险费用。可按保险费总价或保险费率两种方式之一填报，同时注明保险费标记，并按海关规定的货币代码表选择填报相应的币种代码。

（1）运保费合并计算的，运保费填报在运费栏目中。

（2）保险费标记"1"表示保险费率，"3"表示保险费总价。例如，3‰的保险费率填报为0.3；10 000港元保险费总价填报为110/10 000/3。

23. 杂费

杂费指成交价格以外的、应计入完税价格或应从完税价格中扣除的费用，如手续费、佣金、回扣等。可按杂费总价或杂费率两种方式之一填报，同时注明杂费标记，并按海关规定的货币代码表选择填报相应的币种代码。

（1）应计入完税价格的杂费填报为正值或正率，应从完税价格中扣除的杂费填报为负值或负率。

（2）杂费标记"1"表示杂费率，"3"表示杂费总价。例如，应计入完税价格的1.5%的杂费率填报为1.5；应从完税价格中扣除的1%的回扣率填报为 -1；应计入完税价格的500英镑杂费总价填报为303/500/3。

24. 合同协议号

本栏目应填报进（出）口货物合同（协议）的全部字头和号码。

25. 件数

本栏目应填报有外包装的进（出）口货物的实际件数。

特殊情况下，填报要求如下：

（1）舱单件数为集装箱的，填报集装箱个数。

（2）舱单件数为托盘的，填报托盘数。

（3）本栏目不得填报为零，裸装货物填报为1。

26. 包装种类

本栏目应填报进（出）口货物的实际外包装种类，如集装箱（container）、托盘（pallets）、木箱（wooden cases）、纸箱（cartons）、铁桶（iron drums）、散装（bulk）等。

27. 毛重（千克）

毛重指货物及其包装材料的重量之和。

本栏目填报进（出）口货物实际毛重，计量单位为千克。不足1千克填报为"1"。

28. 净重（千克）

净重指货物的毛重减去外包装材料后的重量，即商品本身的实际重量。

本栏填报进（出）口货物的实际净重，计量单位为千克。不足1千克填报为"1"。

29. 集装箱号

集装箱号指装载货物进出境的集装箱两侧标示的全球唯一的编号。

本栏目填报装载进（出）口货物的集装箱编号，集装箱数量比照标准箱四舍五入填报整数，非集装箱货物填报为"0"。一票货物多集装箱装载的，填报其中之一，其余集装箱编号在备注栏填报或随附清单。

30. 随附单据

随附单据指随进（出）口货物报关单一并向海关递交的单证或文件。合同、发票、装箱单、许可证等必备的随附单证不在本栏目填报。

本栏目应按海关规定的监管证件代码表选择填报相应证件的代码，并填报每种证件的编号（编号打印在备注栏下半部分）。

表 7 - 8 监管证件代码表

代码	监管证件名称	代码	监管证件名称
1*	进口许可证	3	敏感物项出口许可证
4*	出口许可证	5*	纺织品出口自动许可证
6	旧机电禁止进口	7*	自动进口许可证
9	禁止进口商品	8	禁止出口商品
A*	入境货物通关单	B*	处境货物通关单
D	出/入境货物通关单	E*	濒危物种出口允许证
F*	濒危物种进口允许证	1	精神药物进（出）口准许证
J	金产品出口证和人总行进口批准	O	自动进口许可证（新旧机电产品）
P*	进口废物批准证书	Q	进口药品通关单
S	进出口农药登记证明	T	银行调运外币现钞进出境许可证
W	麻醉药品进出口许可证	X	有毒化学品环境管理放行通知单
Y*	原产地证明	Z	进口音像制品批准单或节目提取单
A	请审查预算签章	S	适用 ITA 的商品用途认定证书
T*	关税配额证明	U	进口许可证（加工贸易、保税）
V	自动进口许可证（加工贸易）	x	出口许可证（加工贸易）
y	出口许可证（边境小额贸易）		

31. 用途/生产厂家

进口货物填报用途，应根据进口货物的实际用途按海关规定的用途代码表选择填报相应的用途名称或代码。

生产厂家指出口货物的境内生产企业。本栏目供必要时手工填写。

表 7 - 9 用途代码表

用途代码	用途名称	用途代码	用途名称
01	外贸自营内销	07	收保证金
02	特区内销	08	免费提供
03	其他内销	09	作价提供
04	企业自用	10	货样、广告品
05	加工返销	11	其他
06	借用	12	以产顶进

32. 标记唛码及备注

本栏目下部供打印随附单据栏中监管证件的编号，上部用于选报以下内容：

（1）受外商投资企业委托代理其进口投资设备、物品的外贸企业名称。

（2）一票货物多个集装箱的，在本栏目填报其余的集装箱号。

（3）一票货物多个提运单的，在本栏目填报其余的提运单号。

（4）标记的唛码等其他申报时必须说明的事项。

此外，凡申报采用协定税率的商品，必须在报关单本栏目填报原产地证明标记，具体填报方法为：

在"〈　〉"内以"协"字开头，依次填入该份报关单内企业提供原产地证明的申报商品项号，各商品项号之间以"，"隔开；如果商品项号是连续的，则填报"起始商品项号"+"－"+"终止商品项号"。

例如，某份报关单的第2、5、16项商品，企业能够提供原产地证明，则填报"〈协2，5，16〉"。

某份报关单的第4、9、10、11、12、17项商品，企业能够提供原产地证明，则填报"〈协4，9－12，17〉"。

33. 项号

本栏目分两行填报及打印。

第一行打印报关单中的商品排列序号。

第二行专用于加工贸易等已备案的货物，填报和打印该项货物在登记手册中的项号。

经海关批准实行加工贸易联网监管的企业，应在向海关申报货物进出口、结转报关单前，向海关申报"清单"。一份报关清单对应一份报关单，报关单商品项号由报关清单合并而得。

34. 商品编号

商品编号指按海关规定的商品分类编码规则确定的进（出）口货物的商品编号。

35. 商品名称、规格型号

本栏目分两行填报及打印。

第一行打印进（出）口货物规范的中文商品名称，第二行打印规格型号。必要时除加注中文商品名称及规格型号说明外，还要加注原文的名称或名称的关键说明部分。

具体填报要求如下：

（1）商品名称及规格型号应据实填报，并与所提供的商业发票相符。

（2）商品名称应当规范，规格型号应当足够详细，以能满足海关归类、审价以及监管的要求为准。禁止、限制进出口等实施特殊管制的商品，其名称必须与交验的批准证件上的商品名称相符。

（3）加工贸易等已备案的货物，本栏目填报录入的内容必须与备案登记中同项号下货物的名称与规格型号一致。

36. 数量及单位

数量及单位指进（出）口商品的实际成交数量及计量单位。本栏目分三行填报及打印。

具体填报要求如下：

（1）进出口货物必须按统计法定计量单位填报。海关统计法定第一计量单位及数量打印在本栏目第一行。

（2）凡海关统计列明第二计量单位的，必须报明该商品的第二计量单位及数量，打印在本栏目第二行。无统计第二计量单位的，本栏目第二行为空。

（3）成交计量单位与海关统计计量单位不一致时，还需填报成交计量单位及数量，打印在本栏目第三行，成交计量单位与海关统计法定计量单位一致时，本栏目第三行为空。

（4）加工贸易等已备案的货物，成交计量单位必须与备案登记中同项号下货物的计量单位一致，不相同时必须修改备案或转换一致后填报。

37. 原产国（地区）/最终目的国（地区）

原产国（地区）指进口货物的生产、开采或加工制造国家（地区）。

最终目的国（地区）指出口货物的最终实际消费、使用或进一步加工制造国家（地区）。

本栏目应按海关规定的国别（地区）代码表选择填报相应的国家（地区）名称或代码。

38. 单价

本栏目应填报同一项号下进（出）口货物实际成交的商品单位价格。

无实际成交价格的，本栏目填报货值。

39. 总价

本栏目应填报同一项号下进（出）口货物实际成交的商品总价。

无实际成交价格的，本栏目填报货值。

40. 币制

币制指进（出）口货物实际成交价格的币种。

本栏目应根据成交情况按海关规定的货币代码表选择填报相应的货币名称或代码，如货币代码表中无实际成交币种，须转换后填报。

41. 征免

征免指海关对进（出）口货物进行征税、减税、免税或特案处理的实际操作方式。

本栏目应按照海关核发的"征免税证明"或有关政策规定，对报关单所列每项商品选择填报海关规定的征免税方式代码表中相应的征减免税方式。

表 7 - 10　征免方式代码表

代码	征免方式名称	代码	征免方式名称	代码	征免方式名称
1	照章征税	4	特案	7	保函
2	折半征税	5	征免性质	8	折半补税
3	全免	6	保证金	9	全额退税

42. 税费征收情况

本栏目供海关批注进（出）口货物税费征收及减免的情况。

43. 录入员

本栏目用于预录入和 EDI 报关单，打印录入人员的姓名。

44. 录入单位

本栏目用于预录入和 EDI 报关单，打印录入单位名称。

45. 申报单位

本栏目在报关单左下方，是用于填报申报单位有关情况的总栏目。

申报单位是指对申报内容的真实性直接向海关负责的企业或单位。自理报关的，应填报进（出）口货物的经营单位名称及代码；委托代理报关的，应填报海关批准的专业或代理报关企业名称及代码。本栏目内应加盖申报单位有效印章。

本栏目还包括报关员姓名、单位地址、邮编和电话等分项目，由申报单位的报关员填报。

46. 填制日期

填制日期指报关单的填制日期，预录入和 EDI 报关单由计算机自动打印。

本栏目为 6 位数，顺序为年、月、日各占两位。

47. 海关审单批注栏

本栏目是供海关内部作业时签注的总栏目，由海关关员手工填写在预录入报关单上。其中"放行"栏填写海关对接受申报的进出口货物作出放行决定的日期。

四、进出口货物报关单填制的其他事项

（一）部分栏目填制的关系

1."贸易方式""征免性质""用途""征免"各栏目常见的对应关系

报关单上"贸易方式""征免性质""用途""征免"四个栏目，所反映的情况均与管理直接相关，其相互间对应关系如下：

表 7 - 11

贸易方式	征免性质	用途	征免	备案凭证首位
一般贸易	一般征税	外贸自营内销	照章征税	
	科教用品 鼓励项目（内资） 自有资金	其他内销 企业自用		
			全免	Z
来料加工	来料加工	加工返销	全免	B
进料加工	进料加工			C
进料非对口			征免性质	
低值辅料	进料加工	加工返销	全免	
合资合作设备	中外合资	企业自用	全免	Z
	中外合作			
	鼓励项目			
外资设备物品	外资企业	企业自用	全免	Z
	鼓励项目			
不作价设备	加工设备	企业自用	全免	D
加工贸易设备（作价）	一般征税	企业自用/作价提供	照章征税	
暂时进出货物	其他法定	收保证金/其他	保证金/保函	

2. "成交方式"和"运费""保险费"填报与否的对应关系

表 7 – 12

	成交方式	运费	保费
进口	CIF	不填	不填
	CFR	不填	填
	FOB	填	填
出口	FOB	不填	不填
	CFR	填	不填
	CIF	填	填

3. 经营单位与收发货单位的填报关系

表 7 – 13

进出口状况	经营单位	收发货单位	备注
外贸代理进出口	外贸流通企业	国内委托进出口单位	不包括外商投资企业委托进出口
外贸自营进出口	外贸流通企业	外贸流通企业	
外商投资企业自营进出口	外商投资企业	外商投资企业	
外商投资企业委托进出口	外商投资企业	外贸投资企业	实际经营单位应在备注栏说明
签约与执行合同分离	执行合同的外贸流通企业	执行合同的外贸流通企业或者委托进出的单位	如由外商投资个业委托进出口，经营单位仍应填外商投资企业
直接接受进出口	直接接受货物的国内单位	直接接受货物的国内单位	该批货物的进出口应经批准

4. 数量与计量单位的各种填报情况

表 7 – 14

计量单位采用	填制要求		
	第一行	第二行	第三行
成交与法定一致	法定计量单位及数量	空	空
成交与法定一致且有第二计量单位	法定第一计量单位及数量	法定第二计量单位及数量	空
成交与法定不一致	法定计量单位及数量	空	成交计量单位及数量
成交与法定不一致且有第二计量单位	法定第一计量单位及数量	法定第二计量单位及数量	成交计量单位及数量

（二）分单、分栏、分行填制要求

1. 分单填报

根据报关单填制规范，一般情况下，同一批进出口货物应填制一份进出口报关单，但同一批货物中有不同的备案号、贸易方式（监管方式）、运输工具名称、提运单号、征免性质、许可证号时应分单填报。对于外商投资企业进口料件加工成品存在内外销比例的，料件进口时也应分单填报。

一份原产地证书只能对应一份报关单。同一份报关单上的商品不能同时享受协定税率和减免税。在一票进口货物中，对于实行原产地证书联网管理的，如涉及多份原产地证书或含非原产地证书商品，亦应分单填报。

2. 分栏填报

反映进出口商品本身情况的项目中，须以不同项号分栏填报的情况：商品编号不同的；商品名称不同的；商品名称、商品编号相同，但规格型号和单价不同的；原产国（地区）不同的。

3. 分行填报

项号、商品名称、规格型号、数量及单位、标记唛码及备注等栏目在《报关单填制规范》中存在分行填报的要求。

样单 7 – 1　出口报关单之一

主页

中华人民共和国海关出口货物报关单　　出口退税专用

1

预录入编号：022021006						KD585048416	
出口口岸		备案号			出口日期		申报日期
蛇口海关　　5304					2005-04-02		2005-03-2
经营单位	运输方式		运输工具名称			提运单号	
广东省纺织品进出口广通贸易有限	江海运输		85000179151783			GDHP2503185	
发货单位	贸易方式			征免性质			结汇方式
广东省纺织品进出口广通贸易有限			一般贸易 0110	一般征税 （101）			电汇
许可证号	运抵国(地区)		指运港				境内货源地
	土耳其		伊斯坦布尔 （1518）				钦州 （45099）
批准文号	成交方式	运费 （137）					杂费
合同协议号	FOB						
件数		包装种类		毛重(千克)		净重(千克)	
435		纸箱		7565		6645	
随附单据						生产厂家	
标记唛码及备注							
厂家：浦北县龙门镇龙昌工艺编织厂							
随附单证号：442100205016541							
集装箱号：HLYU2223435　HLXIN170579							

项号 商品编号	商品名称、规格型号	数量及单位	最终目的国(地区)	单价	总价	币制	征免
1 4602102C （ 0 ）	草编	6645.000千克 0.000 435.000箱	土耳其 （137）	35.2890	15350.72 USD 照章征税 美元		
					用途：其他		

25352947C

税费征收情况

录入员	录入单位	兹声明以上申报无讹并承担法律责任	海关审单批注及放行日期(盖章)	
报关员			申单	审价
单位地址		申报单位(盖章) 广东中外运报关有限公司	征税	统计
邮编　　　电话		填制日期	查验	放行
出口退税专用				签发关员　胡珊 签发日期　2005 04 13

2234882

样单 7-2　出口报关单之二

中华人民共和国海关出口货物报关单　　出口退税专用

2-4

预录入编号：029304760		海关编号：520120050515 11638		
出口口岸 埔岩港办 5201	备案号	出口日期 2005-06-23	申报日期 2005-06-22	
经营单位 广东广南食品冷冻实业有限公司 400303751	运输方式 等惠路3097/03062100000	运输工具名称	提运单号 BWAP18942	
发货单位 广东广南食品冷冻实业有限公司 401913751	贸易方式 一般贸易 0110	征免性质 一般征税 (101)	结汇方式 他价	
批准文号	进口国(地区) 成文莱科亚	运费 (236)	拉格斯 保费 (1727)	境内货源地 广州越秀 (44019)
合同协议号 020910054	成交方式 FOB	包装种类 纸箱 850	毛重(千克) 5083	杂费 净重(千克) 4488
货运编号 084	随附单据			生产厂家
标记唛码及备注　N/A 1X20' 随附单证号：446100205069108

项号 商品编号	商品名称、规格型号	数量及单位	最终目的国(地区)	单价	总价	币制 征免
1. 19059000 (0)	奶盐克力架(220G*24)	4488.000千克 0.000 850.000箱	尼日利亚 (236)	4.9114	4174.69 USD 照章征税 美元 用途：其他

税费征收情况			

录入员	录入单位	兹声明以上申报无讹并承担法律责任	海关审单批注及放行日期(盖章)	
报关员			审单	审价
单位地址		申报单位(盖章) 报关专用章 广州市德帮报关有限公司	征税	统计
邮编　　　　电话 出口退税专用		填制日期	查验 放行 关员 陈明荣 日期 2000-07-01

4393709

样单 7 - 3　出口报关单之三

收汇核销联

中华人民共和国海关出口货物报关单

预录入编号：044514086　　　　　　　海关编号：350120060015785777

出口口岸 福清海关　3502	备案号	出口日期 2005-12-13	申报日期 2005-12-1
经营单位 4403064548 深圳市智熊羊贸易有限公司	运输方式 江海运输	运输工具名称 XIANGNING/2226	提运单号 8FUCLOS2A4232B*
发货单位 4403064548 深圳市智熊羊贸易有限公司	贸易方式 一般贸易 0110	征免性质 一般征税 (101)	结汇方式 电汇
许可证号	运抵国（地区）尼日利亚 (236)	指运港 拉格斯 (1727)	境内货源地 深圳特区 (44030)
批准文号 028070387	成交方式 FOB	运费	保费	杂费
合同协议号 JH1109	件数 100	包装种类 纸箱	毛重(千克) 2800	净重(千克) 2700
集装箱号 1	随附单据		生产厂家
标记唛码及备注　20拼委托书			

集装箱号：CCLU3440350

项号 商品编号	商品名称、规格型号	数量及单位	最终目的国（地区）	单价	总价	币制	征免
1.63039020010 (0)	蚊帐 (化纤制)	10000.000件 2700.000千克 10000.000件	尼日利亚 (236)	0.5000 用途：	5000.00	USD 美元	照章征税

税费征收情况

录入员	录入单位	兹声明以上申报无讹并承担法律责任	海关审单批注及放行日期（签章）	
报关员			审单	审价
单位地址		申报单位 福建顺通报关有限公司	征税	统计
邮编　　　　电话　　　　填制日期 出口收汇专用			查验	放行 签发关员 张少强 签发日期 2005-12-22

样单 7-4　进口报关单

中华人民共和国海关进口货物报关单

预录入编号：548566Q5478　　　　　海关编号：5878207

进口口岸 新凤罗冲(5102)	备案号	进口日期 97.02.15	申报日期 98.02.18
经营单位 广东纺织品进出口广通贸易有限公司 (4401913490)	运输方式 江海(2)	运输工具名称 JI CHANG/AL IHSA "A"	提运单号 JI98-1778
收货单位 广东纺织品进出口广通贸易有限公司	贸易方式 一般贸易	征免性质 一般征税	征税比例
许可证号	起运国(地区) 阿联酋	装运港 迪拜	境内目的地 广州
批准文号　2918306	成交方式 CIF	运费 502/1070.00/3	保费 502/15.51/3	杂费
合同协议号 C215-98-GD	件数 40	包装种类 箱	毛重(千克) 2400.00	净重(千克) 1200.00
集装箱号 MAEU6150015*1(2)	随附单据		用途 外贸自营内销	
标记唛码及备注	MAHALAJA DETRA ANAND 264553 DUBAI			

项号	商品编码	商品名称、规格型号	数量及单位	原产国(地区)	单价	总价	币制	征税
01	6104.6300	女装尼龙长裤 LADIES LYCRA LONG PANT	200打 600千克	阿联酋	23.00	4600.00	美元	照章征税
02	6104.6300	女装尼龙长裤 LADIES LYCRA LONG PANT	200打 600千克	阿联酋	24.00	4800.00	美元	照章征税

税费征收情况

录入员　　录入单位	兹声明以上申报无讹并承担法律责任	海关审单批注及放行日期(签章)	
报关员	申报单位(签章)	审单	审价
单位地址 广州小北路168号广东粤纺 大厦7楼	广东纺织品进出口广通贸易有限公司报关 专用章	征税	统计
邮编 510500　电话	填制日期 1998.02.18	查验	放行

第三节 其他报关单证的填制

一、保税区进出境货物备案清单的填制

1. 适用范围

保税区进出境货物备案清单适用于保税区从境外进口的货物，包括加工贸易料件、转口货物、仓储货物，保税区运往境外的出口货物；不包括保税区与国内非保税区之间进出口的货物，区内企业从境外进口自用的机器设备、管理设备、办公用品以及区内工作人员自用的应税物品。

2. 栏目填制规范

保税区进出境货物备案清单的填制格式、内容及填制要求与进出口货物报关单基本相同。

二、出口加工区进出境货物备案清单

1. 适用范围

出口加工区内企业向海关申报货物进出境、进出区，以及在同一出口加工区内或不同出口加工区之间结转货物的双方企业，应填制中华人民共和国海关出口加工区进出境货物备案清单。加工区与区外之间进出的货物，区外企业还应同时填制中华人民共和国海关出进口货物报关单，向出口加工区海关办理进出口报关手续。

2. 栏目填制规范

出口加工区进出境货物备案清单原则上按进出口货物报关单填制规范的要求填制，对部分栏目的特别说明如下：

（1）进口口岸/出口口岸。实际进出境货物，填报实际进出境的口岸海关名称及代码。出口加工区与区外之间进出货物，填报本出口加工区海关名称及代码。在出口加工区区内转让的货物，填报本出口加工区海关名称及代码。在不同出口加工区之间转让的货物，填报对方出口加工区海关名称及代码。

（2）备案号。出、入出口加工区的保税货物，应填报标记代码为"H"的电子账册备案号；出、入出口加工区的征免税货物、物品，应填报标记代码为"H"、第6位为"D"的电子账册备案号。

（3）实际进出境货物的运输方式。应根据实际运输方式按海关规定的运输方式代码表选择填报相应的运输方式。同一出口加工区内或不同出口加工区的企业之间相互结转（调拨）的货物，填报"9"；出口加工区与区外之间进出的货物，填报"Z"。

（4）运输工具名称。对不同加工区结转（调拨）的货物，应填报转入方关区代码（前两位）和进口货物报关单（备案清单）号，即"转入××（关区代码）×××××××××（报关单/备案清单号）"。

（5）贸易方式（监管方式）。除上述第一条规定的专用于出口加工区的海关监管方式外，出口加工区企业还可根据实际情况，选择填报下列各类不同性质的地区通用的海关监管方式：① 出口加工区企业料件退换进出境、进出区，或在区内企业间退换，填报"进料料件退换"（代码"0700"）；② 出口加工区企业成品退换进出境、进出区，或在区内企业间退换，填报"进料成品退换"（代码"4600"）；③ 出口加工区企业进境料件退运出境，填报"进料料件复出"（代码"0664"）；④ 出口加工区企业边角料退运出境，填报"进料边角料复出"（代码"0864"）；⑤ 无原始报关单的后续补税，填报"后续补税"（代码"9700"）；⑥出口加工区企业加工设备运出境外、区外维修及维修后运回，填报"修理物品"（代码"1300"）；⑦ 出口加工区企业产品运出区外展览及展览完毕运回区内，填报"展览品"（代码"2700"）；⑧出口加工区企业产品、设备运往区外测试、检验及复运回区内，加工区企业委托区外加工产品运出、运回加工区，填报"暂进出货物"（代码"2600"）。

三、过境货物报关单

1. 适用范围
从境外起运，通过中国境内陆路继续运往境外的货物，均适用过境货物报关单。
2. 栏目填制规范
（1）申报单位：填报受委托办理过境货物申报手续的经营单位全称。
（2）过境运输工具及编号：填报载运过境货物通过中国境外的运输工具名称及编号，如汽车的车牌号码、火车的车次。
（3）地址及电话：填报申报单位的固定办公地址及联络电话。
（4）装货单据号：填报过境货物的装货单据，如装载清单、载货清单的号码。
（5）进境口岸及日期：填报过境货物在中国的进境地点及进境日期。年、月、日均应填具。
（6）运单或提单号：填报依据运单或提单填具有关单据的号码。
（7）进境运输工具：填报载运过境货物进入中国境内的运输工具名称及编号。
（8）出境口岸：填报预定过境货物经海关放行，离开中国国境的地点。
（9）国际联运单据号：填报根据实际运输情况填具。
（10）出境日期：填报过境货物在中国的起运及离境的日期。年、月、日均应填具。
（11）进境地海关关封号：填报进境地海关编给的关封编号。
（12）出境运输工具及编号：填报运载过境货物离开中国国境的运输工具名称及编号，如汽车的车牌号码、火车的车次。
（13）标记及号码：填报过境货物的标记唛码。
（14）件数：填报同一商品编号的过境货物的件数。
（15）货名：填报过境货物的中文名称、规格、型号、品质、等级等。如货物或规格不止一种时，应逐项填具。
（16）商品编号：填报按《海关统计商品目录》的规定填具。
（17）重量：填报过境货物的毛重。

（18）单位（千克）：填报货物重量，一律以千克为计量单位。

（19）价格：填报单项货物的价格，要注明币制。

（20）封志号：填报给货物加施海关关封的封志号码。

（21）总数：填报本批过境货物的总件数、总重量、总值。

四、进出境快件报关单

根据《海关进出境快件监管办法》确定的分类标准，进出口快件分为以下四类：

（1）A 类快件：文件类快件，包括现行法规规定予以免税的无商业价值的文件、资料、单证、票据。

（2）B 类快件：现行法规规定予以免税的快件。

（3）C 类快件：超过现行法规规定的免税范围，但不超过 RMB 5 000 元的应税物品（禁止、限制进出口的物品除外）。

（4）D 类快件：上述三类以外的快件。

进出境快件报关单包括"出境快件 KJ1 报关单""进出境快件 KJ2 报关单""进出境快件 KJ3 报关单"，其适用范围为：

（1）"进出境快件 KJ1 报关单"适用于 A 类快件。

（2）"进出境快件 KJ2 报关单"适用于现行法规规定限值内予以免税的物品。

（3）"进出境快件 KJ3 报关单"适用于超过现行法规规定的免税范围，但不超过 RMB 5 000 元的应税物品（禁止、限制进出口的物品除外）。

（4）除上述三类以外的快件，按一般进出口货物报关的规定办理。

五、暂准进口单证册

由于我国目前只加入了展览品暂准进口使用的暂准进口单证册（ATA 单证册）的有关国际公约，因此，我国目前只接受属于展览品范围的 ATA 单证册。

六、进（出）口转关运输货物申报单

1. 适用范围

由进境地入境后，向海关申请转关运输，运往另一设关地点办理进口海关手续的货物，均适用此单向海关申报。

2. 栏目填制规范

（1）申报人：填报办理进口货物转关申报手续的收货人或其代理人的全称。

（2）电话：填报申报人的联络电话号码。

（3）许可证号：填报如属于应申领进口许可证的，应逐一填明许可证号码。

（4）收货人：填报转关运输货物的收货人全称。

（5）地址及邮政编码：填报收货人的固定的办公地址及邮政编码。

（6）联系人：填报专门负责办理本批货物的海关手续的经办人姓名。

（7）电话：填报收货人的联络电话。

（8）进境运输工具名称及航次（航班）：填报载运货物入境的运输工具名称。江海运输应填船名，陆路运输应填车牌号码（汽车）或车次（铁路运输）。

（9）境外起运港：填报货物在中国境外的起运地点名称。

（10）进境日期：填报载运货物的运输工具申报进境的日期。

（11）集装箱号：填报逐一填明装载货物的集装箱号码。

（12）规格：填报集装箱的外形尺寸，在此栏填明。如有不同规格，应分别列明。

（13）数量：填报运载本批货物的集装箱总数。

（14）提单号（分/总）：填报货物的进口提单号码。

（15）货物存放地点及编号：填报货物进境后的存放地点。按入境后的第一存放地填写。

（16）承运单位：填报负责经营货物转关运输的经营单位名称。

（17）司机代号：填报按海关编给的代号填写。

（18）电话：填报承运单位及司机的联络电话号码。

（19）境内运输工具：填报境内承运货物转关的运输工具名称。

（20）指运地：填报货物指定运达的地点。

（21）预计运抵指运地时间：填报按合理的直接路线计算所需的运输时间。

（22）商品编码：填报按《海关统计商品目录》的规定填写货物的商品编码。

（23）件数、包装式样：填报货物的总件数和包装式样。包装式样指袋、箱、捆、包、桶等。如有不止一种包装式样的，应分别填明。

（24）货名及规格：填报货物的中文名称和详细规格。如货物或规格不止一种时，应分别填明。

（25）数量：填报货物的数量和计量单位。如货物不止一种时，应分别填报。

（26）重量：填报货物的全部重量。

（27）成交价格：填报进口合同定明的货物成交价格和价格条款。如 CIF、CFR 或 FOB 等。

（28）承运人（签字盖章）：填报负责货物转关运输的承运单位全称并加盖公章。

（29）申报人（签字盖章）：填报办理进口货物申报手续的收货人或其代理人的全称并加盖公章。申报人或其代理人在此栏签字盖章。

表 7 - 15　全国海关通用业务单证目录（70 种）

序号	编号	名　　称
1	JG01	中华人民共和国海关进口货物报关单
2	JG02	中华人民共和国海关出口货物报关单
3	JG03	中华人民共和国海关进口货物报关单（进料加工专用）
4	JG04	中华人民共和国海关出口货物报关单（进料加工专用）
5	JG05	中华人民共和国海关进口货物报关单（来料加工补偿贸易专用）

（续上表）

序号	编号	名　称
6	JG06	中华人民共和国海关出口货物报关单（来料加工补偿贸易专用）
7	JG07	中华人民共和国海关出口货物报关单（出口退税专用）
8	JG08	中华人民共和国海关进口货物报关单（付汇证明联）
9	JG09	中华人民共和国海关出口货物报关单（收汇核销联）
10	JG10	中华人民共和国海关进口货物报关单（便捷通关担保验放专用）
11	JG11	中华人民共和国海关出口货物报关单（便捷通关担保验放专用）
12	JG12	中华人民共和国海关进出境快件 KJ1 报关单
13	JG13	中华人民共和国海关进出境快件 KJ2 报关单
14	JG14	中华人民共和国海关进出境快件 KJ3 报关单
15	JG15	中华人民共和国海关过境货物报关单
16	JG16	中华人民共和国海关货物进口证明书
17	JG17	中华人民共和国海关货物出口证明书
18	JG18	中华人民共和国海关监管车辆解除监管证明书
19	JG19	中华人民共和国海关进口转关运输货物申报单
20	JG20	中华人民共和国海关出口转关运输货物申报单
21	JG21	中华人民共和国海关保税区进境货物备案清单
22	JG22	中华人民共和国海关保税区出境货物备案清单
23	JG23	中华人民共和国海关进出境载货清单
24	JG24	内地海关与香港海关陆路进出境载货清单
25	JG25	承运海关监管货物境内运输车辆驾驶员注册登记申请表
26	JG26	承运海关监管货物境内运输车辆注册登记申请表
27	JG27	承运海关监管货物境内运输企业注册登记申请表
28	JG28	承运转关运输货物汽车申请表
29	JG29	承运转关运输货物船舶申请表
30	JG30	中华人民共和国海关承运转关运输货物企业注册登记证书
31	JG31	中华人民共和国海关境内汽车载运海关监管货物载货登记簿
32	JG32	中华人民共和国境内汽车运输企业载运海关监管货物注册登记证书
33	JG33	来往香港汽车驾驶人员专用手册
34	JG34	来往香港汽车进出境签证簿
35	JG35	来往澳门汽车进出境签证簿
36	JG36	保证函
37	JG37	海关监管货物（红封条）
38	JG38	中华人民共和国进出境旅客行李物品申报单（中文版）

（续上表）

序号	编号	名　称
39	JG39	中华人民共和国进出境旅客行李物品申报单（英文版）
40	JG40	中华人民共和国海关进出境办公用品申请表
41	JG41	中华人民共和国海关进出境自用物品申请表
42	JG42	中华人民共和国海关进出境自用物品申请表（附页）
43	JG43	中华人民共和国海关外国使领馆进出境公私用物品申报单
44	JG44	中华人民共和国海关外国使领馆进出境公私用物品申报单（附页）
45	JG45	中华人民共和国海关外国使领馆公私用物品转让申请书
46	JG46	中华人民共和国海关旅客行李、个人邮递物品进口税款缴纳证（手写）
47	JG47	中华人民共和国海关旅客行李、个人邮递物品进口税款缴纳证（电脑打印）
48	JG48	海关代保管物品凭单
49	JG49	运输工具服务人员出入境携带物品登记证
50	JG50	中华人民共和国海关进出境快件个人物品申报单
51	GS01	海关专用缴款书
52	GS02	海关专用缴款书（吨税）
53	GS03	收入退还书（海关专用）
54	GS04	进出口货物征免税证明
55	GS05	海关估价告知书
56	GS06	中华人民共和国船舶吨税执照
57	JM01	中华人民共和国海关加工贸易保税货物深加工结转申请表
58	JM02	中华人民共和国海关加工贸易保税工厂登记证书
59	JM03	银行保证金台账开设联系单
60	JM04	银行保证金台账变更联系单
61	JM05	银行保证金台账核销联系单
62	JM06	加工装配和中小型补偿贸易进出口货物登记手册
63	JM07	中华人民共和国海关进料加工登记手册
64	JM08	中华人民共和国海关对外商投资企业履行产品出口合同所需进口料件加工复出口登记手册
65	QG01	代理报关企业注册登记证明书
66	QG02	代理报关单位报关备案证明书
67	QG03	专业报关企业注册登记证明书
68	QG04	专业报关企业报关备案证明书
69	QG05	自理报关单位注册登记证明书
70	QG06	自理报关单位报关备案证明书

第八章
货物进出口业务

作为代表进出口企业向海关办理进出口货物报关业务的专业人员，报关员必须掌握货物进出口业务，了解进出口活动的各个环节及各环节的主要业务内容。

第一节　进出口合同的商定

一、交易洽商的方式

在国际货物买卖业务中，交易洽商的方式是多种多样的，包括函电、口头、拍卖、招标和投标、通过交易所买卖等。通过函电洽商交易的方式不受时间和地点的限制，方便易行，费用也较少，因此使用最多。

二、交易洽商的内容

（1）品质条件：包括规定品质的方法，如凭样品、凭规格、凭等级或标准、凭商标或牌号、凭产品说明书、凭产地名称买卖等。

（2）数量条件：包括如重量、数量、长度、面积、体积、容积的计量单位，计算重量的方法如毛重、净重、公量、理论重量、以毛作净，还包括规定溢短装条款等。

（3）包装条件：包括包装的种类、包装标志、中性包装、包装方式和运输标志的决定等。

（4）价格条件：包括对商品价格的洽商及对 13 种贸易术语（FOB、CFR、CIF、FCA、CPT、CIP、EXW、FAS、DAF、DES、DEQ、DDU、DDP）的选用及应注意的问题等。

（5）装运条件：包括运输方式、运输工具、装运时间、装运港（地）、目的港（地）、分批装运、转船运输、装船通知，以及运输单据的确定等。

（6）支付条件：包括支付金额、支付货币、支付票据、支付方式，如汇付、托收、信用证、银行保函、分期付款、延期付款、国际保理等。

（7）保险条件：包括由谁投保、保险险别、保险金额的确定、保险费的计算、保险单据等。

（8）商检条件：包括检验方式、检验时间地点、检验机构与商检证明、检验标准与检验方法的确定等。

（9）索赔条件：包括索赔的依据、索赔的期限、损害赔偿金额、罚金条款等。

（10）不可抗力条件：包括不可抗力事故的范围、不可抗力的法律后果、出具事故证明的机构、不可抗力的规定方法等。

（11）仲裁条件：包括仲裁地点、仲裁机构、仲裁程序、仲裁规则的确定等。

一般来说，前六项属于主要交易条件，一项发盘通常包含这六个方面的内容。后几项为一般交易条件，为了简化每笔交易洽商的内容，在实际业务中，常将这六项交易条件印成一份书面文件或印在合同中，经过双方协商同意后就成为双方交易的共同基础，而不必每次重复商谈。

三、交易洽商的程序

一笔交易的洽商，从开始联系到达成交易，一般要经过询盘、发盘、还盘、接受四个环节，其中发盘和接受是不可缺少的两个基本法律环节。

发盘＋接受＝交易达成

（一）询盘

询盘（Inquiry）也叫询价，是指买方或卖方为了购买或销售某项商品，而向对方提出关于交易条件的询问。可只询问价格，也可询问其他一项或几项交易条件直至要求对方发盘。询盘可由买方发出，也可由卖方发出。

询盘一般采用书面形式，如电传、传真、电报、书信、电子邮件，也可采用寄发询价单或订单的做法。对某些技术规格不太复杂，牌号或型号即能代表质量的商品，有时也采用口头形式，包括电话的形式。

（二）发盘

发盘（Offer），法律上称为要约，业务上叫发盘、发价、报盘或报价。交易的一方为了销售或购买一批商品，向对方提出有关的交易条件，并表示愿按这些条件达成交易，这种意思表示的行为称为发盘。

一项有效发盘的构成条件是：

（1）发盘应向一个或一个以上特定的人提出。

（2）发盘内容必须十分确定，即标明或规定货物名称、数量、价格三项基本要素。

（3）必须表明发盘人对其发盘一旦被受盘人接受即受约束的意思。

（三）还盘

还盘（Counter Offer）又称还价，在法律上称为反要约，是受盘人对发盘内容不完全同意而提出修改或变更的表示。还盘既是受盘人对发盘的拒绝，同时也是受盘人以发盘人的地位所提出的新发盘。

一笔交易有时不经过还盘即可达成，有时要经过还盘，甚至往返多次的还盘才能达成。

（四）接受

接受（Acceptance）在法律上称为承诺，是指受盘人在发盘规定的时限内，以声明或行为表示同意发盘提出的各项条件。在交易洽商中，一方发盘，另一方接受，合同即告成立，双方就应分别履行其所承担的合同义务。

一项法律上有效的接受，必须具备以下四个条件：

（1）接受必须由特定的受盘人作出。

（2）接受必须同意发盘所提出的交易条件。

（3）接受必须在发盘规定的时限内作出。

（4）接受的传递方式应符合发盘的要求。

实例：（1）我轻工家电进出口公司根据新加坡客户9月8日的询盘，作出下列发盘：9月10日去电："你8日电50台灯架（Lamp Holder）型号W1052/55873每台3 100美元CIF新加坡12月装即期不可撤销信用证限15日复到我方。"

（2）新加坡客户对我轻工家电进出口公司9月10日的发盘作出还盘：9月12日来电："你10日单价太高还盘3 000美元限14日复。"

（3）我轻工家电进出口公司对上述还盘的再还盘：9月14日去电："你12日电最低价3050美元限16日复到。"

（4）新加坡客户对我轻工家电进出口公司9月14日的再还盘（新发盘）作出接受：9月16日来电："你14日电接受50台灯架（Lamp Holder）型号W1052/55873每台3 050美元CIF新加坡12月装即期不可撤销信用证请告合同号码。"

分析：该项交易经过卖方发盘、买方还盘、卖方再还盘（构成另一项新的发盘）、买方接受几个环节最终达成。合同成立条件为"50台灯架（Lamp Holder）型号W1052/55873每台3 050美元CIF新加坡12月装即期不可撤销信用证"。

四、合同成立的有效条件

根据各国合同法规定，一项合同，除买卖双方就交易条件通过发盘和接受达成协议后，还需具备以下要件，才是一项有效的合同，才能得到法律上的保护。其包括：①合同当事人必须具有签约能力；②合同必须有对价或约因；③合同的内容必须合法；④合同必须符合法律规定的形式；⑤合同当事人的意思表示必须真实。

实例：国内 A 公司拟向国外 B 公司购进羊皮一批，11 月 15 日国内 A 公司收到国外 B 公司的发盘，有效期至 11 月 21 日。11 月 17 日国内 A 公司复电："如能把单价降低 4 美元，我公司可以接受。"B 公司没有回复。此时国内用货工厂催货心切，又鉴于该商品行市看涨，国内 A 公司随即于 11 月 19 日又去电表示同意对方 11 月 15 日发盘的各项条件，B 公司仍未回复。

分析：双方合同并未成立。因为国内 A 公司 11 月 17 日复电是还盘，致使 B 公司 11 月 15 日的发盘失效。A 公司 11 月 19 日去电构成一项新的发盘，只有在对方对此去电内容及时表示接受的情况下，双方合同才成立。而 B 公司对国内 A 公司 11 月 19 日去电内容并未表示接受，因此双方合同未成立。

五、合同的形式与内容

合同形式可以是书面形式、口头形式，也可以是行为表示，书面合同是合同的一种主要形式。书面形式包括合同书、信件以及数据电文，如电报、电传、传真、电子数据交换（EDI）和电子邮件等可以有形地表现所载内容的形式。

在我国进出口实际业务中，书面合同的形式包括合同（Contract）、确认书（Confirmation）、协议书（Agreement）和备忘录（Memorandum）等，主要使用合同和确认书两种形式。确认书是合同的简化形式，合同和确认书的法律效力是完全一样的。

合同范例：

售货合同
SALES CONTRACT

合同号：
Contract No. ：
日期：
Date：
签约地点：
Signed At：

卖方：	买方：
Sellers：	Buyers：
地址：	地址：
Address：	Address：
传真：	传真：
Fax：	Fax：

兹买卖双方同意成交下列商品并订立条款如下：
The undersigned Sellers and Buyers have agreed to close the following transactions according to the terms and conditions stipulated below：

1. 货物名称及规格：
Name of Commodity and Specification：

2. 数量：

Quantity：

3. 单价：

Unit Price：

4. 金额：

Amount：

5. 总值：

Total Value：

数量及总值均得有＿%的增减，由卖方决定。

With ＿% more or less both in amount and quantity allowed at the Seller's option.

6. 包装：

Packing：

7. 装运期限：收到可以转船及分批装运之信用证＿日内装出。

Time of Shipment：Within ＿days after receipt of L/C allowing transhipment and partial shipment.

8. 装运口岸：

Port of Loading：

9. 目的港：

Port of Destination：

10. 付款条件：开给我方100%不可撤销即期付款及可转让可分割之信用证，并须注明可在上述装运日期后15日内在中国议付有效。

Terms of Payment：□ By 100% confirmed, Irrevocable, Transferable and Divisible Letter of Credit to be available by sight draft and to remain valid for negotiation in China until the 15th day after the aforesaid Time of Shipment.

11. 保险：□ 按中国保险条款，保综合险及战争险（不包括罢工险）。

Insurance：□ Covering All Risks and War Risk only（excluding SRCC）as per the China Insurance Clauses.

　　　　　□ 由客户自理。

　　　　　□ To be effected by the Buyers.

12. 装船标记：

Shipping Mark：

13. 双方同意以装运港中国进出口商品检验局签发的品质和数量（重量）检验证书作为信用证项下议付所提出单据的一部分。买方有权对货物的品质和数量（重量）进行复验，复验费由买方负担。如发现品质或数量（重量）与合同不符，买方有权向卖方索赔。但须提供经卖方同意的公证机构出具之检验报告。

It is mutually agreed that the Inspection Certificate of Quality（Weight）issued by the China Import and Export Commodity Inspection Bureau at the port of shipment shall be part of the documents to be presented for negotiation under the relevant L/C. The Buyers shall have the right to reinspect the Quality and Quality（Weight）of the cargo. The reinspection fee shall be borne by the Buyers. Should the Quality and/or Quantity（Weight）be found not in conformity with that of the contract, the Buyers are entitled to lodge with the Sellers a claim which should be supported by survey reports issued by a recognized Surveyor approved by the Sellers.

14. 备注：

Remarks：

（1）买方须于＿年＿月＿日前开出本批交易的信用证（或通知售方进口许可证号码），否则，售方有权不经通知取消本确认书，或接受买方对本约未执行的全部或一部，或对因此遭受的损失提出索赔。

The Buyers shall have the covering Letter of Credit reach the Sellers (or notify the Import License Number) before _____, otherwise the Sellers reserve the right to rescind without further notice, or to accept whole or any part of this Sales Confirmation not fulfilled by the Buyers, or to lodge a claim for lossees this sustained of any.

（2）凡以 CIF 条件成交的业务，保额为发票的 110%，投保险别以本售货确认书中所开列的为限，买方要求增加保额或保险范围，应于装船前经售方同意，因此而增加的保险费由买方负责。

For transactions concluded on CIF basis it is understood that the insurance amount will be for 110% of the invoice value against the risks specified in the Sales Confirmation. If additional Insurance amount of coverage is required, the Buyers must have the consent of the Sellers before Shipment and the additional premium is to be borne by the Buyers.

（3）品质/数量异议：如买方提出索赔，凡属品质异议须于货到目的口岸之日起 3 个月内提出，凡属数量异议须于货到目的口岸之日起 15 日内提出，对所装运物所提任何异议属于保险公司、轮船公司及其他有关运输机构或邮递机构所负责者，售方不负任何责任。

QUALITY/QUANTITY DISCREPANCY：In case of quality discrepancy, claim should be filed by the Buyers within 3 months after the arrival of the goods at port of destination, while of quantity discrepancy, claim should be filed by the Buyers within 15 days after the arrival of the goods at port of destination. It is understood that the Sellers shall not be liable for any discrepancy of the goods shipped due to causes for which the Insurance Company, Shipping company, other transportation, organization/or Post Office are liable.

（4）本确认书所述全部或部分商品，如因人力不可抗拒的原因，以致不能履约或延迟交货，售方概不负责。

The Sellers shall not be held liable for failure or delay in delivery of the entire lot or a portion of the goods under this Sales Confirmation on consequence of any Force Majeure incidents.

（5）买方开给售方的信用证上请填注本确认书号码。

The Buyers are requested always to quote THE NUMBER OF THIS SALES CONFIRMATION in the Letter of Credit to be opened in favour of the Sellers.

（6）仲裁：凡因执行本合同或与本合同有关事项所发生的一切争执，应由双方通过友好的方式协商解决。如果不能取得协议时，则在被告国家根据被告仲裁机构的仲裁程序规则进行仲裁。仲裁决定是终局的，对双方具有同等约束力。仲裁费用除非仲裁机构另有决定外，均由败诉一方负担。

Arbitration：All disputes in connection with this Contract or the execution thereof shall be settled by negotiation between two parties. If no settlement can be reached, the case in dispute shall then be submitted for arbitration in the country of defendant in accordance with the arbitration regulations of the arbitration organization of the defendant country. The decision made by the arbitration organization shall be taken as final and binding upon both parties. The arbitration expenses shall be borne by the losing party unless otherwise awarded by the arbitration organization.

（7）买方收到本售货确认书后立即签回一份，如买方对本确认书有异议，应于收到后 5 日内提出，否则认为买方已同意本确认书所规定的各项条款。

The Buyers are requested to sign and return one copy of this Sales Confirmation immediately after receipt of the same. Objection, if any, should be raise by the Buyers within five days after the receipt of this Sales Confirmation, in the absence of which it is understood that the Buyers have accepted the terms and conditions of the Sales Confirmation.

卖方　　　　　　　　　　　　　　　　买方
THE SELLERS　　　　　　　　　　　　THE BUYERS

第二节　国际贸易术语

一、贸易术语的含义

贸易术语又称贸易条件、价格术语，是用一个简短的概念（如 Free on Board）或三个字母的缩写（如 FOB）来表示价格的构成和买卖双方在货物交接过程中有关手续、费用和风险的责任划分的专门用语。

采用不同的贸易术语意味着双方承担的责任不同，从而影响到商品定价的高低，所以贸易术语是进出口商品价格的一个重要组成部分。

二、有关贸易术语的国际贸易惯例

有关贸易术语的国际贸易惯例主要有三种：

1. 《1932 年华沙—牛津规则》

《1932 年华沙—牛津规则》是国际法协会专门为解释 CIF 合同而制定的。它对 CIF 的性质、买卖双方所承担的风险、责任和费用的划分以及所有权转移的方式等问题都作了比较详细的解释。

2. 《1941 年美国对外贸易定义修订本》

《1941 年美国对外贸易定义修订本》是由美国几个商业团体制定的。该定义对 Ex Point of Origin、FAS、FOB、C & F、CIF 和 Ex Dock 等六种贸易术语进行了解释。《1941 年美国对外贸易定义修订本》主要在北美国家采用。

3. 《2000 年国际贸易术语解释通则》

《国际贸易术语解释通则》是国际商会为统一各种贸易术语的不同解释最早于 1936 年制定的，随后经过多次修订。1999 年 9 月公布的《2000 年国际贸易术语解释通则》，简称《INCOTERMS 2000》（以下简称《2000 年通则》），于 2000 年 1 月 1 日起实施。

《2000 年通则》解释了 13 种贸易术语，并根据贸易术语的分类排列、国际电码、适用范围、买卖双方义务划分的标准和单证的运用等方面的需要，分成 E、F、C、D 四组，列表如下：

表 8 – 1　13 种贸易术语一览表

E 组 起运	EXW　Ex Works	工厂交货
F 组 主要运费 未付	FCA　Free Carrier FAS　Free Alongside Ship FOB　Free On Board	货交承运人 装运港船边交货 装运港船上交货
C 组 主要运费 已付	CFR　Cost and Freight CIF　Cost Insurance and Freight CPT　Carriage Paid To CIP　Carriage and Insurance Paid To	成本加运费 成本、保险费加运费 运费付至 运费保险费付至
D 组 到达	DAF　Delivered At Frontier DES　Delivered Ex Ship DEQ　Delivered Ex Quay DDU　Delivered Duty Unpaid DDP　Delivered Duty Paid	边境交货 目的港船上交货 目的港码头交货 未完税交货 完税后交货

三、六种主要贸易术语

在我国进出口业务中，经常使用的主要贸易术语为适用于水上运输（海洋、内河运输）的 FOB、CFR 和 CIF 三种。近年来，随着集装箱运输和国际多式联运业务的发展，采用适用于各种运输方式的 FCA、CPT 和 CIP 贸易术语也日渐增多。

（一）FOB

1. FOB 的含义

FOB 术语的全称是 Free On Board（…named port of shipment）船上交货（……指定装运港），原称"离岸价格"，含义不确切。按这一贸易术语成交，卖方要在合同规定的装运港和规定的期限内，将货物装上买方指派的船舶，完成其交货义务，并及时通知买方。

2. 买卖双方的基本义务

（1）卖方的责任、费用、风险。

责任：①取得出口许可证或其他官方证件，办理出口报关手续；②在装运港按规定的装运期，以港口惯常方式将货物装上买方指派的船舶，并通知买方；③提交有关货运单据或相等的电子数据交换（EDI）资料。

费用：①货物在装运港越过船舷前的一切费用；②出口报关费用和捐税。

风险：货物在装运港越过船舷前的风险。

（2）买方的责任、费用、风险。

责任：①取得进口许可证或其他官方证件，办理进口报关手续；②安排运输，订立从指定装运港到目的港的运输合同，并通知卖方；③接受货运单据，受领货物，支付货款。

费用：①货物在装运港越过船舷后的一切费用；②进口报关捐税。

风险：货物在装运港越过船舷后的风险。

（二）CFR

1. CFR 的含义

CFR 术语的全称是 Cost and Freight （… named port of destination） 成本加运费（……指定目的港）。CFR 与 FOB 相比，买卖双方的义务发生了一定的变化，即将货物从装运港至目的港的责任和费用改由卖方承担。卖方要负责租船订舱，支付到指定目的港的运费，包括装船费用以及定期班轮公司可能在订约时收取的卸货费用。但从装运港至目的港的货运保险仍由买方办理，保险费由买方负担。

2. 买卖双方的基本义务

（1）卖方的责任、费用、风险。

责任：①取得出口许可证或其他官方证件，办理出口报关手续；②订立运输合同，在装运港按规定的装运期，将货物装上船，并通知买方；③提交有关货运单据或相等的电子数据交换（EDI）资料。

费用：①货物在装运港越过船舷前的一切费用；②货物运至目的港的运费；③出口捐税。

风险：货物在装运港越过船舷前的风险。

（2）买方的责任、费用、风险。

责任：①取得进口许可证或其他官方证件，办理进口报关手续；②接受货运单据，受领货物，支付货款。

费用：①货物在装运港越过船舷后的一切费用；②进口报关捐税。

风险：货物在装运港越过船舷后的风险。

（三）CIF

1. CIF 的含义

CIF 术语的全称是 Cost Insurance and Freight （… named port of destination） 成本、保险费加运费（……指定目的港）。采用 CIF 术语成交时，卖方需要负责按通常条件租船订舱，支付到目的港的运费，并在规定的装运港和规定的期限内将货物装上船，装船后及时通知买方。卖方还要负责办理从装运港到目的港货运的保险，支付保险费。

2. CIF 与 CFR 的区别

CIF 与 CFR 的区别在于：CIF 术语要由卖方办理保险，支付保险费，并提交保险单；CFR 术语则由买方自行办理保险并自付保险费。

3. 象征性交货

CIF 是典型的象征性交货术语。所谓象征性交货，是针对实际交货而言的。前者指卖方只要按期在约定地点完成装运，并向买方提交合同规定的包括物权凭证在内的有关单证，就算完成了交货义务，而无须保证到货。实际交货是指卖方要在规定的时间和地点，将符合合同规定的货物提交给买方或其指定的人，不能以交单代替交货。

在象征性交货方式下，卖方是凭单交货，买方是凭单付款。可见，CIF 交易实际上是一种单据的买卖，装运单据在 CIF 交易中具有特别重要的意义。

实例： 国内某进出口公司向荷兰客户出口工艺品木框人物画一批，CIF 鹿特丹成交，向中国人民保险公司投保一切险，信用证方式付款。出口公司在规定的期限装船完毕，取得清洁已装船提单，并拟向议付行交单办理议付手续。此时，客户来电称，装货的海轮在海上失火，货物全部烧毁。

分析： 出口公司可以及时收回货款。首先 CIF 术语属于象征性交货，其特点是卖方凭单交货，买方凭单付款；其次在 CIF 条件下，卖方交货地点及买卖双方风险划分界限以货物在装运港装上船为限。本例中，卖方及时办理了装运手续，并取得货运单据，卖方已完成了交货义务，风险也已转移至买方，因此，只要出口公司提交的单据符合信用证的规定，即可以及时收回货款。在实际业务中如发生本例的情形，买方应及时与保险公司联系，凭取得的保险单及有关货损证明向保险公司索赔，以补偿货物损失。

从上面的解释可以看到，FOB、CFR、CIF 三种贸易术语就买卖双方来说，风险划分是一致的，主要区别是双方办理的手续和支付的费用不同，其主要异同点如表 8-2 所示：

表 8-2　FOB、CFR、CIF 三种术语的比较

贸易术语	风　险	手　续		费　用	
	何方承担货装上船后的风险	何方办理租船订舱	何方办理保险	何方支付到目的港的运费	何方支付保险费
FOB	买　方	买　方	买　方	买　方	买　方
CFR	买　方	卖　方	买　方	卖　方	买　方
CIF	买　方	卖　方	卖　方	卖　方	卖　方

（四）FCA

FCA 术语的全称是 Free Carrier（... named place）货交承运人（……指定地点），是指卖方必须在合同规定的期限内，在指定地点将合同规定的货物交给买方指定的承运人监管，并负担货物交由承运人监管之前的一切费用和货物灭失或损坏的风险。

FCA 术语的基本模式与 FOB 类似，其区别在于交货地点、风险转移界限的具体内容及适用运输方式不同。

（五）CPT

CPT 术语的全称是 Carriage Paid To（... named place of destination）运费付至（……指定目的地）。它是指卖方要自负费用订立货物运往目的地指定地点的运输契约，并负责按合同规定的时间将货物交给约定地点的承运人（多式联运情况下，则交给第一承运人）处置之下，即完成交货。

CPT 术语的基本模式与 CFR 类似，其区别在于交货地点、风险转移界限的具体内容及适用运输方式不同。

（六）CIP

1. CIP 的含义

CIP 术语的全称是 Carriage and Insurance Paid To（... named place of destination）运费保险费付至（……指定目的地）。CIP 也同样适用于包括多式联运在内的各种运输方式。按照 CIP 条件成交，卖方要负责订立运输契约并支付将货物运抵指定目的地的运费。此外，卖方还要投保货物运输险，支付保险费。卖方在合同规定的装运期内将货物交给承运人处置，即完成交货义务。交货后卖方要及时通知买方，风险也于交货时转移给买方。

2. CIP 与 CPT 的区别

CIP 与 CPT 的区别在于：CIP 由卖方办理保险，并支付保险费；CPT 则由买方办理保险。

CIP 术语的基本模式与 CIF 类似，其区别在于交货地点、风险转移界限的具体内容及适用运输方式不同。

四、其他七种贸易术语

（一）EXW

EXW 术语的全称是 Ex Work（... named place）工厂交货（……指定地点），是指卖方在其所在地指定地点的工厂，在合同规定的时间将货物交于买方，并承担将货物交于买方前的一切费用和风险。EXW 术语是 13 种贸易术语中卖方承担的风险、责任和费用最少的术语。这一术语适用于各种运输方式，包括多式联运。

（二）FAS

FAS 术语的全称是 Free Alongside Ship（... named port of shipment）船边交货（……指定装运港）。FAS 术语通常被称作装运港船边交货，在这一术语后面要加注装运港的名称。FAS 是指卖方在装运港将货物放置码头或驳船上靠船边，即完成了交货义务，并承担货物至船边前的费用和风险。FAS 术语适用于水上运输方式。

（三）DAF

DAF 术语的全称是 Delivered At Frontier（... named place）边境交货（……指定地点）。在 DAF 交货条件下，卖方的基本义务是，在规定时间将货物运到指定的交货地点，完成出口清关手续，并将货物置于买方的处置之下，即完成交货。DAF 主要适用于出口国与进口国之间有共同边界，而且采用公路或铁路运输货物的交易，但也可适用于其他运输方式。

（四）DES

DES 术语的全称是 Delivered Ex Ship（. . . named port of destination）船边交货（……指定目的港）。按 DES 贸易术语成交时，卖方要负责将合同规定的货物按照通常的路线运到指定的目的港，并在规定的期限内，在目的港船上将货物置于买方的处置之下，即完成了交货。风险在目的港船上交货时由卖方转移给买方。DES 术语仅适用于水上运输方式。

DES 与 CIF 有很大区别：DES 订立的是到货合同，CIF 订立的是装运合同。两者在交货地点、交货方式、费用负担、风险界限等方面均有所不同。实际上，我们通常把 CIF 称作"到岸价"是不确切的，DES 才是真正意义上的"到岸价"。

（五）DEQ

DEQ 术语的全称是 Delivered Ex Quay（Duty Paid）（. . . named port of destination）码头交货（关税已付）（……指定目的港）。按目的港码头交货条件成交时，卖方要负责将合同规定的货物按照通常航线和惯常方式运到指定的目的港，将货物卸到岸上，办理进口通关手续，并且承担有关费用。卖方在指定目的港的码头将货物置于买方的控制之下，才算完成交货。DEQ 术语仅适用于水上运输方式。

（六）DDU

DDU 术语的全称是 Delivered Duty Unpaid（. . . named place of destination）未完税交货（……指定目的地）。按 DDU 交货条件成交时，卖方要承担将货物运至目的地的风险和费用，不包括货物进口时所需支付的关税、捐税以及办理海关手续的费用。卖方在规定的期限内，在目的地指定地点将货物置于买方的处置之下，即完成交货。在 DDU 条件下，卖方要承担义务将货物运到进口国内的指定目的地，实际交给买方，才算完成交货义务。DDU 术语适用于各种运输方式。

（七）DDP

DDP 术语的全称是 Delivered Duty Paid（. . . named place of destination）完税后交货（……指定目的地）。在 DDP 交货条件下，卖方是在办理了进口手续后在指定目的地交货的，实际上是卖方已将货物运进了进口方的国内市场。DDP 术语适用于各种运输方式。DDP 术语是 13 种贸易术语中卖方承担的风险、责任和费用最多的术语，按 DDU 术语成交的价格是最高的。

第三节　进出口合同的交易条件

一、商品的品质、数量和包装

（一）商品的品质

1. 凭样品买卖

有些商品由于其本身的特点，难以用文字来说明品质，而使用样品来表示，即为凭样品买卖。例如，"样品号 734 布娃娃""Sample No. 734 Cloth Doll"。

无论是凭卖方样品还是凭买方样品达成的交易，合同一经成立，凭以成交的样品就成为履行合同时交接货物的品质依据，卖方承担交货的品质与样品一致的责任。如交货品质与样品不符，买方即有权提出索赔或拒收，这是凭样品买卖的基本特点。

实例：国内 A 公司凭买方样品向韩国 B 商社出口真丝夹克衫一批。合同规定在 7 月份装船，但需买方确认回样后方能发运，买方开来的信用证上也有同样的文句。我方多次试制回样，均未得到买方认可，因此不能如期装运。时至 8 月份买方以我方延迟交货为由向我方索赔。

分析：合同与信用证上都明确规定须待买方认可回样后才能装运，所以尽管买方开来信用证，但因信用证上有此限制装运条款，我方无法利用，故延迟装运的责任非我方单方所致，B 商社以此为由要求赔偿，我方应予以拒绝。在订立合同时，A 公司存在明显失误。当初在订立合同时，如将条款改为"回样认可后买方应立即开证"就无懈可击了。

2. 凭规格买卖

凭规格买卖是指用若干能反映商品内在素质和外观形态的指标，如成分、含量、纯度、大小、长短、粗细等表示商品品质。凭规格买卖明确具体、方便易行，在国际贸易中应用最广。例如，"大豆，含油量最低 25%；水分最高 10%；杂质最高 1%；不完善粒最高 6%"。

3. 凭等级买卖

商品的等级是指同一类商品，根据长期生产与贸易实践，按其品质的差异或重量、成分、外观、效能等的不同，用文字、数码或符号所作的分类。凭等级买卖商品，是可分等分级、标准化了的商品。凭等级买卖时，只需说明其级别，即可了解所要买卖商品的品质。例如，"中国绿茶特珍一级"。

4. 凭标准买卖

标准是指将商品的规格和等级予以标准化。商品的标准有的由国家或有关政府主管部门规定，也有的由同业公会、交易所或国际性的工商组织规定。有些商品习惯于凭标准买卖，人们往往使用某种标准作为说明和评定商品品质的依据。例如，我国出口的药品要符合《中华人民共和国药典》规定标准。

在国际贸易中，对于某些品质变化较大而难以规定统一标准的农副产品往往采用

"良好平均品质"（Fair Average Quality，简称 FAQ）这一术语来表示其品质。所谓"良好平均品质"是指一定时期内某地出口货物的平均品质水平，一般是指中等货而言，在我国习惯上叫"大路货"。例如，"2005 年中国产荔枝，FAQ（良好平均品质）"。

5. 凭品牌或商标买卖

在国际市场上行销已久，品质稳定、信誉良好并为买主所熟悉的产品，可凭牌号或商标进行交易（Sale by Brand or Trade Mark），因为这些商品的牌号或商标已能代表一定的品质。例如，"海尔牌空调机，型号 KFR34GW，220 伏，50 赫兹，带遥控"。

6. 凭说明书和图样买卖

有些商品如机械、仪表、电器等，不能简单地以几项指标来代表品质的全貌，而必须详细说明其构造、用材、性能以及使用方法。在对外交易这类商品时，就需凭说明书和图样来具体表示该商品的品质，称为凭说明书和图样买卖。

7. 凭产地名称买卖

有些产品，因产区的自然条件、传统加工工艺等因素的影响，在品质方面具有其他产区的产品所不具有的独特风格和特色，对于这类产品，一般也可用产地名称来表示其品质，即凭产地名称买卖。例如，"新疆哈密瓜""四川榨菜"。

上述各种表示品质的方法，一般是单独使用，但有时也可酌情结合使用。

（二）商品的数量

商品的数量是国际货物买卖合同中不可缺少的主要条件之一。按照某些国家的法律规定，卖方交货数量必须与合同规定相符，否则，买方有权提出索赔，甚至拒收货物。

1. 计量单位

在国际贸易中，通常采用公制、英制、美制、国际标准计算组织在公制基础上颁布的国际单位制。

进出口商品通常使用以下几种计量单位：①按重量计算，按重量计量是当今国际贸易中广为使用的一种；②按数量计算；③按长度计算；④按面积计算；⑤按体积计算；⑥按容积计算。

2. 计算重量的方法

国际贸易中按重量计量的商品有很多。根据一般商业习惯，通常计算重量的方法有下列几种：

（1）毛重（Gross Weight）。毛重是指商品本身的重量加包装物的重量。这种计重办法一般适用于低值商品。

（2）净重（Net Weight）。净重是指商品本身的重量，即除去包装物后的商品实际重量。净重是国际贸易中最常见的计重办法。

净重 = 毛重 - 皮重

（3）公量（Conditioned Weight）。公量常用于价值较高而水分含量不稳定的商品，如生丝、羊毛等。其公式为：

公量 = 商品干净重 + 商品干净重 × 标准回潮率

$$商品干净重 = \frac{商品的实际重量}{1 + 实际回潮率}$$

（4）理论重量（Theoretical Weight）。理论重量适用于有固定规格和固定体积的货物，如马口铁、钢板等，根据件数即可计算出其总重量。

（5）法定重量（Legal Weight）。法定重量是海关依法征收从量税时，作为征税基础的重量。法定重量是商品重量加上直接接触商品的包装物料重量。除去直接接触商品的包装物料所表示出来的重量，被称为实物净重。

3. 数量溢短装条款

在粮食、矿砂、化肥和食糖等大宗商品的交易中，由于受商品特性、货源变化、船舱容量、装载技术和包装等因素的影响，要求准确地按约定数量交货，有时存在一定困难。为了使交货数量具有一定范围内的灵活性和便于履行合同，买卖双方可在合同中合理规定数量机动幅度，即数量增减条款、溢短装条款。例如，"小麦，500 公吨，允许卖方交货时可多交或少交 5%，多交部分的价格按合同价格计"。

（三）商品的包装

包装条件也是合同中的一项主要条件。包装条件一般包括包装材料、包装方式、包装规格、包装标志和包装费用的负担等内容。例如，"500 箱一级香菇，木箱装，每箱装 10 聚乙烯袋，每袋净重 3 千克"。

按照某些国家的法律规定，如卖方交付的货物未按约定的条件包装，或者货物的包装与行业习惯不符，买方有权拒收货物。

根据包装在流通过程中所起作用的不同，可分为运输包装（即外包装）和销售包装（即内包装）两种类型。

1. 运输包装的标志

运输包装上的标志，按其用途可分为三种：

（1）运输标志。运输标志又称唛头，它通常是由一个简单的几何图形和一些字母、数字及简单的文字组成。

国际标准化组织制定了一项标准运输标志向各国推荐使用，该标准运输标志包括：①收货人或买方名称的英文缩写字母或简称；②参考号，如运单号、订单号或发票号；③目的地；④件号。例如：ABC

　　　　　　　GD 05 – 2256

　　　　　　　NEWYORK

　　　　　　　1/500

（2）指示性标志。指示性标志是指示人们在装卸、运输和保管过程中需要注意的事项，一般都是以简单、醒目的图形和文字在包装上标出，故有人称其为注意标志。

我国参照国际标准 ISO780 – 1985 规定了国家标准 GB191 – 90 "包装储运图示标志"，共有 12 种。

（3）警告性标志。警告性标志又称危险品包装标志。凡在运输包装内装有爆炸品、易燃物品、腐蚀物品、氧化剂和放射性物资等危险货物时，必须在运输包装上标明用于各种危险品的标志，以示警告，使装卸、运输和保管人员按货物特性采取相应的防护措施，以保证物资和人身的安全。

2. 销售包装上的条形码

商品包装上的条形码是由一组带有数字的黑白及粗细间隔不等的平行条纹所组成，它是利用光电扫描阅读设备为计算机输入数据的特殊的代码语言。目前，许多国家的超级市场都使用条形码技术进行自动扫描结算和销售管理，有的国家还规定，包装上没有条形码的商品不准进口。

国际上通用的条形码有两种：一种是 UPC 码，通用于北美地区；另一种是 EAN 码，由国际物品编码协会统一分配和管理。1991 年 4 月我国正式加入该协会，分配给我国的国别号为"690""691"和"692"。

3. 中性包装和定牌生产

中性包装是指既不标明生产国别、地名和厂商名称，也不标明商标或品牌的包装，也就是说，在出口商品包装的内外，都没有原产地和出口厂商的标记。采用中性包装，是为了打破某些国家和地区的关税和非关税壁垒以及适应交易的特殊需要，它是出口国家厂商加强对外竞销和扩大出口的一种手段。

定牌是指卖方按买方要求在其出售的商品或包装上标明买方指定的商标或牌号，这种做法叫定牌生产。许多国家的出口厂商，为了利用买主的经营能力及其商业信誉和品牌声誉，以提高商品售价和扩大销路，也愿意接受定牌生产。

二、商品的价格

（一）出口商品成本核算

成本核算是企业经营的必须手段，在国际贸易中准确进行成本核算是为了实现国际贸易效益最大化的目标。在我国出口贸易中经常会对出口总成本、出口退税收入、出口换汇成本和出口盈亏率进行成本核算。

成本核算的主要计算公式如下：

出口总成本 = 出口商品购进价（含增值税）+ 定额费用 − 出口退税收入

出口退税收入 = 出口商品进价（含增值税）÷（1 + 增值税率）× 退税率

出口盈亏额 = 出口销售人民币净收入 − 出口总成本

出口盈亏率是指加工后成品出口的外汇净收入与原料外汇成本的比率。出口盈亏率是指出口销售人民币净收入与出口总成本的差额，前者大于后者为赢利，反之为亏损。

$$出口盈亏率 = \frac{出口盈亏额}{出口总成本} \times 100\% = \frac{出口销售人民币净收入 - 出口总成本}{出口总成本} \times 100\%$$

出口换汇成本是用来反映出口商品盈亏的一项重要指标，它是指以某商品的出口总成本与出口所得的外汇净收入之比，得出用多少人民币换回一美元。出口换汇成本高于银行的外汇牌价，则出口为亏损；反之为赢利。

$$出口换汇成本 = \frac{出口总成本（人民币）}{出口销售外汇净收入（美元）}$$

（二）FOB、CFR、CIF 三种价格的构成

FOB 价 = 进货成本价 + 国内费用 + 净利润

CFR 价 = 进货成本价 + 国内费用 + 国外运费 + 净利润

CIF 价 = 进货成本价 + 国内费用 + 国外运费 + 国外保险费 + 净利润

（三）主要贸易术语的价格换算

（1）已知 FOB 价。

CFR 价 = FOB 价 + 国外运费

$$CIF 价 = \frac{FOB 价 + 国外运费}{1 - 投保加成 \times 保险费率}$$

（2）已知 CFR 价。

FOB 价 = CFR 价 - 国外运费

$$CIF 价 = \frac{CFR}{1 - 投保加成 \times 保险费率}$$

（3）已知 CIF 价。

FOB 价 = CIF 价 × （1 - 投保加成 × 保险费率）- 国外运费

CFR 价 = CIF 价 × （1 - 投保加成 × 保险费率）

实例： 某公司出口货物一批，对外报价为 480 美元/公吨 FOB 广州，现外商要求将价格改报 CIF 纽约。设该批货运费是 FOB 价的 3%，保险费为 FOB 价的 0.8%。该公司应报价多少？

　　解： 已知：CIF = FOB + 保险费 + 运费

　　　　则 CIF = 480 + 480 × 3% + 480 × 0.8% = 498.24（美元）

　　　　答：该公司应报价 498.24 美元/公吨 CIF 纽约。

（四）佣金和折扣

1. 佣金

佣金（Commission）是指中间商为介绍交易或代买代卖而收取的报酬。

佣金的计算公式如下：

单位货物佣金金额 = 含佣价 × 佣金率

净价 = 含佣价 - 单位货物佣金金额 = 含佣价 × （1 - 佣金率）

$$含佣价 = \frac{净价}{1 - 佣金率}$$

2. 折扣

折扣（Discount，Rebate）是指卖方按原价给予买方一定百分比的减让。佣金和折扣都与商品的价格有直接关系。佣金和折扣，如果运用得当，有助于灵活掌握价格。

折扣的计算公式如下：

单位货物折扣额 ＝ 原价（或含折扣价）×折扣率

卖方实际净收入 ＝ 原价（含折扣价）－折扣额

（五）合同中的价格条款

国际贸易合同中的价格条款一般包括两项内容，即单价和总值。单价由四个部分组成，即计量单位、单位价格金额、计价货币和价格术语。总值是单价和数量的乘积，即一批货物的总价。

例如，我某机械进出口公司向欧洲客户出口一批不锈钢铲头的单价规定为"8 000 件型号 S823/29007000 不锈钢铲头 USD9. 60/件 CIF Rotterdam（INCOTERMS 2000）"。

三、货物的交付

（一）国际货物的运输

1. 运输方式

在国际贸易中采用的运输方式很多，主要有海洋运输、铁路运输、航空运输、邮包运输和多式联运等。海洋运输一直以来是国际贸易货物运输中最主要的方式，约占货运总量的 60% 以上，近年来，航空运输发展迅速，目前约占货运总量的 20% 以上。

海洋运输根据营运方式可分为班轮运输和租船运输两大类。在海洋运输业务中，国际贸易的货物大多采用班轮运输。

2. 班轮运费的计算

班轮运费是班轮公司为运输货物而向货主收取的费用。在实际业务中，班轮公司均按班轮运价表的规定计收运费。班轮运费由基本运费和附加费两部分组成。

班轮运费的计算公式为：

班轮运费 ＝ 商品数量×计费标准×（1 ＋各种附加费率之和）

实例： 某公司拟出口一批商品，对外报价每公吨以毛作净 200 美元 FOB 青岛。外商要求按 CFR 旧金山报价。假设去旧金山装美国船，该船公司运价表上每运费吨是按短吨计算，这种商品每运费吨 50 美元，则该出口公司应在 FOB 价上加多少运费才较为合适？

分析： 如该公司按每公吨 CFR 旧金山 250 美元报价就不合适。因为每公吨的运费应为 1. 102 5 ×50 ＝ 55. 13 美元（1 公吨 ＝ 1. 102 5 短吨），所以该公司按每公吨 CFR 旧金山 255. 13 美元对外报价才合适。

3. 海运提单

提单（Bill of Lading，简称 B/L）是货物承运人（或其代理人）在收到货物后签发给托运人的一种票证，它体现了承运人和托运人、收货人之间的相互关系。提单的性质与作用，主要表现在以下三个方面：①它是承运人（或其代理人）签发给托运人的货物收据；②它是代表货物所有权的凭证；③它是承运人和托运人之间所订立的运输契约的证明。

提单可以从各种不同的角度加以分类：①按签发提单时货物是否装船来分，可分为已装船提单和备运提单；②按提单有无不良批注来分，可分为清洁提单和不清洁提单；③按提单收货人抬头来分，可分为记名提单、不记名提单和指示提单；④按运输方式来分，可分为直达提单、转船提单和联运提单；⑤提单还可有集装箱提单、舱面提单、过期提单、倒签提单、预借提单和多式联运提单等各种分类。

4. 装运条款的规定

在买卖合同中，涉及装运条款的内容，主要有装运期、装运港和目的港、分批装运和转船、装运通知以及装卸时间、装卸率和滞期费、速遣费等项内容。

例如，Shipment during July From Guangzhou to London. The Seller shall Advise the Buyer 30 days before the Month of the Time the Goods will be Ready for Shipment. Partial Shipment and Transshipment Allowed.

7 月份装运，由广州至伦敦。卖方应在装运月份前 30 日备妥货物将可供装船的时间通知买方。允许分批装运和转船。

（二）国际货物运输保险

1. 中国保险条款海运货物保险条款的险别

中国人民保险公司参照国际保险市场的一般习惯做法，并结合我国实际情况，制定了各种保险条款，总称为"中国保险条款"（China Insurance Clause，简称 CIC）。

（1）基本险别。

中国人民保险公司所规定的基本险别包括平安险（Free from Particular Average，简称FPA）、水渍险（With Particular Average，简称 WPA）和一切险（All Risks）三种。

就保险公司的承保范围而言，平安险最小，水渍险居中，一切险最大。

（2）附加险别。

附加险别包括一般附加险和特殊附加险。

一般附加险主要有 11 种，它们是偷窃险、提货不着险（TPND）、淡水雨淋险、短量险、混杂沾污险、渗漏险、碰损破碎险、串味险、受潮受热险、钩损险、包装破裂险、锈损险等。

特殊附加险主要有八种，它们是交货不着险、进口关税险、舱面险、拒收险、黄曲霉素险、战争险（War Risk）、罢工险、出口货物到香港（包括九龙在内）或澳门存仓火险责任扩展条款等。

2. 伦敦保险协会海运货物保险条款的险别

伦敦保险协会海运货物保险条款的英文简称为 ICC，该条款规定了六种保险险别：①协会货物保险（A），简称 ICC（A）；②协会货物保险（B），简称 ICC（B）；③协会货物保险（C），简称 ICC（C）；④协会战争险条款（货）；⑤协会罢工险条款（货物）；⑥恶意损害险。

ICC（A）相当于中国人民保险条款中的一切险，其责任范围最广。ICC（B）大体相当于水渍险，ICC（C）相当于平安险。在六种险别中，除恶意损害险别不能单独投保外，其余五种险别都可以单独投保。

3. 进出口货物保险的基本做法

（1）确定保险金额。保险金额是计算保险费的依据，也是发生损失后计算赔款的依据。按照国际保险市场的习惯，一般是按照货物发票的 CIF 或 CIP 价另加 10% 的预期利润作为保险金额。

（2）选择投保险别。一般来说，选择投保险别要考虑货物的性质、包装、用途、运输工具、运输路线和货物的残损规律等。如冷藏货物要保冷藏货物险；玻璃器皿要加保破碎险；陆、空、邮运货物要分别投保陆、空、邮包运输险等。

（3）填写投保单。确定保险金额和投保险别后，即可填写投保单。单上填明货物名称、保险金额、运输路线、运输工具、起运日期和投保险别等项。由于外贸出口业务量较大，为了节省手续，在征得保险公司同意后，有时可利用现成单据的副本如出口货物明细单、货物出运分析单或发票副本等来代替，仅在这些单据上加列一些必要的项目即可。

（4）交付保险费。保险费是根据保险金额和保险费率算出。现行中国人民保险公司的保险费率是按照不同商品、不同目的地、不同运输工具和不同险别分别制定的。

保险费的计算公式如下：

保险金额 = CIF（CIP）价 ×（1 + 投保加成率）（投保加成率一般为 10%）

保险费 = 保险金额 × 保险费率

（5）领取保险单。在国际贸易中，最常用的保险单据是保险单（又称大保单）和保险凭证（又称小保单），两种保单具有同等的法律效力。

（6）保险索赔。如被保险货物发生了保险公司承保责任范围内的风险损失，被保险人应及时备齐有关证明材料向保险公司索赔，获得补偿。

四、国际货款的收付

（一）支付工具

在现代国际结算中，主要使用票据。按照国际惯例和多数国家的法律，票据一般指汇票、本票和支票。在国际贸易结算中，以汇票为主，本票和支票次之。

汇票是一个人向另一个人签发的，要求见票时或在将来的固定时间，或可以确定的时间，对某人或其指定的人或持票人支付一定金额的无条件的书面支付命令。汇票不仅是一种支付命令，而且是一种可转让的流通证券。

（二）汇付

汇付是指付款人通过银行或其他途径主动将款项汇交收款人，即由买方按约定的时间和条件，通过银行将货款汇交给卖方，因此汇付的性质为商业信用。在国际贸易中，汇付的使用有局限性，通常多用于订金、运杂费用、佣金、小额货款或货款尾数的支付。

汇付主要有信汇（M/T）、电汇（T/T）和票汇（D/D）三种方式。

（三）托收

托收是指债权人（出口人）出具汇票委托银行向债务人（进口人）收取货款的一种支付方式。托收方式一般都通过银行办理，所以，又叫银行托收。

托收可根据所使用汇票的不同分为光票托收和跟单托收。在国际贸易中，货款的收取大多采用跟单托收。跟单托收根据交单条件的不同，分为付款交单（D/P）和承兑交单（D/A）。

在托收方式下，出口人能否收回货款，完全取决于进口人的信誉，所以，托收的性质为商业信用。由于托收方式属商业信用，存在着收不回货款的风险，尤其是托收方式中的承兑交单风险更大，故卖方对此方式的采用应持慎重态度。

（四）信用证付款

信用证（Letter of Credit，简称 L/C）简言之，是一种银行开立的有条件的承诺付款的书面文件。在信用证付款条件下，银行承担第一性付款责任，因此，信用证付款的性质属于银行信用。

1. 信用证的特点

（1）信用证是一种银行信用。开证行承担第一性付款责任，只要受益人提交的单据"单证一致、单单一致"，开证行就必须支付货款。

（2）信用证是一种自足文件。信用证虽以贸易合同为基础，但信用证一经开立就成为独立于合同以外的另一种契约。开证银行只根据信用证的有关规定办理信用证业务。

（3）信用证是一种单据买卖。信用证纯粹是单据业务，银行处理的只是单据，不问货物、服务或其他行为。

实例： 中方 A 公司与国外 B 公司达成一笔初级产品出口合同，信用证支付。信用证中规定"数量 6 000 公吨，1～6 月份分批装运，每月装 1 000 公吨"。卖方在 1～3 月份每月装 1 000 公吨，银行已分批凭单付款。第四批货物原定于 4 月 25 日装运出口，但由于装运港遭受台风袭击，无法如期装运，第四批货物延至 5 月 2 日才装船运出，提单签发日期为 5 月 2 日。A 公司备齐全套单据后即向银行议付，但遭银行拒付。后来 A 公司又以"不可抗力"为由要求银行付款，也遭银行拒绝。

分析： 银行两次拒付都是有理的。因为：①根据 UCP 500 规定，限量分批交货的信用证，如果其中任何一批交货未按时按量装运，则本批及以后各批信用证均告失效。本例中，第四批交货未按时，因而导致该批及以后各批交货的信用证均告失效。②信用证一经开立，即成为合同之外的独立文件，银行不受合同约束。根据 UCP 500 规定，银行不承认受益人因不可抗力而有改变信用证条款的权力。因此，本例的受益人引用不可抗力而要求银行付款，银行是不受其约束的。

2. 《跟单信用证统一惯例》

信用证付款方式在国际贸易中被广泛采用，国际商会为了减少因解释不同而引起的争端，拟订《跟单信用证统一惯例》。现行的《跟单信用证统一惯例》称为《国际商会第500号出版物》，于1994年1月正式实施。在我国出口业务中，国外来证绝大多数均列明"按《统一惯例》办理"字样。

五、商品的检验

商品检验是进出口货物交接过程中不可缺少的一个重要环节，它是指商品检验检疫机构对卖方拟交付或已进境的货物的品质、数量、重量、包装、卫生、安全、装运条件等进行检验和监督管理的工作。

1. 检验时间与地点

在当前的国际贸易中，广泛采用在出口国检验、进口国复验的规定方法。按此做法，装运地的商检机构检验货物出具的检验证明，作为卖方议付货款的凭证之一，但不是最后依据。货到目的港后，由双方约定的检验机构在规定的期限内复验货物，并出具复验证明。复验中若发现交货品质、数量或重量与合同规定不符而责任属于卖方时，买方可凭复验证明向卖方提出索赔。

2. 检验标准

商品检验的标准主要有生产国标准、进口国标准、国际通用标准以及买卖合同中双方约定的标准等。

目前，我国许多产品按国际标准生产和提供出口，并以此标准作为检验商品的依据。例如，国际标准化组织的"ISO9000《质量管理和质量保证》系列国际标准"国际羊毛局的"IWS"美国的"UL"和美国威尔科克斯公司的"B & W"等项标准。

六、贸易纠纷的预防和处理

（一）索赔

索赔是指遭受损害的一方在争议发生后，向违约方提出赔偿的要求。理赔是指违约方对受损方所提赔偿要求的受理与处理。

在进出口合同中，买卖双方通常规定贸易索赔条款。索赔条款通常有异议与索赔条款和罚金条款两种规定方法。异议与索赔条款通常对受损方的索赔权、索赔依据、索赔期限、索赔办法及索赔金额等作出规定。合同中罚金或违约金条款，一般适用于卖方延期交货或买方延期接货、拖延开立信用证、拖欠货款等情形。

（二）不可抗力

不可抗力，又称人力不可抗拒，是指买卖合同签订后，不是由于合同当事人的过失或疏忽，而是由于发生了合同当事人无法预见、无法预防、无法避免和无法控制的事件，以致不能履行或不能如期履行合同，发生意外事故的一方可以免除履行合同的责任或推迟履行合同。

（三）仲裁

国际贸易中解决争议的途径主要有友好协商、调解、仲裁和诉讼四种，仲裁是当前国际贸易中广泛采用的一种行之有效的解决争议的重要方式。

仲裁又称公断，是指买卖双方在争议发生前或发生后，签订书面协议，自愿将争议提交双方所同意的第三者予以裁决，以解决争议的一种方式。

第四节　进出口合同的履行

合同签订后，买卖双方都应受其约束，都要本着"重合同，守信用"的原则，切实履行合同规定的各项义务。根据《联合国国际货物销售合同公约》规定：卖方的基本义务是，按合同规定交付货物，移交与货物有关的各项单据和转移货物的所有权；买方的基本义务是，按合同规定支付货款和收取货物。

一、出口合同的履行程序

为了保证出口合同的顺利履行，各公司应做好以合同为中心的"四排"和"三平衡"工作。

"四排"是指以成交待运合同为对象，对每一份出口合同有关信用证是否开列、货源是否落实等情况进行分析排队，并归纳为四类，即有证有货、有证无货、无证有货和无证无货。通过"四排"可以发现合同履行过程中的薄弱环节和存在的问题，以及时解决问题。

"三平衡"是指以信用证为对象，根据信用证所规定的货物装船期和信用证的有效期的远近，并结合货源情况和运输能力，分别轻重缓急，力求做到证、货、船三方面的衔接和综合平衡。

在履行凭信用证付款的 CIF 出口合同时，一般包括备货、催证、审证、改证、租船订舱、报检、报关、投保、装运和制单结汇等环节。在这些环节中，以货（备货）、证（催证、审证和改证）、船（租船订舱）、款（制单结汇）四个环节最为重要。

（一）备货与报检

备货工作的内容，主要包括按合同和信用证的要求生产加工或仓储部门组织货源和催交货物，核实货物的加工、整理、包装和刷唛情况，对应交的货物进行验收和清点等。

凡按约定条件和国家规定必须法定检验的出口货物，在备妥货物后，应向中国进出口商品检验局申请检验，只有经检验出具商检局签发的检验合格证书，海关才放行，凡检验不合格的货物，一律不得出口。

（二）催证、审证和改证

在实际业务中，由于种种原因买方不能按时开证的情况时有发生，因此，我方应结合备货情况做好催证工作，及时提请对方按约定时间办理开证手续，以利于合同的履行。

为了维护我方的利益，确保收汇安全和合同的顺利履行，我方应对国外来证按合同进行认真的核对和审查。在审证过程中，如发现信用证内容与合同规定不符，应区别问题的性质，作出妥善的处理。一般地说，如发现我方不能接受的条款，应及时提请开证人修改。对信用证中可改可不改的，或经过适当努力可以办到而并不造成损失的，则可酌情处理。

（三）租船订舱、报关、投保和装运

1. 租船订舱

按 CIF 或 CFR 条件成交时，卖方应及时办理租船订舱工作，如为大宗货物，需要办理租船手续；如为一般杂货则需洽订舱位。

外贸公司洽订舱位需要填写托运单。船方根据托运单内容，并结合航线，船期和舱位情况，如认为可以承运，即在托运单上签章，留存一份，退回托运人一份，至此，订舱手续即告完成，运输合同即告成立。

船公司或其代理人在接受托运人的托运申请之后，即发给托运人装货单，凭以办理装船手续。装货单的作用：一是通知托运人已配妥××船舶、航次、装货日期，让其备货装船；二是便于托运人向海关办理出口申报手续；三是作为命令船长接受该批货物装船的通知。

货物装船以后，船长或大副则应该签发收货单，即以大副收据作为货物已装妥的临时收据。托运人凭此收据即可向船公司或其代理人交付运费并换取正式提单。

2. 报关

出口货物在装船出运之前，需向海关办理报关手续，出口货物办理报关时必须填写出口货物报关单，必要时还需要提供出口合同副本、发票、装箱单、重量单、商品检验证书，以及其他有关证件，海关查验有关单据后，即在装货单上盖章放行，凭以装船出口。

3. 投保

凡按 CIF 条件成交的出口合同，在货物装船前，卖方应及时向中国人民保险公司办理投保手续。保险公司接受投保后，即签发保险单或保险凭证。

（四）制单结汇

按信用证付款方式成交时，在出口货物装船发运之后，外贸公司应按照信用证的规定，及时备妥填制的各种单证，并在信用证规定的交单有效期内交银行办理议付和结汇手续。在制单过程中，必须切实做到"单证（信用证）相符"和"单单一致"，以便及时、安全收汇。

在办理议付结汇时，通常提交的单据有下列几种：

（1）汇票。汇票一般都是开具一式两份，只要其中一份付讫，则另一份即自动失效。

（2）发票。商业发票简称发票，是卖方开立的载有货物名称、数量、价格等内容的清单，是买卖双方凭以交接货物和结算货款的主要单证，也是办理进出口报关、纳税所不可缺少的单证之一。

在托收方式下，发票内容应按合同规定并结合实际装货情况填制；在信用证付款方式下，发票内容应与信用证的各项规定和要求相符。

（3）海关发票。在国际贸易中，有些进口国家要求国外出口商按进口国海关规定的格式填写海关发票，以作为估价完税，或征收差别待遇关税，或征收反倾销税的依据。此外也可供编制统计资料之用。

（4）领事发票。有些进口国家要求国外出口商必须向该国海关提供该国领事签证的发票，其作用与海关发票基本相似。

（5）厂商发票。厂商发票是出口厂商所出具的、以本国货币计算价格、用来证明出口国国内市场的出厂价格的发票，其作用是供进口国海关估价、核税以及征收反倾销税之用。

（6）提单。提单是各种单据中最重要的单据，它是确定承运人和托运人双方权利与义务、责任与豁免的依据。

（7）保险单。按 CIF 条件成交时，出口商应代为投保并提供保险单。保险单的内容应与有关单证的内容衔接。

（8）产地证明书。有些国家要求出口商提供产地证明书，以便确定以进口货物应征收的税率。产地证明书一般由出口地的公证行或工商团体签发。在我国，通常由中国进出口商品检验局或中国贸促会签发。

（9）普惠制单据。新西兰、日本、加拿大和欧盟等 20 多个国家给我国以普惠制待遇，凡向这些国家出口的货物须提供普惠制单据，作为对方国家海关减免关税的依据。对各种普惠制单据内容的填写，应符合各个项目的要求，不能填错，否则就有可能丧失享受普惠制待遇的机会。

（10）检验证书。检验证书包括品质检验证书、重量检验证书、数量检验证书、兽医检验证书、卫生检验证书、价值检验证书和残损检验证书等。提供何种检验证书，应事先在检验条款中作出明确规定。

（11）装箱单和重量单。装箱单又称花色码单，它列明每批货物的逐件花色搭配；重量单则列明每件货物的净重和毛重，这两种单据可用来补充商业发票内容的不足，便于进口国海关检验和核对货物。

需要特别强调指出的是，在信用证付款条件下，实行的是单据和货款对流的原则，单证不相符，单单不一致，银行和进口商就可能拒收单据和拒付货款。因此，填制结汇单据时，要求做到"正确、完整、及时、简明、整洁"。

实例：国内 A 公司向巴基斯坦 B 公司以 CIF 条件出口货物一批。国外来证中单据条款规定："商业发票一式两份；全套清洁已装船提单，注明'运费预付'，做成指示抬头空白背书；保险单一式两份，根据中国人民保险公司 1981 年 1 月 1 日海洋运输货物保险条款投保一切险和战争险。"信用证内并注明"按 UCP500 办理"。A 公司在信用证规定的装运期限内将货物装上船，并于到期日前向议付行交单议付。开证行收到单据后来电表示拒绝付款，其理由是单证有下列不符：①商业发票上没有受益人的签字；②正本提单由一份组成，不符合全套要求；③保险单上的保险金额与发票金额相等，因此投保金额不足。试分析开证行单证不符的理由是否成立。

分析：①不成立。UCP500 规定，除非信用证另有规定，商业发票无须签字。因此，商业发票上没有受益人签字，应认为单证相符。

②不成立。UCP500 规定，全套正本提单可以由一份或一份以上正本提单。因此，本证下正本提单是一份组成，应属单证相符。

③成立。UCP500 规定，信用证未规定保险金额，则最低保险金额应为 CIF 或 CIP 金额加 10%。本案保险金额与发票金额相等。因此，投保金额不足，构成单证不符。

二、进口合同的履行程序

我国进口货物，大多数是按 FOB 条件并采用信用证付款方式成交，按此条件签订的进口合同，其履行的一般程序包括开立信用证、租船订舱、接运货物、办理货运保险、审单付款、报关提货、验收与拨交货物和办理索赔等。

1. 开立信用证

签订进口合同后，买方应按合同规定办理开证手续。向银行办理开证手续时，必须按合同内容填写开证申请书，银行则按开证申请书内容开立信用证。

2. 租船订舱

按 FOB 条件签订进口合同时，买方应负责租船订舱或委托代理办理租船订舱手续。当办妥租船订舱手续后，应及时将船名及船期通知卖方，以便卖方备货装船，避免出现船等货的情况。

3. 接运货物

买方备妥船后，应做好催装工作，随时掌握卖方备货情况和船舶动态，催促卖方按时装船，以利于接运工作的顺利进行。

4. 办理货运保险

凡由我方办理保险的进口货物，当接到卖方的装运通知后，应及时将船名、提单号、开航日期、装运港、目的港以及货物的名称和数量等内容通知中国人民保险公司，即办妥投保手续，保险公司即按预约保险合同的规定对货物负自动承保的责任。

5. 审单付款

如经银行配合审单发现单证不符或单单不符，应视情况分别进行处理。如拒付货款；相符部分付款，不符部分拒付；货到检验合格后再付款；凭卖方或议付行出具担保付款，在付款的同时提出保留索赔权等。

6. 报关提货

买方付款赎单后，一俟货物运抵目的港，即应及时向海关办理申报手续。经海关查验有关单据、证件和货物，并在提单上签章放行后，即可凭以提货。

7. 验收与拨交货物

凡属进口的货物，都应认真验收。对于法定检验的进口货物，必须向卸货地或到达地的商检机构报验，未经检验的货物不准销售和使用。

货物进口后，应及时向用货单位办理拨交手续，货物拨交后应与用货单位进行结算。

8. 办理索赔

在履行进口合同过程中，往往因卖方未按期交货或货到后发现品质、数量和包装等方面有问题，致使买方遭受损失，需向有关方面提出索赔。

实例： 一笔以 CIF 成交 1 000 箱某货物的交易，即期信用证付款，货物装运后，卖方凭已装船清洁提单和已投保一切险及战争险的保险单，向银行收妥货款。货到目的港后经进口人复验发现下列情况：①该批货物共有 10 个批号，抽查 20 箱，发现其中 2 个批号涉及 200 箱内某细菌含量超过进口国的标准；②收货人只实收 997 箱，短少 3 箱；③有 12 箱货物外表情况良好，但箱内货物共短少 50 千克。试分析以上情况，进口人应分别向谁索赔。

分析： 第①种情况应向卖方索赔，因属原装货物有内在缺陷；第②种情况应向承运人索赔，因承运人签发的是清洁提单，则在目的港应如数交足；第③种情况可以向保险公司索赔，因属保险单责任范围内，但如进口人能举证原装数量不足，也可向卖方索赔。

第九章
报关有关法律法规简介

海关监管和执法的依据是《海关法》和其他有关法律、行政法规。《海关法》是管理海关事务的基本法律规范。其他有关法律是指全国人民代表大会或者全国人民代表大会常务委员会制定的与海关监督管理相关的法律规范，主要包括《宪法》基本法律如《刑法》《刑事诉讼法》《行政复议法》《行政处罚法》和其他行政管理法律如《对外贸易法》《商品检验法》等。行政法规是指由国务院制定的法律规范，包括专门用于海关执法的行政法规和其他与海关管理相关的行政法规。在报关活动中，报关单位和报关员必须自觉自律地遵守这些法律和法规，做到依法报关、守法经营，以提高通关效率和经营效益。

第一节　《中华人民共和国海关法》简介

1951 年 4 月 18 日，中央人民政府制定了中国历史上第一个海关基本大法——《中华人民共和国暂行海关法》。经过数次的组织修订，1987 年 1 月 22 日，第六届全国人大常委会第十九次会议批准通过了《中华人民共和国海关法》（以下简称《海关法》），该法于同年 7 月 1 日正式实施。随着改革开放的深化和社会主义现代化建设的进一步发展，我国政治、经济形势和对外经济关系发生了重大变化，为了适应新的发展需要，2000 年 7 月 8 日，第九届全国人大常委会第十六次会议修改并重新颁布了《海关法》，修改后的海关法条文由原先的六十一条增至一百零二条，在增加一批新的条文的同时，也对原有的条文作了许多重要的修改。新修订的《海关法》于 2001 年 1 月 1 日起实施。

《海关法》共有九章：第一章为总则；第二章为进出境运输工具；第三章为进出境货物；第四章为进出境物品；第五章为关税；第六章为海关事务担保；第七章为执法监督；第八章为法律责任；第九章为附则。

一、海关总论

《海关法》第一章对海关法的立法目的和立法指导原则、海关的基本性质和基本职能、海关的体制、海关的设置、海关执法的独立性、海关可以行使的权力、进出境地点、进出口货物和进出境物品的报关资格、代理办理报关手续的委托人与报关企业之间的法律关系、报关企业、报关人员的资格和行为等作出规定。

（一）海关的基本性质和基本职能

《海关法》第二条对海关的基本性质、基本职能作出了规定："中华人民共和国海关是国家的进出关境（以下简称进出境）监督管理机关。海关依照本法和其他有关法律、行政法规，监管进出境的运输工具、货物、行李物品、邮递物品和其他物品（以下简称进出境运输工具、货物、物品），征收关税和其他税、费，查缉走私，并编制海关统计和办理其他海关业务。"

这是《海关法》中很重要的一个条文，从内容上分为两个部分：

第一部分，是对海关的基本性质作出法律上的界定，同时根据海关的性质表明了海关的法律地位。主要内容有以下几点：①国家设立海关，海关是国家的进出关境监督管理机关，表明海关是代表国家依法行使主权的机关；②海关作为国家机关是以监督管理进出境为己任的，这就明确地界定了海关的基本特点，也就是与其他机关的不同之处；③海关是行政管理机关，也可以说是国家行政机关，由于其行政执法职能明显，所以又称之为行政执法机关。海关监督管理还有一个特点，就是这种监督管理是对其他进出口行政管理的再管理，是对其他行政管理的最后审查管理。

第二部分，即本条对海关的基本职能作出规定，并且是先对海关基本职能的实施所凭借的法律依据作出了界定，就是海关依照海关法和其他有关法律、行政法规来行使其职能。

海关的基本职能有以下各项：

（1）监管进出境的运输工具、货物、行李物品、邮递物品和其他物品。这里所指的进出境运输工具，是指用以载运人员、货物、物品进出境的各种船舶、车辆、航空器和驮畜。货物是指贸易性的，而物品则是指非贸易性的，它们在进出境时是海关监管的对象。

（2）征收关税和其他税、费。关税是对进出境货物、物品所征收的税，征税主体是海关，征收关税是海关的基本职能之一。海关可以依法在进出口环节代征税款，以及依法收取费用。

（3）查缉走私。这是海关的基本职能之一，也是海关非常重要的职能。走私是逃避海关监管，进行非法的进出境活动，偷逃关税，非法牟取暴利，扰乱破坏社会经济秩序，严重危害国家主权和国家利益的违法犯罪行为。因此，必须坚决打击走私活动，查处走私案件，缉拿走私犯罪人员，惩罚走私行为。

（4）编制海关统计表。这又称海关统计，是国家进出口货物的贸易统计，由海关负责。

（5）办理其他海关业务。这在法律上为海关可能发挥的作用留下了空间，也表明海关的职能是会增添一些新的内容的。

（二）进出境地点的规定

为了保证海关对进出境实行有效的监督管理，《海关法》第八条规定："进出境运输工具、货物、物品，必须通过设立海关的地点进境或者出境。在特殊情况下，需要经过未设立海关的地点临时进境或者出境的，必须经国务院或者国务院授权的机关批准，并依照本法规定办理海关手续。"

无论是采用水上运输工具、陆路运输工具，还是实行空中运输，以及运用这些运输工具载运的货物、物品，都必须在设立海关的地点进出境，接受海关的监管，这是法律所规定的、有强制力的、普遍执行的规定。只有这样才能保证将进出境的运输工具、货物、物品纳入海关实际监管的轨道。所以，进出境的运输工具、货物、物品不得自行决定在设关地点以外的地方进境或者出境，更不允许绕开设立海关的地点进境或者出境，逃避或者违抗海关的监管。实际上，规定进境或者出境的运输工具、货物、物品在设立海关的地点进出境，这体现国家的主权，是海关代表国家行使主权的需要，也维护了国家的利益，严格限制了对国家利益造成危害的行为和可能性。

（三）进出口货物、进出境物品的报关资格

《海关法》第九条对进出口货物、进出境物品的报关资格作出了规定："进出口货物，除另有规定的外，可以由进出口货物收发货人自行办理报关纳税手续，也可以由进出口货物收发货人委托海关准予注册登记的报关企业办理报关纳税手续。进出境物品的所有人可以自行办理报关纳税手续，也可以委托他人办理报关纳税手续。"

在海关监管中，报关是指进出境运输工具负责人、进出口货物收发货人或者其代理人、进出境物品所有人及其代理人按照海关的规定，向海关申报办理进境或者出境的手续。本条所规定的是进出口货物、进出境物品的报关纳税手续，它们与运输工具报关有所区别。

进出口货物是带有贸易性的，应当由掌握提货单或者装货单的货物所有人即货主，按海关规定填报货物报关单向海关申报，填报的事项除运输单证中已列出的外，还应根据商业单证填报货物的发票或合同价格、原产地、具体品名、税则号列和成交价格等，以便海关作为对货物查验、归类、核收关税等方面的依据，因此上述填报的内容必须真实，否则便要承担法律责任。作为报关者，进出口货物的货主在海关法称为进出口货物的收发货人，当然进出口货物的收发货人并不都是真正的货主，但是他在法律上是以货主的名义出现的。进出口货物收发货人可以自行办理报关纳税手续，但在海关法中也不是一律要求都由其自己直接办理报关手续，因为这是有实际困难的，尤其是在现代的商事活动中不应要求都由进出口商自行办理报关手续。所以海关法又规定，也可以由进出口货物收发货人委托海关准予注册登记的报关企业办理报关纳税手续。这实际上就是进出口货物办理报关纳税手续，可以由货主自行办理，也可以委托代理人办理。而受委托的代理人应当是海关准予注册登记的报关企业。这里讲的报关企业，是指专门从事报关服务的企业，它依法经海关注册登记，取得报关的合法资格。在现代海关制度中，专业报关企业受到鼓励、支持，

因为这种报关企业的健康发展，有利于推进报关服务的专业化、社会化。

关于进出境物品的报关，因为它是非贸易性的，所以规定可以由这些物品的所有人自行办理报关纳税手续，也可以委托他人办理报关纳税手续，但不要求这个代理人必须是报关企业，其他的个人也可以作为其代理人，只要是由进出境物品所有人委托的即可。

（四）代理办理报关手续的委托人与报关企业之间的法律关系

《海关法》第十条规定："报关企业接受进出口货物收发货人的委托，以委托人的名义办理报关手续的，应当向海关提交由委托人签署的授权委托书，遵守本法对委托人的各项规定。

报关企业接受进出口货物收发货人的委托，以自己的名义办理报关手续的，应当承担与收发货人相同的法律责任。

委托人委托报关企业办理报关手续的，应当向报关企业提供所委托报关事项的真实情况；报关企业接受委托人的委托办理报关手续的，应当对委托人所提供情况的真实性进行合理审查。"

（五）报关企业、报关人员的资格和行为

在法律中，对报关企业、报关人员的资格和行为加以规范，对加强海关监管，维护海关监管的良好秩序，保证报关业务的水平，都是有积极意义的。《海关法》第十一条为此作出了基本规定："进出口货物收发货人、报关企业办理报关手续，必须依法经海关注册登记。报关人员必须依法取得报关从业资格。未依法经海关注册登记的企业和未依法取得报关从业资格的人员，不得从事报关业务。报关企业和报关人员不得非法代理他人报关，或者超出其业务范围进行报关活动。"

二、进出境运输工具、货物和物品的监管

（一）进出境运输工具

《海关法》第二章第十四条至第二十二条对进出境运输工具的监管作了相应的规定。

（二）进出境货物

《海关法》第三章第二十三条至第四十五条对进出境货物的监管作了相应的规定。

1. 进出境货物接受海关监管的期间

第二十三条规定："进口货物自进境起到办结海关手续止，出口货物自向海关申报起到出境止，过境、转运和通运货物自进境起到出境止，应当接受海关监管。"

海关是国家的进出关境监督管理机关，进出境货物是海关监管的主要对象，对进出境货物实施监管是海关监管工作的重要组成部分。为保证进出境货物海关监管的有效实施，

有必要从法律上确定进出境货物接受海关监管的期间。

根据货物进出境的不同方式，可以将进出境货物分为五种：进口货物、出口货物、过境货物、转运货物、通运货物。该条对五种进出境货物接受海关监管的期间作出了规定。

2. 进出口货物的报关文件和报关时间

《海关法》第二十四条规定："进口货物的收货人、出口货物的发货人应当向海关如实申报，交验进出口许可证件和有关单证。国家限制进出口的货物，没有进出口许可证件的，不予放行，具体处理办法由国务院规定。进口货物的收货人应当自运输工具申报进境之日起 14 日内，出口货物的发货人除海关特准的外应当在货物运抵海关监管区后、装货的 24 小时以前，向海关申报。进口货物的收货人超过前款规定期限向海关申报的，由海关征收滞报金。"

（1）进口或者出口货物，必须向海关申报。

这是对进出口货物实施海关监管的要求，也是海关对进出口货物进行监管的基础。为确保进出口货物海关监管的有效实施，本条第一款明确规定，进口货物的收货人、出口货物的发货人应当向海关如实申报，这就是确定进出口货物的收发货人负有如实申报的义务。进出口货物的收发货人必须严格履行这项法定义务。如果违反这项法定义务，瞒骗海关，逃避监管甚至进行走私，就要承担相应的法律责任。如果进出口货物的收发货人不是自行办理报关手续，而是委托报关企业办理报关手续，也必须承担如实申报的责任，应向其委托的报关企业提供所委托报关事项的真实情况，以便报关企业向海关如实申报。因进出口货物的收发货人提供的情况不真实而导致的虚假申报，应由进出口货物的收发货人承担责任。

（2）进行进出口货物的海关申报，主要是向海关交验规定的报关文件。

为了促进和保护国内生产，根据对外贸易的需要，我国对许多进出口货物实行许可管理，凡进口或出口许可管理范围内的商品，都必须持有进口或出口货物许可证。因此，进出口货物许可证是海关监管货物合法进出的法定依据，进口货物的收货人、出口货物的发货人向海关申报时，必须交验进出口许可证。除进出口许可证管理外，国家还对部分进口商品以进口登记的形式进行限制，如某些机电产品必须取得有关管理机构发放的进口证明或准予登记的登记表后，才可以进口。因此，国家规定的有关进口证明、登记表及登记证明等，也是海关监管货物合法进出的法定依据，进口货物的收货人、出口货物的发货人在向海关申报时，也必须交验有关证明文件或表格、单证等。

（3）本条第二款的规定对进口货物的收货人和出口货物的发货人，在海关申报的时间上有不同的要求。

①进口货物的收货人应当自运输工具申报进境之日起 14 日内向海关申报。

按照本法有关条款的规定，进出境运输工具到达或者驶离设立海关的地点时，运输工具负责人应当向海关如实申报，交验单证，并接受海关监管和检查，因此，进口货物的收货人应从运输工具到达设立海关的地点，且运输工具负责人向海关申报后之日起 14 日内，向海关申报。进口货物的收货人超过这一规定的期限向海关申报的，由海关征收滞报金。按照本条第二款的规定，进口货物的收货人的海关申报义务是自运输工具申报进境之日起才形成，如果运输工具尚未申报进境，则进口货物的收货人也不必向海关申报。

②出口货物的发货人应当在货物运抵海关监管区后、装货的 24 小时以前向海关申报。

这表明，出口货物的申报时间不是固定的，可能比较长，也可能比较短，但有两个明确的界限。一是最早应于货物运抵海关监管区后进行申报，二是最迟应于货物装运出境前24小时以前进行申报。出口货物在运抵海关监管区以前，不在海关监管范围之内，不必向海关申报；而在货物装运出境的24小时以前还不向海关进行申报，将会影响海关的正常监管，有逃避海关监管的嫌疑，这两种情况都是应当避免发生的。出口货物的发货人在海关特准的情况下，可以在特定的时间内进行海关申报。

3. 查验货物

《海关法》第二十八条对海关查验货物作出了规定："进出口货物应当接受海关查验。海关查验货物时，进口货物的收货人、出口货物的发货人应当到场，并负责搬移货物，开拆和重封货物的包装。海关认为必要时，可以径行开验、复验或者提取货样。经收发货人申请，海关总署批准，其进出口货物可以免验。"

查验货物，就是以已经审核的报关单证为依据，在海关监管场所对进出口货物进行实际的检查。查验货物的主要目的，就是检查报关单与进出口货物许可证件、货物进出口合同、提货单以及其他需要向海关提交的单证的内容是否相符，检查报关单的内容与货物的实际情况是否相符，以核对收发货人的申报是否属实，确定征收关税的事实依据，并且检查有无藏匿走私货物的情况。

海关查验货物，可以根据不同的具体情况采用不同的方法，通常采用的主要是一般查验和重点查验两种方法。在海关查验时，进口货物的收货人、出口货物的发货人应当到现场查验货物。这样做，便于海关及时在现场核实有关情况。

4. 货物放行

《海关法》第二十九条对海关放行货物作出了规定："除海关特准的外，进出口货物在收发货人缴清税款或者提供担保后，由海关签印放行。"

放行货物，就是指海关在对进出口货物查验后，在有关的单证上签印放行，以表明海关监管的结束。放行是海关监管的最后一个环节，意味着海关现场监管可以解除，因此，海关在放行环节的工作重点是对货物通关过程中申报、查验、征税几个环节的工作进行复核。通过复核，可以发现申报、查验中的差错，以及这两个环节中出现的问题是否处理完毕，对问题和差错及时进行弥补，从而避免监管出现漏洞，给国家利益造成损失。

5. 暂时进出口货物复运出口或进口

《海关法》第三十一条对此作出了规定："经海关批准暂时进口或者暂时出口的货物，应当在6个月内复运出境或者复运进境；在特殊情况下，经海关同意，可以延期。"

6. 保税业务

《海关法》第三十二条规定："经营保税货物的储存、加工、装配、展示、运输、寄售业务和经营免税商店，应当符合海关监管要求，经海关批准，并办理注册手续。保税货物的转让、转移以及进出保税场所，应当向海关办理有关手续，接受海关监管和查验。"

7. 加工贸易

《海关法》第三十三条对加工贸易海关监管的规定如下：

"企业从事加工贸易，应当持有关批准文件和加工贸易合同向海关备案，加工贸易制成品单位耗料量由海关按照有关规定核定。加工贸易制成品应当在规定的期限内复出口。其中使用的进口料件，属于国家规定准予保税的，应当向海关办理核销手续；属于先征收税款的，依法向海关办理退税手续。加工贸易保税进口料件或者制成品因故转为内销的，海关凭准予内销的批准文件，对保税的进口料件依法征税；属于国家对进口有限制性规定的，还应当向海关提交进口许可证件。"

8. 保税区

《海关法》第三十四条规定："经国务院批准在中华人民共和国境内设立的保税区等海关特殊监管区域，由海关按照国家有关规定实施监管。"

9. 过境、转运和通运货物

《海关法》第三十六条规定："过境、转运和通运货物，运输工具负责人应当向进境地海关如实申报，并应当在规定期限内运输出境。海关认为必要时，可以查验过境、转运和通运货物。"

10. 特定货物和运输工具

《海关法》第三十九条对特定货物和运输工具监管办法制定权限作出了规定："进出境集装箱的监管办法、打捞进出境货物和沉船的监管办法、边境小额贸易进出口货物的监管办法，以及本法未具体列明的其他进出境货物的监管办法，由海关总署或者由海关总署会同国务院有关部门另行制定。"

11. 国家禁止或者限制进出境的货物或者物品

《海关法》第四十条作出了规定："国家对进出境货物、物品有禁止性或者限制性规定的，海关依据法律、行政法规、国务院的规定或者国务院有关部门依据法律、行政法规的授权作出的规定实施监管。具体监管办法由海关总署制定。"

12. 商品归类

《海关法》第四十二条作出了规定："进出口货物的商品归类按照国家有关商品归类的规定确定。海关可以要求进出口货物的收发货人提供确定商品归类所需的有关资料；必要时，海关可以组织化验、检验，并将海关认定的化验、检验结果作为商品归类的依据。"

（三）进出境物品

《海关法》第四章对进出境的行李物品、邮寄进出境物品的监管作出了规定。其中第四十六条规定："个人携带进出境的行李物品、邮寄进出境的物品，应当以自用、合理数量为限，并接受海关监管。"

个人携带进出境的行李物品，是指进出境人员随身或者以托运方式携带进出境的生活、学习等用品。邮寄进出境的物品，是指通过邮政部门邮运进出境的小型、小量、分散的非贸易性物品。本条对携带、邮寄以上物品进出境的规定是以自用、合理数量为限，并接受海关监管。其中，"自用"是指进出境物品属于本人消费、使用或者馈赠亲友，而不是为出售或者出租。"合理数量"是指海关根据旅客旅行目的和居留时间所规定的正常数量。

三、关税

《海关法》第五章对关税的征收作了规定。

1. 关税征收对象和关税征收机关

《海关法》第五十三条作出了规定："准许进出口的货物、进出境物品，由海关依法征收关税。"

海关征收关税的对象是准许进出口的货物和进出境物品。对于我国禁止进出口的货物、进出境物品，因其不能进出境，不属征收关税的对象。

海关是关税的法定征收机关，海关征收关税应当依法进行。征收关税是海关的一项重要职责。

2. 关税纳税义务人

《海关法》第五十四条作出了规定："进口货物的收货人、出口货物的发货人、进出境物品的所有人，是关税的纳税义务人。"

根据本条规定，关税的纳税义务人是进口货物的收货人、出口货物的发货人、进出境物品的所有人。进口货物的收货人、出口货物的发货人是指经国家批准有权进口或者出口货物并记载于进出口货物收、发货单上的收货人或者发货人。进出境物品的所有人，是指进出境行李物品、个人邮递物品以及其他进出境物品的所有人。

进出口货物可以由进出口货物收发货人委托海关准予注册登记的报关企业办理报关纳税手续，进出境物品的所有人可以委托他人办理报关纳税手续。报关企业及其他代理人接受进出口货物收发货人、进出境物品的所有人的委托办理报关纳税手续，向海关缴纳关税，但是，上述代理人的行为产生的法律后果最终由进出口货物收发货人、进出境物品的所有人承担，因此其不是纳税义务人，而是纳税义务人的代理人。

3. 关税完税价格

《海关法》第五十五条对关税完税价格作出了规定："进出口货物的完税价格，由海关以该货物的成交价格为基础审查确定。成交价格不能确定时，完税价格由海关依法估定。

进口货物的完税价格包括货物的货价、货物运抵中华人民共和国境内输入地点起卸前的运输及其相关费用、保险费；出口货物的完税价格包括货物的货价、货物运至中华人民共和国境内输出地点装载前的运输及其相关费用、保险费，但是其中包含的出口关税税额，应当予以扣除。

进出境物品的完税价格，由海关依法确定。"

4. 法定减免税项目

《海关法》第五十六条对法定减免税项目作出了规定。

5. 特定减免税、临时减免税、暂时免纳关税

《海关法》第五十七条至五十九条对特定减免税、临时减免税、暂时免纳关税分别作出了规定。

6. 关税税款的缴纳

7. 关税税款补征、追征和关税退征

《海关法》第六十二条、第六十三条对关税税款补征、追征和关税退征作出了规定。

8. 进口环节海关代征税征收管理

《海关法》第六十五条作出了规定："进口环节海关代征税的征收管理，适用关税征收管理的规定。"

四、法律责任

《海关法》第八章对走私行为的构成和处罚及其他违反海关法的有关规定的行为和处罚作了相应的规定。

1. 走私行为的界定及其应承担的法律责任

《海关法》第八十二条规定："违反本法及有关法律、行政法规，逃避海关监管，偷逃应纳税款，逃避国家有关进出境的禁止性或者限制性管理，有下列情形之一的，属于走私行为：

（一）运输、携带、邮寄国家禁止或者限制进出境货物、物品或者依法应当缴纳税款的货物、物品进出境的。

（二）未经海关许可并且未缴纳应纳税款、交验有关许可证件，擅自将保税货物、特定减免税货物以及其他海关监管货物、物品、进境的境外运输工具，在境内销售的。

（三）有逃避海关监管，构成走私的其他行为的。

有前款所列行为之一，尚不构成犯罪的，由海关没收走私货物、物品及违法所得，可以并处罚款；专门或者多次用于掩护走私的货物、物品，专门或者多次用于走私的运输工具，予以没收，藏匿走私货物、物品的特制设备，责令拆毁或者没收。

有第一款所列行为之一，构成犯罪的，依法追究刑事责任。

另八十三条是对直接向走私人非法收购走私进口的货物、物品等违法行为，按走私行为论处的规定。"

2. 伪造、变造、买卖海关单证及与走私人通谋，为走私提供便利条件应承担的法律责任

《海关法》第八十四条规定："伪造、变造、买卖海关单证，与走私人通谋为走私人提供贷款、资金、账号、发票、证明、海关单证，与走私人通谋为走私人提供运输、保管、邮寄或者其他方便，构成犯罪的，依法追究刑事责任；尚不构成犯罪的，由海关没收违法所得，并处罚款。"

3. 报关企业、报关人员违反本法规定进行报关活动，应当承担的法律责任

《海关法》第八十九条规定："报关企业、报关人员非法代理他人报关或者超出其业务范围进行报关活动的，由海关责令改正，处以罚款，暂停其执业；情节严重的，撤销其报关注册登记，取消其报关从业资格。"

4. 进出口货物收发货人、报关企业、报关人员向海关工作人员行贿，应当承担的法律责任

《海关法》第九十条规定："进出口货物收发货人、报关企业、报关人员向海关工作人员行贿的，由海关撤销其报关注册登记，取消其报关从业资格，并处以罚款；构成犯罪的，依法追究刑事责任，并不得重新注册登记为报关企业和取得报关从业资格证书。"

5. 海关在查验进出境货物、物品时损坏被查验的货物、物品应承担的法律责任

《海关法》第九十四条规定："海关在查验进出境货物、物品时，损坏被查验的货物、物品的，应当赔偿实际损失。"

第二节　《中华人民共和国刑法》关于走私罪的相关条款

《中华人民共和国刑法》在第三章第二节对走私罪作了如下规定：

第一百五十一条　走私武器、弹药、核材料或者伪造货币的，处七年以上有期徒刑，并处罚金或者没收财产；情节较轻的，处三年以上七年以下有期徒刑，并处罚金。

走私国家禁止出口的文物、黄金、白银和其他贵重金属或者国家禁止进出口的珍贵动物及其制品的，处五年以上有期徒刑，并处罚金；情节较轻的，处五年以下有期徒刑，并处罚金。

走私国家禁止进出口的珍稀植物及其制品的，处五年以下有期徒刑，并处或者单处罚金；情节严重的，处五年以上有期徒刑，并处罚金。

犯第一款、第二款罪，情节特别严重的，处无期徒刑或者死刑，并处没收财产。

单位犯本条规定之罪的，对单位判处罚金，并对其直接负责的主管人员和其他直接责任人员，依照本条各款的规定处罚。

第一百五十二条　以牟利或者传播为目的，走私淫秽的影片、录像带、录音带、图片、书刊或者其他淫秽物品的，处三年以上十年以下有期徒刑，并处罚金；情节严重的，处十年以上有期徒刑或者无期徒刑，并处罚金或者没收财产；情节较轻的，处三年以下有期徒刑、拘役或者管制，并处罚金。

逃避海关监管将境外固体废物、液态废物和气态废物运输进境，情节严重的，处五年以下有期徒刑，并处或者单处罚金；情节特别严重的，处五年以上有期徒刑，并处罚金。

单位犯前两款罪的，对单位判处罚金，并对其直接负责的主管人员和其他直接责任人员，依照前两款的规定处罚。

第一百五十三条　走私本法第一百五十一条、第一百五十二条、第三百四十七条规定以外的货物、物品的，根据情节轻重，分别依照下列规定处罚：

（一）走私货物、物品偷逃应缴税额在50万元以上的，处十年以上有期徒刑或者无期徒刑，并处偷逃应缴税额一倍以上五倍以下罚金或者没收财产；情节特别严重的，依照本法第一百五十一条第四款的规定处罚。

（二）走私货物、物品偷逃应缴税额在15万元以上不满50万元的，处三年以上十年以下有期徒刑，并处偷逃应缴税额一倍以上五倍以下罚金；情节特别严重的，处十年以上有期徒刑或者无期徒刑，并处偷逃应缴税额一倍以上五倍以下罚金或者没收财产。

（三）走私货物、物品偷逃应缴税额在5万元以上不满15万元的，处三年以下有期徒刑或者拘役，并处偷逃应缴税额一倍以上五倍以下罚金。

单位犯前款罪的，对单位判处罚金，并对其直接负责的主管人员和其他直接责任人员，处三年以下有期徒刑或者拘役；情节严重的，处三年以上十年以下有期徒刑；情节特别严重的，处十年以上有期徒刑。

对多次走私未经处理的，按照累计走私货物、物品的偷逃应缴税额处罚。

第一百五十四条　下列走私行为，根据本节规定构成犯罪的，依照本法第一百五十三条的规定定罪处罚：

（一）未经海关许可并且未补缴应缴税额，擅自将批准进口的来料加工、来件装配、补偿贸易的原材料、零件、制成品、设备等保税货物，在境内销售牟利的。

（二）未经海关许可并且未补缴应缴税额，擅自将特定减税、免税进口的货物、物品，在境内销售牟利的。

第一百五十五条　下列行为，以走私罪论处，依照本节的有关规定处罚：

（一）直接向走私人非法收购国家禁止进口物品的，或者直接向走私人非法收购走私进口的其他货物、物品，数额较大的。

（二）在内海、领海、界河、界湖运输、收购、贩卖国家禁止进出口物品的，或者运输、收购、贩卖国家限制进出口货物、物品，数额较大，没有合法证明的。

第一百五十六条　与走私罪犯通谋，为其提供贷款、资金、账号、发票、证明，或者为其提供运输、保管、邮寄或者其他方便的，以走私罪的共犯论处。

第一百五十七条　武装掩护走私的，依照本法第一百五十一条第一款、第四款的规定从重处罚。

以暴力、威胁方法抗拒缉私的，以走私罪和本法第二百七十七条规定的阻碍国家机关工作人员依法执行职务罪，依照数罪并罚的规定处罚。

第三节　《中华人民共和国进出口关税条例》简介

《中华人民共和国进出口关税条例》自 2004 年 1 月 1 日起施行，1992 年 3 月 18 日国务院修订发布的《中华人民共和国进出口关税条例》同时废止。

本条例对进出口货物关税税率的设置和适用、进出口货物完税价格的确定、进出口货物关税的征收、进境物品进口税的征收作了详细的规定。

一、进出口货物关税税率的设置和适用

本条例第二章规定了进出口货物关税税率的设置和适用。其中第九条规定："进口关税设置最惠国税率、协定税率、特惠税率、普通税率、关税配额税率等税率。对进口货物在一定期限内可以实行暂定税率。出口关税设置出口税率。对出口货物在一定期限内可以实行暂定税率。"

第十条至第十四条规定适用各种税率的情形，第十五条至第十七条对税率的适用作出了规定。

第十五条规定："进出口货物，应当适用海关接受该货物申报进口或者出口之日实施的税率。

进口货物到达前，经海关核准先行申报的，应当适用装载该货物的运输工具申报进境之日实施的税率。

转关运输货物税率的适用日期，由海关总署另行规定。"

二、进出口货物完税价格的确定

本条例第三章第十八条至第二十八条对进出口货物完税价格的确定作出了规定。

第十八条规定："进口货物的完税价格由海关以符合本条第三款所列条件的成交价格以及该货物运抵中华人民共和国境内输入地点起卸前的运输及其相关费用、保险费为基础审查确定。

进口货物的成交价格，是指卖方向中华人民共和国境内销售该货物时买方为进口该货物向卖方实付、应付的，并按照本条例第十九条、第二十条规定调整后的价款总额，包括直接支付的价款和间接支付的价款。

进口货物的成交价格应当符合下列条件：

（一）对买方处置或者使用该货物不予限制，但法律、行政法规规定实施的限制、对货物转售地域的限制和对货物价格无实质性影响的限制除外。

（二）该货物的成交价格没有因搭售或者其他因素的影响而无法确定。

（三）卖方不得从买方直接或者间接获得因该货物进口后转售、处置或者使用而产生的任何收益，或者虽有收益但能够按照本条例第十九条、第二十条的规定进行调整。

（四）买卖双方没有特殊关系，或者虽有特殊关系但未对成交价格产生影响。"

三、进出口货物关税的征收

本条例第四章对进出口货物关税的征收作出了规定。

1. 申报期限

第二十九条规定："进口货物的纳税义务人应当自运输工具申报进境之日起 14 日内，出口货物的纳税义务人除海关特准的外，应当在货物运抵海关监管区后、装货的 24 小时以前，向货物的进出境地海关申报。进出口货物转关运输的，按照海关总署的规定执行。

进口货物到达前，纳税义务人经海关核准可以先行申报。具体办法由海关总署另行规定。"

2. 税款征收方式

第三十六条规定："进出口货物关税，以从价计征、从量计征或者国家规定的其他方式征收。

从价计征的计算公式为：

$$应纳税额 = 完税价格 \times 关税税率$$

从量计征的计算公式为：

$$应纳税额 = 货物数量 \times 单位税额"$$

3. 滞纳金的缴纳

第三十七条规定："纳税义务人应当自海关填发税款缴款书之日起 15 日内向指定银行缴纳税款。纳税义务人未按期缴纳税款的，从滞纳税款之日起，按日加收滞纳税款万分之五的滞纳金。

海关可以对纳税义务人欠缴税款的情况予以公告。

海关征收关税、滞纳金等，应当制发缴款凭证，缴款凭证格式由海关总署规定。"

四、减免税规定

第四十五条规定："下列进出口货物，免征关税：

（一）关税税额在人民币 50 元以下的一票货物。

（二）无商业价值的广告品和货样。

（三）外国政府、国际组织无偿赠送的物资。

（四）在海关放行前损失的货物。

（五）进出境运输工具装载的途中必需的燃料、物料和饮食用品。

在海关放行前遭受损坏的货物，可以根据海关认定的受损程度减征关税。

法律规定的其他免征或者减征关税的货物，海关根据规定予以免征或者减征。"

第四十六条规定："特定地区、特定企业或者有特定用途的进出口货物减征或者免征关税，以及临时减征或者免征关税，按照国务院的有关规定执行。"

第四节　《中华人民共和国海关稽查条例》简介

《中华人民共和国海关稽查条例》于 1997 年 1 月 3 日起施行。

本条例第一条规定："为了建立、建全海关稽查制度，加强海关监督管理，维护正常的进出口秩序和当事人的合法权益，保障国家税收收入，促进对外贸易的发展，制定本条例。"

一、海关稽查的含义

本条例第二条规定："本条例所称海关稽查，是指海关自进出口货物放行之日起一年内或者在保税货物、减免税进口货物的海关监管期限内，对被稽查人的会计账簿、会计凭证、报关单证以及其他有关资料（以下统称账簿、单证等有关资料）和有关进出口货物进行核查，监督被稽查人进出口活动的真实性和合法性。"

二、海关稽查的对象

本条例第三条规定："海关对下列与进出口活动直接有关的企业、单位实施海关稽查。

（一）从事对外贸易的企业、单位。

（二）从事对外加工贸易的企业。

（三）经营保税业务的企业。

（四）使用或者经营减免税进口货物的企业、单位。

（五）从事报关业务的企业。

（六）海关总署规定的从事与进出口活动直接有关的其他企业、单位。"

三、海关稽查管理的内容

本条例第二章第五条至第八条规定了对账簿、单证等有关资料的管理。

第五条　与进出口活动直接有关的企业、单位所设置、编制的会计账簿、会计凭证、会计报表和其他会计资料，应当真实、准确、完整地记录和反映进出口业务的有关情况。

第六条　与进出口活动直接有关的企业、单位应当依照有关法律、行政法规规定的保管期限，保管会计账簿、会计凭证、会计报表和其他会计资料。

报关单证、进出口单证、合同以及与进出口业务直接有关的其他资料，应当自进出口货物放行之日起保管 3 年。

第七条　与进出口活动直接有关的企业、单位会计制度健全，能够通过计算机正确、完整地记账、核算的，其计算机储存和输出的会计记录视同会计资料，但是应当打印成书面记录并依照本条例的规定完整保管。

第八条　与进出口活动直接有关的企业、单位应当按照海关要求，报送有关进出口货物的购买、销售、加工、使用、损耗和库存情况的资料。

四、海关稽查的实施

本条例第三章对海关稽查的实施作了规定。

第九条规定："海关应当按照海关监管的要求，根据进出口企业、单位和进出口货物的具体情况，确定海关稽查重点，制定年度海关稽查工作计划。"

第十条规定："海关进行稽查时，应当在实施稽查的 3 日前，书面通知被稽查企业、单位（以下简称被稽查人）。在特殊情况下，经海关关长批准，海关可以不经事先通知进行稽查。"

第五节　《中华人民共和国知识产权海关保护条例》简介

《中华人民共和国知识产权海关保护条例》于 2003 年 11 月 26 日国务院第 30 次常务会议通过，自 2004 年 3 月 1 日起施行。

一、知识产权海关保护的含义

本条例第二条指出："本条例所称知识产权海关保护，是指海关对与进出口货物有关并受中华人民共和国法律、行政法规保护的商标专用权、著作权和与著作权有关的权利、专利权（以下统称知识产权）实施的保护。"

二、侵犯知识产权的货物禁止进出口

本条例第三条规定："国家禁止侵犯知识产权的货物进出口。

海关依照有关法律和本条例的规定实施知识产权保护，行使《中华人民共和国海关法》规定的有关权力。"

三、知识产权保护

第四条规定："知识产权权利人请求海关实施知识产权保护的，应当向海关提出采取保护措施的申请。"

第五条规定："进口货物的收货人或者其代理人、出口货物的发货人或者其代理人应当按照国家规定，向海关如实申报与进出口货物有关的知识产权状况，并提交有关证明文件。"

四、知识产权的备案

第七条规定："知识产权权利人可以依照本条例的规定，将其知识产权向海关总署申请备案；申请备案的，应当提交申请书。申请书应当包括下列内容：

（一）知识产权权利人的名称或者姓名、注册地或者国籍等。

（二）知识产权的名称、内容及其相关信息。

（三）知识产权许可行使状况。

（四）知识产权权利人合法行使知识产权的货物的名称、产地、进出境地海关、进出口商、主要特征、价格等。

（五）已知的侵犯知识产权货物的制造商、进出口商、进出境地海关、主要特征、价格等。

前款规定的申请书内容有证明文件的，知识产权权利人应当附送证明文件。"

五、侵权嫌疑货物的扣留

第十二条规定："知识产权权利人发现侵权嫌疑货物即将进出口的，可以向货物进出境地海关提出扣留侵权嫌疑货物的申请。"

第六节　《中华人民共和国海关
行政处罚实施条例》简介

《中华人民共和国海关行政处罚实施条例》于 2004 年 9 月 1 日国务院第 62 次常务会议通过，自 2004 年 11 月 1 日起施行，1993 年 4 月 1 日海关总署发布的《中华人民共和国海关法行政处罚实施细则》同时废止。

依法不追究刑事责任的走私行为和违反海关监管规定的行为，以及法律、行政法规规定由海关实施行政处罚的行为的处理，适用本实施条例。也就是说，《中华人民共和国刑法》所指的走私罪，是要追究刑事责任的，而本实施条例则对有关走私行为和违反海关监管规定的行为，以及法律、行政法规规定由海关实施行政处罚的行为作出行政处罚的规定。

一、走私行为及其处罚

本条例第二章"走私行为及其处罚"中第七、八条列明了构成走私行为的情形，第九条规定了对实施上述所列行为的处罚。

第七条　违反海关法及其他有关法律、行政法规，逃避海关监管，偷逃应纳税款，逃避国家有关进出境的禁止性或者限制性管理，有下列情形之一的，是走私行为：

（一）未经国务院或者国务院授权的机关批准，从未设立海关的地点运输、携带国家禁止或者限制进出境的货物、物品或者依法应当缴纳税款的货物、物品进出境的。

（二）经过设立海关的地点，以藏匿、伪装、瞒报、伪报或者其他方式逃避海关监管，运输、携带、邮寄国家禁止或者限制进出境的货物、物品或者依法应当缴纳税款的货物、物品进出境的。

（三）使用伪造、变造的手册、单证、印章、账册、电子数据或者以其他方式逃避海关监管，擅自将海关监管货物、物品、进境的境外运输工具，在境内销售的。

（四）使用伪造、变造的手册、单证、印章、账册、电子数据或者以伪报加工贸易制成品单位耗料量等方式，致使海关监管货物、物品脱离监管的。

（五）以藏匿、伪装、瞒报、伪报或者其他方式逃避海关监管，擅自将保税区、出口加工区等海关特殊监管区域内的海关监管货物、物品，运出区外的。

（六）有逃避海关监管，构成走私的其他行为的。

第八条　有下列行为之一的，按走私行为论处：

（一）明知是走私进口的货物、物品，直接向走私人非法收购的。

（二）在内海、领海、界河、界湖，船舶及所载人员运输、收购、贩卖国家禁止或者限制进出境的货物、物品，或者运输、收购、贩卖依法应当缴纳税款的货物，没有合法证明的。

第九条　有本实施条例第七条、第八条所列行为之一的，依照下列规定处罚：

（一）走私国家禁止进出口的货物的，没收走私货物及违法所得，可以并处100万元以下罚款；走私国家禁止进出境的物品的，没收走私物品及违法所得，可以并处10万元以下罚款。

（二）应当提交许可证件而未提交但未偷逃税款，走私国家限制进出境的货物、物品的，没收走私货物、物品及违法所得，可以并处走私货物、物品等值以下罚款。

（三）偷逃应纳税款但未逃避许可证件管理，走私依法应当缴纳税款的货物、物品的，没收走私货物、物品及违法所得，可以并处偷逃应纳税款3倍以下罚款。

专门用于走私的运输工具或者用于掩护走私的货物、物品，2年内3次以上用于走私的运输工具或者用于掩护走私的货物、物品，应当予以没收。藏匿走私货物、物品的特制设备、夹层、暗格，应当予以没收或者责令拆毁。使用特制设备、夹层、暗格实施走私的，应当从重处罚。

第十条　与走私人通谋为走私人提供贷款、资金、账号、发票、证明、海关单证的，与走私人通谋为走私人提供走私货物、物品的提取、发运、运输、保管、邮寄或者其他方便的，以走私的共同当事人论处，没收违法所得，并依照本实施条例第九条的规定予以处罚。

第十一条　报关企业、报关人员和海关准予从事海关监管货物的运输、储存、加工、装配、寄售、展示等业务的企业，构成走私犯罪或者1年内有2次以上走私行为的，海关可以撤销其注册登记，取消其报关从业资格。

二、违反海关监管规定的行为及其处罚

本条例第三章列明了违反海关监管规定的行为，即违反海关法及其他有关法律、行政法规和规章，但不构成走私行为的行为及其处罚规定。

其中对报关企业、报关人员的有关违规行为的规定有以下几条：

第二十六条　报关企业、报关人员和海关准予从事海关监管货物的运输、储存、加工、装配、寄售、展示等业务的企业，有下列情形之一的，责令改正，给予警告，可以暂停其6个月以内从事有关业务或者执业：

（一）拖欠税款或者不履行纳税义务的。

（二）报关企业出让其名义供他人办理进出口货物报关纳税事宜的。

（三）损坏或者丢失海关监管货物，不能提供正当理由的。

（四）有需要暂停其从事有关业务或者执业的其他违法行为的。

第二十七条　报关企业、报关人员和海关准予从事海关监管货物的运输、储存、加工、装配、寄售、展示等业务的企业，有下列情形之一的，海关可以撤销其注册登记，取消其报关从业资格：

（一）1年内3人次以上被海关暂停执业的。

（二）被海关暂停从事有关业务或者执业，恢复从事有关业务或者执业后1年内再次发生本实施条例第二十六条规定情形的。

（三）有需要撤销其注册登记或者取消其报关从业资格的其他违法行为的。

第二十八条　报关企业、报关人员非法代理他人报关或者超出海关准予的从业范围进

行报关活动的，责令改正，处 5 万元以下罚款，暂停其 6 个月以内从事报关业务或者执业；情节严重的，撤销其报关注册登记，取消其报关从业资格。

第二十九条 进出口货物收发货人、报关企业、报关人员向海关工作人员行贿的，撤销其报关注册登记，取消其报关从业资格，并处 10 万元以下罚款；构成犯罪的，依法追究刑事责任，并不得重新注册登记为报关企业和取得报关从业资格。

第三十条 未经海关注册登记和未取得报关从业资格从事报关业务的，予以取缔，没收违法所得，可以并处 10 万元以下罚款。

第三十一条 提供虚假资料骗取海关注册登记、报关从业资格的，撤销其注册登记，取消其报关从业资格，并处 30 万元以下罚款。

参考文献

1. 海关总署报关员资格考试教材编写委员会．报关员资格全国统一考试辅导教材．中国海关出版社，2005

2. 姜维，陈柯妮．报关业务实战教程．立信会计出版社，2005

3. 王志明，顾建清．报关综合实务．东北财经大学出版社，2005

4. 许可，夏斯顺．海关通关实务．对外经济贸易大学出版社，2001

5. 谢国娥．海关报关实务．华东理工大学出版社，2004

6. 郑俊田．中国海关通关实务．中国商务出版社，2005

7. 曹维新等．报关员考试攻关谋略．中国海关出版社，2002

8. 陈海联等．报关员考试习题精解．中国海关出版社，2002

9. 章国胜，涂琳．报关实务教程．中国对外经济贸易出版社，1997

10. 曹俊等．报关员应试入门．华东理工大学出版社，2004

11. 王意家．执业报关实务．暨南大学出版社，2003

12. 刘春晖，李明．报关员资格全国统一考试教材同步辅导同步练习．中国海关出版社，2006

13. 温耀庆．进出口通关实务．中国物资出版社，2005

14. 邵铁民等．报关实务手册．上海财经大学出版社，2004

15. 徐昭国．报关员工作一日通．广东经济出版社，2004

16. 廖庆薪，廖力平．进出口业务与报关．中山大学出版社，2003

17. 黎孝先．国际贸易实务．对外经济贸易大学出版社，2002

18. 余世明．国际贸易实务．暨南大学出版社，2005

19. 胡康生，郎胜．中华人民共和国宪法释义．法律出版社，2004

20. 海关总署政法司，关税司．中华人民共和国进出口关税条例释义．中国民主法制出版社，2004